ANTOLOGÍA DE POETAS
MODERNISTAS HISPANOAMERICANOS

A BLAISDELL BOOK
IN THE MODERN LANGUAGES

CONSULTING EDITOR
*Charles N. Staubach*

ANTOLOGÍA D

BLAISDELL PUBLISHING COMPAN

# HOMERO CASTILLO

UNIVERSITY OF CALIFORNIA AT DAVIS

# Poetas modernistas hispanoamericanos

*Division of Ginn and Company / Waltham, Massachusetts · Toronto · London*

# ◄{ PALABRAS PRELIMINARES }►

EN LA PRESENTE antología se proporcionan selecciones de los versos escritos por los poetas modernistas más conocidos como representativos del movimiento. Lo ideal habría sido consignar un número mayor de autores e incluir a los prosistas para así demostrar que el modernismo hispanoamericano constituyó un fenómeno literario de variadas facetas y vastas proyecciones continentales. Las exigencias editoriales, por otra parte, nos obligaron a adoptar un criterio selectivo que, al mismo tiempo, lograra satisfacer la obligación de ofrecer textos en los cuales se pudiera apreciar con profundidad y amplitud lo más sobresaliente de la época. Comprendemos que al suprimir a algunos poetas y a los prosistas, se les relega al olvido o no se les hace la debida justicia, pero ante tal situación no queda otra esperanza que confiar en la indulgencia de los lectores ... Por lo demás, si hubiéramos incluido un elenco más abultado de escritores, nos habríamos visto precisados a omitir piezas de gran valor o a cercenar modalidades importantes del verso modernista para así ceder espacio a composiciones, a lo mejor, inferiores en calidad.

La variada cantidad de poesías que figuran en esta antología esperamos que deje a cada profesor margen suficiente para escoger lo que sea de su agrado o del gusto de sus alumnos. El grado de dificultad determinará, en todo caso, los títulos que se elijan para ser comentados en las clases o destinados a la lectura y análisis complementarios.

Nos hemos atrevido a confeccionar bibliografías selectas de estudios críticos pensando que tal vez sea prudente ofrecerlos para cuando llegue el momento en que cada profesor juzgue oportuno exigir su consulta. Una vez más se notará que no figura en estas listas todo lo que se debiera abarcar y, de nuevo, se habrá de recordar que en la preparación de los textos escolares se impone un límite terminante al autor. Nuestra norma selectiva, además de la calidad de los trabajos, consideró la probable existencia de éstos en las bibliotecas universitarias y la posibilidad de adquirirlos sin grandes tropiezos. Con tal propósito suministramos todos los datos bibliográficos de los estudios que han estado a nuestro alcance y que los proporcionan en el pie de imprenta o en el colofón.

Las introducciones de esta antología no pretenden agotar la materia de que tratan, ni en el aspecto crítico ni en la exposición histórica. Las generalidades que resumimos han de servir de estímulo a la labor original de los estudiantes debidamente guiados por sus profesores. La historia del modernismo, por otra parte, muchos colegas querrán exponerla ellos mismos o dejar que la reconstruyan los alumnos con la ayuda de manuales y otras obras de consulta.

La recopilación que ofrecemos, sobra decirlo, llena un vacío que venimos sintiendo desde hace tiempo los profesores de literatura hispanoamericana. Esperamos que esta antología sea útil en los cursos del bachillerato y en los que comprendan estudios más avanzados. En la mayoría de los casos, los textos originales aparecen completos; en contadas ocasiones se ha abreviado una que otra composición demasiado extensa, se ha modificado la ortografía para que se ciña a las nuevas normas o se ha restaurado la puntuación con miras exclusivamente pedagógicas.

Resta expresar nuestros sinceros agradecimientos a los herederos de los autores que con gran generosidad nos autorizaron para reproducir las poesías aún sujetas a las leyes internacionales de propiedad intelectual: señora Josefina Valencia de Hubach, doctor Camilo de Brigard Silva, señor Héctor González Rojo y señor Leopoldo Lugones (hijo). También dejamos constancia de nuestra gratitud a la señora Rosalyn Chezum, a la señorita Jacqueline Rogers y a mi hija Carmen por su paciente ayuda en la preparación de los originales. Con el profesor Charles N. Staubach tenemos una especial deuda de reconocimiento por la buena acogida que en todo momento ha dispensado a nuestro trabajo y por las valiosas sugerencias que nos ha hecho.

Los asteriscos indican que el alumno encontrará una aclaración en el Glosario. La alfabetización se ha hecho conforme al sistema que se sigue en español.

Cualquier error u omisión en que hayamos incurrido es involuntario y rogamos disculparlo, en atención al deseo que nos ha guiado de servir a nuestros colegas y alumnos en la medida de nuestras fuerzas.

HOMERO CASTILLO

# TABLA DE MATERIAS

## ❧ AMADO NERVO ❧ 223

## ENRIQUE GONZÁLEZ MARTÍNEZ

## JOSÉ SANTOS CHOCANO     393

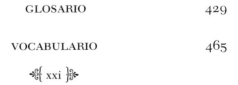

# INTRODUCCIÓN AL ESTUDIO
# DEL MODERNISMO

EL MODERNISMO constituye la manifestación más notable y sobresaliente de las letras hispanoamericanas de los últimos años del siglo XIX y los iniciales del XX. La participación que les cabe a los poetas del nuevo mundo en el proceso evolutivo experimentado por el verso de esta época supera el calificativo de «imitadores» que, hasta entonces, habían recibido los cultores de la poesía en América.

Un destacado y numeroso grupo de escritores, sin previo acuerdo, origina un movimiento de tales proyecciones y calidad que, ante su vasta magnitud y novedosa fisonomía poética, el resto del continente y hasta la secular tradición peninsular no pueden dejarlo pasar desapercibido. Su efecto, sobra decirlo, se propaga a todos los lugares del mundo hispánico y opera una radical transformación en todos los géneros literarios, aunque la que se verifica en el verso sea la más palpable.

A partir de la obra de los llamados iniciadores—hoy resulta inoportuno hablar de «precursores»—y, sobre todo, tras darse a conocer la producción de Rubén Darío, el mundo literario hispánico endereza rumbos hacia un horizonte claramente perfilado, promisor y vivificante. El movimiento modernista se traduce así en original obra creadora, significa ineludible fuerza de renovación y constituye incentivo para la búsqueda de nuevos climas poéticos.

No ha de esperarse en este periodo del verso hispánico manifiesto alguno ni abierta declaración de principios que sirvan de pauta a la labor de los poetas. La sola presencia de un código preceptivo desvirtuaría lo fundamentalmente distintivo del movimiento, convirtiéndolo en escuela literaria tradicional, encuadrada dentro de los estrechos límites de un criterio personalista. «Yo no tengo literatura ‹ mía ›—dice Rubén Darío—para marcar el rumbo de los demás ... quien siga servilmente mis huellas perderá su tesoro personal ...» («Palabras liminares» de *Prosas profanas*).

No es tampoco el modernismo un fenómeno desvinculado de la herencia estética europea ni indiferente a las acabadas joyas artísticas en que halla realización el talento individual o colectivo. La huella cultural que dejara el pasado en calidad de orientaciones y escuelas es motivo de admiración y respeto, sirve de cimiento y apoyo al modernista pero sin que ello le lleve a caer en imitaciones serviles, ciegas o entorpecedoras del proceso artístico. Por eso es que encontramos incorporados en la producción modernista y amalgamados con sello original los más puros, preciados y diversos elementos constitutivos del romanticismo, del simbolismo, del parnasianismo y de tantos otros «ismos» pertenecientes a las etapas inmediatamente precedentes o a edades pretéritas y distantes de la evolución de las literaturas occidentales.

Nada que sea valioso resulta objeto de desprecio o desperdicio para el modernista. Por el contrario, su afinada sensibilidad prodigiosamente le conduce a descubrir la belleza de forma y contenido dondequiera que se haya dado o se esté dando y su talento elabora lo asimilado transmutándolo en producto genial al calor de sus propias experiencias.

Si la expresión integral del individuo, vale decir el anhelo nunca superado de perfección formal y el cultivo de una temática novedosa, se convierte en el núcleo poético del movimiento, quienes comparten tales aspiraciones vitales huyen, por otra parte, del prosaísmo, la burda copia y—al decir de Darío—de toda manifestación que revele «falta de elevación mental». De ahí que los poetas de esta época se alejen de lo vulgar de la realidad y busquen refugio en ambientes que les parezcan singulares y satisfactorios merced a su exotismo, refinamiento exquisito o delicada intimidad.

A la rigidez del molde formal establecido, agotado, inerte o cadavérico, particularmente en algunos momentos del siglo XIX, los modernistas oponen un constante y ávido anhelo de renovación expresiva. El renacimiento de las estructuras métricas involucra la vitalización de éstas por medio de flexibles y variadas combinaciones, sin excluir adaptaciones provenientes del extranjero, provistas de un variado contenido personal. Al ensayo de audaces,

ágiles e impresionantes combinaciones métricas, únese el enrique-
cimiento del idioma con toda suerte de nuevos términos, castizos
y extranjerizantes, sutiles acepciones y variado vocabulario selecto. A todo ello se añade, como esencial, la profusión de matices,
tonos e imágenes con que se traduce una fina y desconocida inspiración poética. La inusitada impresión de conjunto que produce
el modernista no excluye, sin embargo, la vibración unísona que
experimentan autor y lector al comunicarse por medio de la obra
de arte.

No extraña, pues, que a pesar de los pocos años que dura el
apogeo del modernismo, el movimiento se difunda por el mundo
hispánico entero y alcance cimas artísticas insospechadas. América
produce por estos años las figuras literarias de más elevada talla,
como los maestros cuyas obras hemos seleccionado en esta antología, y asume una posición de vanguardia en la evolución de las
letras hispánicas.

Conviene también destacar otro hecho. Aunque el modernismo
propiamente tal se liquida al desaparecer sus representantes más
genuinos o evolucionar los cultores de más dilatada vida hacia
nuevas orientaciones, las múltiples huellas abiertas por los maestros dejan un surco imborrable en el verso hispánico. En él habrán
de fructificar otras semillas no menos valiosas del genio americano.

OBRAS DE CONSULTA

ARGÜELLO, S. *Modernismo y modernistas.* Guatemala: Tipografía Nacional, 1935.

ARRIETA, R. A. *Introducción al modernismo literario.* Buenos Aires:
Editorial Columba, 1956.

BLANCO FOMBONA, R. *El modernismo y los poetas modernistas.* Madrid:
Mundo Latino, 1929.

CARDEN, P. « Parnassianism, Symbolism, Decadentism—and Modernism »,
*Hispania* (U.S.A.), *XLIII* (1960), págs. 545-551.

DÍAZ, PLAJA, G. *Modernismo frente a Noventa y Ocho.* Madrid: Espasa-
Calpe, 1951.

FEIN, J. M. *Modernismo in Chilean Literature.* Durham, N. C.: Duke
University Press, 1965.

FERRERO, R. « Los límites del modernismo y la Generación del Noventa
y Ocho », *Cuadernos Hispanoamericanos* (Madrid), No. 73 (1955), págs.
66-84.

FOGELQUIST, D. F. « El carácter hispánico del modernismo » en *La cultura
y la literatura iberoamericanas.* México: De Andrea, 1957.

GARCÍA CALDERÓN, V. *Del romanticismo al modernismo*. París: P. Ollendorff, 1910.

GARCÍA GIRÓN, E. «La azul sonrisa: Discusión sobre la adjetivación modernista», *Revista Iberoamericana* (México), No. 39 (1955), págs. 95–116.

GARCÍA GIRÓN, E. «El modernismo como evasión cultural», en *La cultura y la literatura iberoamericanas*. México: De Andrea, 1957.

GICOVATE, B. *Conceptos fundamentales de literatura comparada–Iniciación de la poesía modernista*. San Juan, P. R.: Asomante, 1962.

GOLDBERG, I. *Studies in Spanish-American Literature*. New York: Brentano, 1920.

GONZÁLEZ, M. P. *Notas en torno al modernismo*. México: Facultad de Filosofía y Letras, 1958.

GULLÓN, R. *Direcciones del modernismo*. Madrid: Gredos, 1964.

HENRÍQUEZ UREÑA, M. *Breve historia del modernismo*. México: Fondo de Cultura Económica, 1962.

JIMÉNEZ, J. R. *El modernismo*. Madrid: Aguilar, 1962.

MARINELLO, J. *Sobre el modernismo*. México: Universidad Nacional Autónoma de México, 1959.

MATLOWSKY, B. D. *The Modernist Trend in Spanish-American Poetry*. Washington, D. C.: Pan American Union, 1952.

MONGUIÓ, L. «De la problemática del modernismo», *Revista Iberoamericana* (México), No. 53 (1962), págs. 75–86.

NAVARRO, T. *Métrica española*. Syracuse, N. Y.: Syracuse University Press, 1956.

ONÍS, F. DE. «Sobre el concepto de modernismo», *La Torre* (Puerto Rico), No. 2 (1952), págs. 95–103.

PÉREZ PETIT, V. *Los modernistas*. Montevideo: Editorial Nacional, 1903.

PHILLIPS, A. W. «Rubén Darío y sus juicios sobre el modernismo», *Revista Iberoamericana* (México), No. 47 (1959), págs. 41–64.

SÁINZ DE ROBLES, F. C. *Ensayo de un diccionario de la literatura. Tomo I: Términos, conceptos, «ismos» literarios*. Madrid: Aguilar, 1954.

SÁINZ DE ROBLES, F. C. *Ensayo de un diccionario mitológico universal*. Madrid: Aguilar, 1958.

SCHADE, G. D. «La mitología en la poesía modernista hispanoamericana» en *La cultura y la literatura iberoamericanas*. México: De Andrea, 1957.

SCHULMAN, I. A. «Génesis del azul modernista», *Revista Iberoamericana* (México), No. 50 (1960) págs. 251–271.

SILVA UZCÁTEGUI, R. D. *Historia crítica del modernismo en la literatura castellana*. Barcelona: Vda. de Tasso, 1925.

TORRES-RIOSECO, A. *Precursores del modernismo*. New York: Las Américas, 1963.

VELA, A. *Teoría del modernismo*. México: Botas, 1949.

# JOSÉ MARTÍ

## 1853–1895

L A FIGURA notable de este patriota cubano se ha adjudicado un lugar sobresaliente entre los grandes hombres de acción de la América Hispana a causa de la incansable tenacidad que demostró en su incesante lucha por la libertad e independencia de su tierra.

Sitio no menos destacado ocupa Martí como prosista y poeta de inspiración y estilo reveladores de una nueva y fina sensibilidad. La sencilla expresión de sus versos refleja una delicada intimidad enriquecida por las múltiples y variadas experiencias que llenaron su vida.

Los mundos humanos que frecuentó Martí fueron numerosos y diversos, los ambientes que le acogieron nunca dejaron de serle estimulantes y los seres con quienes le tocó alternar y convivir le resultaron, a la postre, motivos de meditación que él quiso compartir con otros a través de sus poesías.

Cuando al trajín de sus quehaceres se suceden la traquilidad y el recogimiento, las huellas que dejan en su espíritu los ajetreos cotidianos se convierten en estados de ánimo y en versos que los traducen sin mayores complicaciones ni falsas actitudes. La sinceridad de sus sentimientos y la espontánea sencillez del estilo martiano constituyen rasgos tan singulares que bastan para incorporar al autor en el movimiento poético que se gestaba en América.

## OBRAS PRINCIPALES DEL AUTOR

*Ismaelillo.* New York, 1882.
*Versos libres.* New York, 1882.
*La edad de oro.* New York, 1889.
*Versos sencillos.* New York, 1891.
*Flores del destierro.* Recopilación y prólogo de J. Marinello. La Habana, 1929.
*Obras completas.* Prólogo de Andrés Rivero Agüero. Edición a cargo de M. Isidro Méndez. Tomos I y II. La Habana, 1953.
*Versos.* Edición con estudio preliminar, selección y notas de Eugenio Florit. New York, 1962.


### ESTUDIOS

*Archivo José Martí.* La Habana: Ministerio de Educación, Dirección de Cultura, 1940. (Los tomos publicados entre 1940 y 1952 contienen numerosos artículos sobre diversos aspectos de la vida y obra de José Martí.)
ARROM, J. J. *Certidumbre humana.* La Habana: Anuario Bibliográfico Cubano, 1959.
CARTER, B. G. « Gutiérrez Nájera y Martí como iniciadores del modernismo », *Revista Iberoamericana* (México), No. 54 (1962), págs. 296–310.
CUE CANOVAS, A. *Martí, el escritor y su época.* México: Centenario, 1961.
DAIREUX, M. *José Martí.* París: Éditions France-Amérique, 1939.
DÍAZ PLAJA, G. « Lenguaje, verso y poesía en José Martí », *Cuadernos Hispanoamericanos* (Madrid), No. 39 (1953), págs. 312–322.
GICOVATE, B. *Conceptos fundamentales de literatura comparada—Iniciación de la poesía modernista.* San Juan, P. R.: Asomante, 1962.
GONZÁLEZ, M. P. *Fuentes para el estudio de José Martí.* La Habana: Publicaciones del Ministerio de Educación, 1950.
GONZÁLEZ, M. P., E I. A. SCHULMAN. *Esquema ideológico de José Martí.* México: Cultura, 1961.
IDUARTE, A. *Martí, escritor.* La Habana: Publicaciones del Ministerio de Educación, 1951 (2a. ed.).
JIMÉNEZ, J. R. *Españoles de tres mundos.* Madrid: Aguado, 1960.
LIZASO, F. *Martí, místico del deber.* Buenos Aires: Losada, 1946.
LIZASO, F. *Proyección humana de Martí.* Buenos Aires: Raigal, 1953.
LIZASO, F. *Personalidad de Martí.* La Habana: Ucar García, 1954.
MAÑACH, J. *Martí, el apóstol.* Prólogo de Gabriela Mistral. New York: Las Américas, 1963.
MARINELLO, J. *José Martí, escritor americano—Martí y el modernismo.* México: Grijalbo, 1958.

Martínez Rendón, M. D. *En torno a la poesía de Martí.* México, 1933.

*Memoria del Congreso de Escritores Martianos (Febrero 20 a 27 de 1953 ).* La Habana, 1953. (Contiene numerosos ensayos sobre la vida y obra de José Martí.)

Méndez, M. I. *Martí, estudio crítico biográfico.* La Habana: Imprenta P. Fernández y Cía, 1941.

Meza Fuentes, R. *De Díaz Mirón a Rubén Darío.* Santiago de Chile: Nascimento, 1940.

Portuondo, J. A. *José Martí, crítico literario.* Washington, D. C.: Pan American Union, 1953.

Roggiano, A. A. « Poética y estilo de José Martí », *Humanitas* (Tucumán, Argentina), No. 2 (1953), págs. 351–378.

Sánchez, L. A. *Escritores representativos de América.* Tomo II. Madrid: Gredos, 1957.

Schulman, I. A. *Símbolo y color en la obra de José Martí.* Madrid: Gredos, 1960.

Schulman, I. A. « Las estructuras polares en la obra de José Martí y Julián del Casal », *Revista Iberoamericana* (México), No. 56 (1963), págs. 251–282.

Schulman, I. A. « José Martí y Manuel Gutiérrez Nájera: Iniciadores del modernismo », *Revista Iberoamericana* (México), No. 57 (1964), págs. 9–50.

Torres-Rioseco, A. *Ensayos sobre literatura latinoamericana.* Segunda serie. México: Fondo de Cultura Económica, 1958.

Torres-Rioseco, A. *Precursores del modernismo.* New York: Las Américas, 1963.

Verdaguer, R. *José Martí; peregrino de una idea.* La Habana: Sección de Artes Gráficas del Centro Superior Tecnológico del Instituto Cívico Militar, 1955.

Vitier, M. *Martí, estudio integral.* La Habana: Publicaciones de la Comisión Nacional Organizadora de los Actos y Ediciones del Centenario y del Monumento de Martí, 1954.

## PRÍNCIPE ENANO

Para un príncipe enano
se hace esta fiesta.
Tiene guedejas rubias,
blandas guedejas;
por sobre el hombro blanco          5
luengas le cuelgan.
Sus dos ojos parecen
estrellas negras:
¡Vuelan, brillan, palpitan,
relampaguean!                       10
El para mí es corona,
almohada, espuela.
Mi mano, que así embrida
potros y hienas,
va, mansa y obediente,              15
donde él la lleva.
Si el ceño frunce, temo;
si se me queja,
—cual de mujer—mi rostro
nieve se trueca;                    20
su sangre, pues, anima
mis flacas venas:
¡Con su gozo mi sangre
se hincha o se seca!
Para un príncipe enano              25
se hace esta fiesta.

¡Venga mi caballero
por esta senda!
¡Entrese mi tirano
por esta cueva!                     30
Tal es, cuando a mis ojos

su imagen llega,
cual si en lóbrego antro
pálida estrella,
35 con fulgores de ópalo,
todo vistiera.
A su paso la sombra
matices muestra,
como al Sol que las hiere
40 las nubes negras.
¡Heme ya, puesto en armas,
en la pelea!
Quiere el príncipe enano
que a luchar vuelva:
45 ¡El para mí es corona,
almohada, espuela!
Y como el Sol, quebrando
las nubes negras,
en banda de colores
50 la sombra trueca,—
él, al tocarla, borda
en la onda espesa,
mi banda de batalla
roja y violeta.
55 ¿Conque mi dueño quiere
que a vivir vuelva?
¡Venga mi caballero
por esta senda!
¡Entrese mi tirano
60 por esta cueva!
¡Déjenme que la vida
a él, a él ofrezca!
Para un príncipe enano
se hace esta fiesta.

## SUEÑO DESPIERTO

Yo sueño con los ojos
abiertos, y de día
y noche siempre sueño.

Y sobre las espumas
del ancho mar revuelto,                              5
y por entre las crespas
arenas del desierto,
y del león pujante,
monarca de mi pecho,
montado alegremente                                  10
sobre el sumiso cuello,
un niño que me llama
flotando siempre veo.

## SOBRE MI HOMBRO

Ved: sentado lo llevo
sobre mi hombro:
oculto va, y visible
para mí solo:
él me ciñe las sienes                                5
con su redondo
brazo, cuando a las fieras
penas me postro:—
cuando el cabello hirsuto
yérguese y hosco,                                    10
cual de interna tormenta
símbolo torvo,
como un beso que vuela
siento en el tosco
cráneo: su mano amansa                               15
el bridón loco—
cuando en medio del recio
camino lóbrego,
sonrío, y desmayado
del raro gozo,                                       20
la mano tiendo en busca
de amigo apoyo,—
es que un beso invisible
me da el hermoso
niño que va sentado                                  25
sobre mi hombro.

# TÓRTOLA BLANCA

El aire está espeso,
la alfombra manchada,
las luces ardientes,
revuelta la sala;
y acá entre divanes
y allá entre otomanas,
tropiézase en restos
de tules o de alas.
¡Un baile parece
de copas exhaustas!
Despierto está el cuerpo,
dormida está el alma;
¡qué férvido el valse!
¡qué alegre la danza!
¡qué fiera hay dormida
cuando el baile acaba!

Detona, chispea,
espuma, se vacia*
y expira dichosa
la rubia champaña:
los ojos fulguran,
las manos abrasan;
de tiernas palomas
se nutren las águilas;
don Juanes lucientes
devoran Rosauras;
fermenta y rebosa
la inquieta palabra;
estrecha en su cárcel
la vida incendiada,
en risas se rompe
y en lava y en llamas;
y lirios se quiebran,
y violas se manchan,
y giran las gentes,
y ondulan y valsan;
mariposas rojas

inundan la sala,
y en la alfombra muere
la tórtola blanca.                          40

Yo fiero rehuso
la copa labrada;
traspaso a un sediento
la alegre champaña;
pálido recojo                               45
la tórtola hollada:
y en su fiesta dejo
las fieras humanas;
que el balcón azotan
dos alitas blancas                          50
que llenas de miedo
temblando me llaman.


# VERSOS SENCILLOS (*selecciones*)

### I
Yo soy un hombre sincero
de donde crece la palma;
y antes de morirme, quiero
echar mis versos del alma.

Yo vengo de todas partes,                   5
y hacia todas partes voy:
arte soy entre las artes;
en los montes, monte soy.

Yo sé de nombres extraños
de las yerbas y las flores,                  10
y de mortales engaños,
y de sublimes dolores.

Yo he visto en la noche oscura
llover sobre mi cabeza
los rayos de lumbre pura                     15
de la divina belleza.

Alas nacer vi en los hombros
de las mujeres hermosas,

y salir de los escombros
20    volando, las mariposas.

He visto vivir a un hombre
con un puñal al costado
sin decir jamás el nombre
de aquella que lo ha matado.

25    Rápida como un reflejo,
dos veces vi el alma, dos:
cuando murió el pobre viejo,
cuando ella me dijo adiós.

Temblé una vez—en la reja,
30    a la entrada de la viña—,
cuando la bárbara abeja
picó en la frente a mi niña*.

Gocé una vez, de tal suerte
que gocé cual nunca: cuando
35    la sentencia de mi muerte
leyó el alcaide llorando.

Oigo un suspiro a través
de las tierras y la mar,
y no es un suspiro: es
40    que mi hijo va a despertar.

Si dicen que del joyero
tome la joya mejor,
tomo a un amigo sincero
y pongo a un lado el amor.

45    Yo he visto el águila herida
volar al azul sereno,
y morir en su guarida
la víbora del veneno.

Yo sé bien que cuando el mundo
50    cede, lívido, al descanso,
sobre el silencio profundo
murmura el arroyo manso.

Yo he puesto la mano osada,
de horror y júbilo yerta,
55    sobre la estrella apagada
que cayó frente a mi puerta.

Oculto en mi pecho bravo
la pena que me lo hiere:
el hijo de un pueblo esclavo
vive por él, calla y muere.                    60

Todo es hermoso y constante,
todo es música y razón,
y todo, como el diamante,
antes que luz es carbón.

Yo sé que el necio se entierra          65
con gran lujo y con gran llanto,
y que no hay fruta en la tierra
como la del camposanto.

Callo, y entiendo, y me quito
la pompa del rimador;                          70
cuelgo de un árbol marchito
mi muceta de doctor.


### V

Si ves un monte de espumas,
es mi verso lo que ves:
mi verso es un monte, y es                  75
un abanico de plumas.

Mi verso es como un puñal
que por el puño echa flor:
mi verso es un surtidor
que da un agua de coral.                      80

Mi verso es de un verde claro
y de un carmín encendido:
mi verso es de un ciervo herido
que busca en el monte amparo.

Mi verso al valiente agrada:              85
mi verso, breve y sincero,
es del vigor del acero
con que se funde la espada.


### VII

Para Aragón*, en España,
tengo yo en mi corazón,                      90

un lugar todo Aragón,
franco, fiero, fiel, sin saña.

Si quiere un tonto saber
por qué lo tengo, le digo
95   que allí tuve un buen amigo,
que allí quise a una mujer*.

Allá, en la vega florida,
la de la heroica defensa,
por mantener lo que piensa
100  juega la gente la vida.

Y si un alcalde lo aprieta
o lo enoja un rey cazurro,
calza la manta el baturro
y muere con su escopeta.

105  Quiero a la tierra amarilla
que baña el Ebro* lodoso,
quiero el Pilar* azuloso
de Lanuza* y de Padilla*.

Estimo a quien de un revés
110  echa por tierra a un tirano;
lo estimo, si es cubano;
lo estimo, si aragonés.

Amo los patios sombríos
con escaleras bordadas;
115  amo las naves calladas
y los conventos vacíos.

Amo la tierra florida,
musulmana o española,
donde rompió su corola
120  la poca flor de mi vida.

## VIII
Yo tengo un amigo muerto
que suele venirme a ver:
mi amigo se sienta y canta;
canta en voz que ha de doler:

125  « En un ave de dos alas
bogo por el cielo azul:

un ala del ave es negra,
otra de oro Caribú*.

El corazón es un loco
que no sabe de un color:
o es su amor de dos colores,
o dice que no es amor.

Hay una loca más fiera
que el corazón infeliz:
la que le chupó la sangre
y se echó luego a reír.

Corazón que lleva rota
el ancla fiel del hogar,
va como barca perdida,
que no sabe adónde va.»

En cuanto llega a esta angustia
rompe el muerto a maldecir:
le amanso el cráneo; lo acuesto;
acuesto el muerto a dormir.

### IX

Quiero, a la sombra de un ala,
contar este cuento en flor:
la niña* de Guatemala*,
la que se murió de amor.

Eran de lirios los ramos,
y las orlas de reseda
y de jazmín; la enterramos
en una caja de seda.

... Ella dio al desmemoriado
una almohadilla de olor;
él volvió, volvió casado;
ella se murió de amor.

Iban cargándola en andas
obispos y embajadores;
detrás iba el pueblo en tandas,
todo cargado de flores.

... Ella, por volverlo a ver,
salió a verlo al mirador:

él volvió con su mujer:
ella se murió de amor.

165  Como de bronce candente
al beso de despedida,
era su frente: ¡la frente
que más he amado en mi vida!

     ... Se entró de tarde en el río,
170  la sacó muerta el doctor:
dicen que murió de frío:
yo sé que murió de amor.

     Allí, en la bóveda helada,
la pusieron en dos bancos:
175  besé su mano afilada,
besé sus zapatos blancos.

     Callado, al oscurecer,
me llamó el enterrador:
¡nunca más he vuelto a ver
180  a la que murió de amor!

X

     El alma trémula y sola
padece al anochecer:
hay baile; vamos a ver
la bailarina española.

185  Han hecho bien en quitar
el banderón de la acera;
porque si está la bandera,
no sé, yo no puedo entrar.

     Ya llega la bailarina:
190  soberbia y pálida llega:
¿cómo dicen que es gallega?
pues dicen mal: es divina.

     Lleva un sombrero torero
y una capa carmesí:
195  ¡lo mismo que un alelí
que se pusiese un sombrero!

     Se ve, de paso, la ceja,
ceja de mora traidora:

y la mirada, de mora:
y como nieve la oreja.                          200

Preludian, bajan la luz,
y sale en bata y mantón,
la virgen de la Asunción
bailando un baile andaluz.

Alza, retando, la frente;                       205
crúzase al hombro la manta:
en arco el brazo levanta:
mueve despacio el pie ardiente.

Repica con los tacones
el tablado zalamera,                            210
como si la tabla fuera
tablado de corazones.

Y va el convite creciendo
en las llamas de los ojos,
y el manto de flecos rojos                      215
se va en el aire meciendo.

Súbito, de un salto arranca:
húrtase, se quiebra, gira:
abre en dos la cachemira,
ofrece la bata blanca.                          220

El cuerpo cede y ondea;
la boca abierta provoca;
es una rosa la boca:
lentamente taconea.

Recoge, de un débil giro,                       225
el manto de flecos rojos:
se va, cerrando los ojos,
se va, como en un suspiro ...

Baila muy bien la española,
es blanco y rojo el mantón:                     230
¡vuelve, fosca, a su rincón
el alma trémula y sola!

### XVI

En el alféizar calado
de la ventana moruna,

pálido como la luna,
medita un enamorado.

Pálida, en su canapé
de seda tórtola y roja,
Eva, callada, deshoja
una violeta en el té.

## XXIII

Yo quiero salir del mundo
por la puerta natural:
en un carro de hojas verdes
a morir me han de llevar.

No me pongan en lo oscuro
a morir como un traidor:
¡Yo soy bueno, y como bueno
moriré de cara al Sol!

## XXIV

Sé de un pintor atrevido
que sale a pintar contento
sobre la tela del viento
y la espuma del olvido.

Yo sé de un pintor gigante,
el de divinos colores,
puesto a pintarle las flores
a una corbeta mercante.

Yo sé de un pobre pintor
que mira el agua al pintar,
—el agua ronca del mar—,
con un entrañable amor.

## XXV

Yo pienso, cuando me alegro
como un escolar sencillo,
en el canario amarillo,
¡que tiene el ojo tan negro!

Yo quiero, cuando me muera,
sin patria, pero sin amo,

tener en mi losa un ramo
de flores,—¡y una bandera!

### XXVIII

Por la tumba del cortijo
donde está el padre enterrado,                    270
pasa el hijo, de soldado
del invasor: pasa el hijo.

El padre, un bravo en la guerra,
envuelto en su pabellón
álzase; y de un bofetón                            275
lo tiende, muerto, por tierra.

El rayo reluce; zumba
el viento por el cortijo:
el padre recoge al hijo,
y se lo lleva a la tumba.                          280

### XXXIV

¡Penas! ¿Quién osa decir
que tengo yo penas? Luego,
después del rayo, y del fuego,
tendré tiempo de sufrir.

Yo sé de un pesar profundo                         285
entre las penas sin nombres:
¡la esclavitud de los hombres
es la gran pena del mundo!

Hay montes, y hay que subir
los montes altos: ¡después                         290
veremos, alma, quién es
quien te me ha puesto al morir!

### XXXVII

Aquí está el pecho, mujer,
que ya sé que lo herirás:
¡Más grande debiera ser,                           295
para que lo hirieses más!

Porque noto, alma torcida,
que en mi pecho milagroso,

mientras más honda la herida,
es mi canto más hermoso.

### XXXVIII

¿Del tirano? Del tirano
dí todo, ¡dí más!; y clava
con furia de mano esclava
sobre su oprobio al tirano.

¿Del error? Pues del error
dí el antro, dí las veredas
oscuras: dí cuanto puedas
del tirano y del error.

¿De mujer? Pues puede ser
que mueras de su mordida;
¡pero no empañes tu vida
diciendo mal de mujer!

### XXXIX

Cultivo una rosa blanca
en julio como en enero,
para el amigo sincero
que me da su mano franca.

Y para el cruel que me arranca
el corazón con que vivo,
cardo ni ortiga* cultivo:
cultivo la rosa blanca.

### XLIII

Mucho, señora, daría
por tender sobre tu espalda
tu cabellera bravía,
tu cabellera de gualda
despacio la tendería,
callado la besaría.

Por sobre la oreja fina
baja lujoso el cabello,
lo mismo que una cortina
que se levanta hacia el cuello.
La oreja es obra divina
de porcelana de China.

Mucho, señora, te diera
por desenredar el nudo
de tu roja cabellera
sobre tu cuello desnudo:
muy despacio la esparciera,
hilo por hilo la abriera.

### XLIV

Tiene el leopardo un abrigo
en su monte seco y pardo:
yo tengo más que el leopardo,
porque tengo un buen amigo.

Duerme, como un juguete,
la mushma* en su cojinete
de arce del Japón: yo digo:
« No hay cojín como en un amigo. »

Tiene el conde su abolengo:
tiene la aurora el mendigo:
tiene ala el ave: ¡yo tengo
allá en Méjico un amigo*!

Tiene el señor presidente
un jardín con una fuente,
y un tesoro en oro y trigo:
tengo más, tengo un amigo.

### XLV

Sueño con claustros de mármol
donde en silencio divino
los héroes, de pie, reposan:
¡de noche, a la luz del alma,
hablo con ellos: de noche!
Están en fila: paseo
entre las filas: las manos
de piedra les beso: abren
los ojos de piedra: mueven
los labios de piedra: tiemblan
las barbas de piedra: empuñan
la espada de piedra: lloran:
¡vibra la espada en la vaina!
Mudo, les beso la mano.

335

340

345

350

355

360

365

¡Hablo con ellos, de noche!
370 Están en fila: paseo
entre las filas: lloroso
me abrazo a un mármol: «¡Oh mármol,
dicen que beben tus hijos
su propia sangre en las copas
375 venenosas de sus dueños!
¡Que hablan la lengua podrida
de sus rufianes! ¡Que comen
juntos el pan del oprobio
en la mesa ensangrentada!
380 ¡Que pierden en lengua inútil
el último fuego! ¡Dicen,
oh mármol, mármol dormido,
que ya se ha muerto tu raza!»

Echame en tierra de un bote
385 el héroe que abrazo: me ase
del cuello: barre la tierra
con mi cabeza: levanta
el brazo, ¡el brazo le luce
lo mismo que un sol!: resuena
390 la piedra: buscan el cinto
las manos blancas: ¡del soclo
saltan los hombres de mármol!


## AMOR DE CIUDAD GRANDE

De gorja son y rapidez los tiempos.
Corre cual luz la voz; en alta aguja,
cual nave despeñada en sirte horrenda,
húndese el rayo, y en ligera barca
5 el hombre, como alado, el aire hiende.
¡Así el amor, sin pompa ni misterio
muere, apenas nacido, de saciado!
¡Jaula es la villa de palomas muertas
y ávidos cazadores! ¡Si los pechos
10 se rompen de los hombres, y las carnes
rotas por tierra ruedan, no han de verse
dentro más que frutillas estrujadas!

Se ama de pie, en las calles, entre el polvo
de los salones y las plazas; muere
la flor el día en que nace. Aquella virgen          15
trémula que antes a la muerte daba
la mano pura que a ignorado mozo;
el goce de temer; aquel salirse
del pecho el corazón; el inefable
placer de merecer; el grato susto                    20
de caminar de prisa en derechura
del hogar de la amada, y a sus puertas
como un niño feliz romper en llanto;
y aquel mirar, de nuestro amor al fuego,
irse tiñendo de color las rosas,                     25
¡ea, que son patrañas! Pues ¿quién tiene
tiempo de ser hidalgo? ¡Bien que sienta,
cual áureo vaso o lienzo suntuoso,
dama gentil en casa de magnate!
¡O si se tiene sed, se alarga el brazo               30
y a la copa que pasa se la apura!
Luego, la copa turbia al polvo rueda,
y el hábil catador—manchado el pecho
de una sangre invisible—sigue alegre,
coronado de mirtos, su camino!                       35
¡No son los cuerpos ya sino desechos,
y fosas y jirones! ¡Y las almas
no son como en el árbol fruta rica
en cuya blanda piel la almíbar dulce
en su sazón de madurez rebosa,                       40
sino fruta de plaza que a brutales
golpes el rudo labrador madura!

¡La edad es ésta de los labios secos!
¡De las noches sin sueño! ¡De la vida
estrujada en agraz! ¿Qué es lo que falta            45
que la ventura falta? Como liebre
azorada, el espíritu se esconde,
trémulo huyendo al cazador que ríe,
cual en soto selvoso, en nuestro pecho;
y el deseo, de brazo de la fiebre,                   50
cual rico cazador recorre el soto.

¡Me espanta la ciudad! ¡Toda está llena
de copas por vaciar, o huecas copas!

¡Tengo miedo, ¡ay de mí!, de que este vino
55 tósigo sea, y en mis venas luego
cual duende vengador los dientes clave!
¡Tengo sed, mas de un vino que en la tierra
no se sabe beber! ¡No he padecido
bastante aún, para romper el muro
60 que me aparta, ¡oh dolor!, de mi viñedo!
¡Tomad vosotros, catadores ruines
de vinillos humanos, esos vasos
donde el jugo de lirio a grandes sorbos
sin compasión y sin temor se bebe!
65 ¡Tomad! ¡Yo soy honrado, y tengo miedo!


## COPA CON ALAS

Una copa con alas, ¿quién la ha visto
antes que yo? Yo ayer la vi. Subía
con lenta majestad, como quien vierte
óleo sagrado; y a sus dulces bordes
5 mis regalados labios apretaba.
¡Ni una gota siquiera, ni una gota
del bálsamo perdí que hubo en tu beso!

Tu cabeza de negra cabellera,
¿te acuerdas?, con mi mano requería,
10 porque de mí tus labios generosos
no se apartaran. Blanda como el beso
que a ti me transfundía, era la suave
atmósfera en redor; ¡la vida entera
sentí que a mí abrazándote, abrazaba!
15 ¡Perdí el mundo de vista, y sus ruidos
y su envidiosa y bárbara batalla!
¡Una copa en los aires ascendía
y yo, en brazos no vistos reclinado
tras ella, asido de sus dulces bordes,
20 por el espacio azul me remontaba!

¡Oh amor, oh inmenso, oh acabado artista!
En rueda o riel funde el herrero el hierro;
una flor o mujer o águila o ángel
en oro o plata el joyador cincela;

¡tú sólo, sólo tú, sabes el modo
de reducir el Universo a un beso!

# DOS PATRIAS

Dos patrias tengo yo: Cuba y la noche.
¿O son una las dos? ... No bien retira
su majestad el sol, con largos velos
y un clavel en la mano, silenciosa
Cuba cual viuda triste me aparece.                          5
¡Yo sé cuál es ese clavel sangriento
que en la mano le tiembla! Está vacío
mi pecho, destrozado está y vacío
en donde estaba el corazón. Ya es hora
de empezar a morir. La noche es buena                    10
para decir adiós. La luz estorba
y la palabra humana. El universo
habla mejor que el hombre.
                          Cual bandera
que invita a batallar, la llama roja                         15
de la vela flamea. Las ventanas
abro, ya estrecho en mí. Muda, rompiendo
las hojas del clavel, como una nube
que enturbia el cielo, Cuba, viuda, pasa ...

# PARA CECILIA GUTIÉRREZ NÁJERA Y MAILLEFERT*

En la cuna sin par nació la airosa
niña de honda mirada y paso leve,
que el padre le tejió de milagrosa
música azul y clavellín de nieve.

Del Sol voraz y de la cumbre andina,                         5
con mirra nueva, el séquito de bardos
vino a regar sobre la cuna fina
olor de myosotis y luz de nardos.

A las pálidas alas del arpegio,
preso del cinto a la trenzada cuna,
colgó liana sutil el bardo regio
de ópalo tenue y claridad de luna.

A las trémulas manos de la ansiosa
madre feliz, para el collar primero,
vertió el bardo creador la pudorosa
perla y el iris de su ideal joyero.

De su menudo y fúlgido palacio
surgió la niña mística, cual sube,
blanca y azul, por el solemne espacio,
lleno el seno de lágrimas, la nube.

Verdes los ojos son de la hechicera
niña, y en ellos tiembla la mirada
cual onda virgen de la mar viajera
presa al pasar en concha nacarada.

Fina y severa como el arte grave,
alísea planta en la existencia apoya,
y el canto tiene y la inquietud del ave,
y su mano es el hueco de una joya.

Niña: si el mundo infiel al bardo airoso
las magias roba con que orló tu cuna,
tú le ornarás de nuevo el milagroso
verso de ópalo tenue y luz de luna.

# SALVADOR DÍAZ MIRÓN

1853–1928

SIEMPRE ha interesado este poeta mexicano por las dos fases que con perfecta claridad se observan en la exigua producción literaria que legó. Con anterioridad a 1901, fecha de su colección de poesías titulada *Lascas*, impresionó fuertemente a sus lectores con la atrevida arrogancia y el desmedido afán de deslumbrar que, como residuos, le dejara su devoción a Victor Hugo y a los románticos más célebres. Las vicisitudes de una vida repleta de incidentes, poco propicios a alentar recuerdos positivos, si bien difíciles de dejar sumidos en el olvido, corren estrechamente unidas a los giros que cobra la orientación estética de Díaz Mirón.

En un segundo momento de su labor artística, el poeta se aleja con esfuerzo de todo aquel estruendo que tantos admiradores y hasta fieles discípulos le atrajera. Se torna parco y exigente en la expresión, se entibia el calor abrasador de su inicial fogosidad y se consagra con ahinco a limar las aristas de forma y contenido que ya no quiere tolerarse.

Júzguese la vida de Díaz Mirón según las normas que cada cual sustente y mejor le acomoden, pero no se desconozca la maestría del autocontrol que se impone y ejerce sobre los vaivenes de su espíritu. No se aminore tampoco el inconfundible ritmo interno que se advierte comunicado a la arquitectura de la composición. Determinado a buscar la realización de renovados anhelos de perfeccionamiento, el poeta a menudo la halla a su manera y con personalidad propia, si no admirable. Quizás su fuerte voluntad le enajene amigos zalameros, le aleje lectores superficiales y le reste el culto que se le quisiera rendir. El mundo diazmironiano con sus encontradas concepciones, por otra parte, revela la presencia de una nueva y clara meta estética que necesariamente debe originar juicios divergentes y variables estados de ánimo en los lectores.

## OBRAS PRINCIPALES DEL AUTOR

*Poesías*. México, 1886; New York, 1895; Santiago de Chile, 1903.
*Lascas*. Xalapa, 1901 y 1906; Madrid, 1917.
*Poesías completas, 1879–1928*. México, 1958.

## ESTUDIOS

ALMOINA, J. *Díaz Mirón: Su poética*. México: Jus, 1958.
CAFFAREL PERALTA, P. *Díaz Mirón en su obra*. México: Porrúa, 1956.
CARRILLO, J. *Radiografía y disección de Salvador Díaz Mirón*. México: Libros Bayo, 1954.
CASTRO LEAL, A. *La obra poética de Salvador Díaz Mirón*. México, 1953.
DÍAZ PLAJA, G. « Salvador Díaz Mirón y el modernismo », *Cuadernos Hispanoamericanos* (Madrid), No. 57 (1954), págs. 300–307.
DÍAZ PLAJA, G. « El sentimiento de la naturaleza en Díaz Mirón », *Cuadernos Hispanoamericanos* (Madrid), No. 65 (1955), págs. 197–205.
FERNÁNDEZ MACGREGOR, G. *Salvador Díaz Mirón*. México: Talleres Gráficos de la Nación, 1935.
MÉNDEZ PLANCARTE, A. *Díaz Mirón, poeta y artífice*. México: Robredo, 1954.
MEZA FUENTES, R. *De Díaz Mirón a Rubén Darío*. Santiago de Chile: Nascimento, 1940.
MONTERDE, F. *Díaz Mirón: El hombre, la obra*. México: De Andrea, 1956.
MONTERDE, F. *Salvador Díaz Mirón—Documentos, estética*. México: Facultad de Filosofía y Letras, 1956.
MONTERDE, F. « El arte literario en la poesía de Díaz Mirón » en *La cultura y la literatura iberoamericanas*. México: De Andrea, 1957.
PÉREZ Y SOTO, A. *Salvador Díaz Mirón: El poeta y el hombre*. México, 1955.
SÁNCHEZ, L. A. *Escritores representativos de América*. Tomo II. Madrid: Gredos, 1957.
TORRES-RIOSECO, A. *Ensayos sobre literatura latinoamericana*. Segunda serie. México: Fondo de Cultura Económica, 1958.

# A GLORIA

¡No intentes convencerme de torpeza
con los delirios de tu mente loca!
Mi razón es al par luz y firmeza,
firmeza y luz como el cristal de roca.

Semejante al nocturno peregrino,                    5
mi esperanza inmortal no mira al suelo;
no viendo más que sombra en mi camino,
sólo contempla el esplendor del cielo.

¡Vanas son las imágenes que entraña
tu espíritu infantil, santuario oscuro!            10
Tu numen, como el oro en la montaña,
es virginal, y por lo mismo, impuro.

A través de este vórtice que crispa,
y ávido de brillar, vuelo o me arrastro,
oruga enamorada de una chispa,                     15
o águila seducida por un astro.

Inútil es que con tenaz murmullo
exageres el lance en que me enredo:
yo soy altivo, y el que alienta orgullo
lleva un broquel impenetrable al miedo.            20

Fiado en el instinto que me empuja,
desprecio los peligros que señalas.
El ave canta aunque la rama cruja
como que sabe lo que son sus alas.

Erguido bajo el golpe en la porfía,                25
me siento superior a la victoria.
Tengo fe en mí: la adversidad podría
quitarme el triunfo, pero no la gloria.

¡Deja que me persigan los abyectos!
¡Quiero atraer la envidia, aunque me abrume!
La flor en que se posan los insectos
es rica de matiz y de perfume.

El mal es el teatro, en cuyo foro
la virtud, esa trágica, descuella;
es la sibila de palabra de oro;
la sombra que hace resaltar la estrella.

¡Alumbrar es arder! ¡Estro encendido
será el fuego voraz que me consuma!
La perla brota del molusco herido
y Venus* nace de la amarga espuma.

Los claros timbres de que estoy ufano
han de salir de la calumnia ilesos.
Hay plumajes que cruzan el pantano
y no se manchan ... ¡Mi plumaje es de ésos!

¡Fuerza es que sufra mi pasión! La palma
crece en la orilla que el oleaje azota.
El mérito es el náufrago del alma:
vivo se hunde; pero muerto, flota.

Depón el ceño y que tu voz me arrulle.
Consuela el corazón del que te ama.
Dios dijo al agua del torrente: ¡Bulle!
Y al lirio de la margen: ¡Embalsama!

¡Confórmate, mujer¡—Hemos venido
a este valle de lágrimas que abate,
tú, como la paloma, para el nido,
y yo, como el león, para el combate.

## MÚSICA FÚNEBRE

Mi corazón percibe, sueña y presume.
Y como envuelta en oro tejido en gasa,
la tristeza de Verdi* suspira y pasa
en la cadencia fina como un perfume.

Un frío de alta zona hiela y entume;
y luz de sol poniente colora y rasa;

y fe de gloria empírea pugna y fracasa,
como en ensayos torpes un ala implume.

El sublime concierto llena la casa;
y en medio de la sorda y estulta masa,          10
mi corazón percibe, sueña y presume.

Y como envuelta en oro tejido en gasa,
la tristeza de Verdi suspira y pasa
en la cadencia fina como un perfume.

## VIGILIA Y SUEÑO

La moza lucha con el mancebo
- su prometido y hermoso efebo—
y vence a costa de un traje nuevo.

Y huye sin mancha ni deterioro
en la pureza y en el decoro,                     5
y es un gran lirio de nieve y oro.

Y entre la sombra solemne y bruna,
yerra en el mate jardín, cual una
visión compuesta de aroma y luna.

Y gana el cuarto, y ante un espejo,              10
y con orgullo de amargo dejo,
cambia sonrisas con un reflejo.

Y echa cerrojos, y se desnuda,
y al catre asciende blanca y velluda,
y aun desvestida se quema y suda.                15

Y a mal pabilo, tras corto ruego,
sopla y apaga la flor de fuego,
y a la negrura pide sosiego.

Y duerme a poco. Y en un espanto,
y en una lumbre, y en un encanto,                20
forja un suceso digno de un canto.

¡Sueña que yace sujeta y sola
en un celaje que se arrebola,
y que un querube llega y la viola!

# EJEMPLO

En la rama el expuesto cadáver se pudría,
como un horrible fruto colgante junto al tallo,
rindiendo testimonio de inverosímil fallo
y con ritmo de péndola oscilando en la vía.

La desnudez impúdica, la lengua que salía,
y alto mechón en forma de una cresta de gallo,
dábanle aspecto bufo; y al pie de mi caballo
un grupo de arrapiezos holgábase y reía.

Y el fúnebre despojo, con la cabeza gacha,
escandaloso y túmido en el verde patíbulo,
desparramaba hedores en brisa como racha,

mecido con solemnes compases de turíbulo.
Y el Sol iba en ascenso por un azul sin tacha,
y el campo era figura de una canción de Tíbulo*.


# EL FANTASMA

Blancas y finas, y en el manto apenas
visibles, y con aire de azucenas,
las manos, que no rompen mis cadenas.

Azules y con oro enarenados,
como las noches limpias de nublados,
los ojos, que contemplan mis pecados.

Como albo pecho de paloma el cuello,
y como crin de sol barba y cabello,
y como plata el pie descalzo y bello.

Dulce y triste la faz: la veste zarca...
Así del mal sobre la inmensa charca,
Jesús vino a mi unción como a la barca*.

Y abrillantó a mi espíritu la cumbre
con fugaz cuanto rica certidumbre,
como en tintas de refleja lumbre.

Y suele retornar y me reintegra
la fe que salva y la ilusión que alegra;
y un relámpago enciende mi alma negra.


# IDILIO

A tres leguas de un puerto bullente
que a desbordes y grescas anima,
y al que un tiempo la gloria y el clima
adornan de palmas la frente,
hay un agrio breñal, y en la cima                    5
de un alcor un casucho acubado,
que de lejos diviso a menudo,
y rindiéndose apoya a un costado
en el tronco de un mango copudo.

Distante, la choza resulta montera                   10
con borla y al sesgo sobre una mollera.

El sitio es ingrato, por fétido y hosco.
El cardón, el nopal y la ortiga
prosperan; y el aire trasciende a boñiga,
a marisco y a cieno; y el mosco                      15
pulula y hostiga.

La flora es enérgica para
que indemne y pujante soporte
la furia del soplo del Norte,
que de octubre a febrero no es rara,                 20
y la pródiga lumbre febea,
que de marzo a septiembre caldea.

El Oriente se inflama y colora,
como un ópalo inmenso en un lampo,
y difunde sus tintes de aurora                       25
por piélago y campo.
Y en la magia que irisa y corusca,
una perla de plata se ofusca.

Un prestigio rebelde a la letra,
un misterio inviolable al idioma,                    30
un encanto circula y penetra,

y en el alma es edénico aroma.
Con el juego cromático gira,
en los pocos instantes que dura;
35 y hasta el pecho infernado respira
un olor de inocencia y ventura.
¡Al través de la trágica historia,
un efluvio de antigua bonanza
viene al hombre, como una memoria,
40 y acaso como una esperanza!

El ponto es de azogue y apenas palpita.
Un pesado alcatraz ejercita
su instinto de caza en la fresca.
Grave y lento, discurre al soslayo,
45 escudriña con calma grotesca,
se derrumba cual muerto de un rayo,
sumérgese y pesca.

Y al trotar de un rocín flaco y mocho,
un moreno, que ciñe *moruna*,
50 transita cantando cadente tontuna,
de baile *jarocho*.

Monótono y acre gangueo,
que un pájaro acalla, soltando un gorjeo.

Cuanto es mudo y selecto en la hora,
55 en el vasto esplendor matutino,
halla voz en el ave canora,
vibra y suena en el chorro de trino.

Y como un monolito pagano,
un buey gris en un yermo altozano
60 mira fijo, pasmado y absorto,
la pompa del orto.

Y a la puerta del viejo bohío
que oblicuando su ruina en la loma
se recuesta en el árbol sombrío,
65 una rústica grácil asoma,
como una paloma.

Infantil por edad y estatura,
sorprende ostentando sazón prematura;
elásticos bultos de tetas opimas;

y a juzgar por la equívoca traza,                          70
no semeja sino una rapaza
que reserva en el seno dos limas.

   Blondo y grifo e inculto el cabello,
y los labios turgentes y rojos,
y de tórtola el garbo del cuello,                          75
y el azul del zafiro en los ojos.
Dientes albos, parejos, enanos,
que apagado coral prende y liga,
que recuerdan, en curvas de granos,
el maíz, cuando tierno en la espiga.                       80
La nariz es impura, y atesta
una carne sensual e impetuosa;
y en la faz, a rigores expuesta,
la nieve da en ámbar, la púrpura en rosa,
y el júbilo es gracia sin velo,                            85
y en cada carrillo produce un hoyuelo.

   La payita se llama Sidonia;
llegó a México en una barriga:
en el vientre de infecta mendiga
que, del fango sacada en Bolonia,*                         90
formó parte de cierta colonia,
y acabó de miseria y fatiga.

   La huérfana ignara y creyente
busca sólo en los cielos el rastro;
y de noche imagina que siente                              95
besos, ¡ay!, en los hilos de un astro.
¿Qué ilusión es tan dulce y hermosa?
Dios le ha dicho: «Sé plácida y bella;
y en el duelo que marque una fosa
pon la fe que contemple una estrella.»                     100
¿Quién no cede al consuelo que olvida?
La piedad es un santo remedio;
y después, el ardor de la vida
urge y clama en la pena y el tedio,
y al tumulto y al goce convida.                            105
De la zafia el pesar se distrae,
desplome de polvo y ascenso de nube.
¡Del tizón la ceniza que cae
y el humo que sube!

110             La madre reposa con sueño de piedra.
La muchacha medra.

Y por siembras y apriscos divaga
con su padre, que duda de serlo;
y el infame la injuria y estraga,
115        y la triste se obstina en quererlo.
Llena está de pasión y de bruma;
tiene ley en un torpe atavismo,
y es al cierzo del mal una pluma...
¡Oh pobreza! ¡Oh incuria! ¡Oh abismo!

120             Vestida con sucios jirones de paño,
descalza y un lirio en la greña,
la pastora gentil y risueña
camina detrás del rebaño.

Radioso y jovial firmamento.
125        Zarcos fondos, con blancos celajes
como espumas y nieves al viento
esparcidas en copos y encajes.

Y en la excelsa y magnífica fiesta,
y cual mácula errante y funesta,
130        un vil zopilote resbala,
tendida e inmóvil el ala.

El Sol meridiano fulgura,
suspenso en el Toro\*;
y el paisaje, con varia verdura,
135        parece artificio de talla y pintura,
según está quieto en el oro.

El fausto del orbe sublime
rutila en urente sosiego;
y un derribo de paz y de fuego
140        baja y cunde y escuece y oprime.

Ni céfiro blando que aliente, que rase,
que corra, que pase.

Entre dunas aurinas que otean,
tapetes de grama serpean,
145        cortados a trechos por brozas hostiles,
que muestran espinas y ocultan reptiles.

Y en hojas y tallos un brillo de aceite
simula un afeite.

La luz torna las aguas espejos;
y en el mar sin arrugas ni ruidos                    150
reverbera con tales reflejos
que ciega, causando vahidos.

El ambiente sofoca y escalda;
y encendida y sudando, la chica
se despega y sacude la falda,                         155
y así se abanica.

Los guiñapos revuelan en ondas ...
La grey pace y trisca y holgándose tarda ...
Y al amparo de umbráticas frondas
la palurda se acoge y resguarda.                      160

Y un borrego con gran cornamenta
y pardos mechones de lana mugrienta,
y una oveja con bucles de armiño,—
la mejor en figura y aliño,—
se copulan con ansia que tienta.                      165

La zagala se turba y empina ...
Y alocada en la fiebre del celo,
lanza un grito de gusto y anhelo ...
¡Un cambujo patán se avecina!

Y en la excelsa y magnífica fiesta,                   170
y cual mácula errante y funesta,
un vil zopilote resbala,
tendida e inmóvil el ala.


## A ELLA

Semejas esculpida en el más fino
hielo de cumbre sonrojado al beso
del sol, y tienes ánimo travieso,
y eres embriagadora como el vino.

Y mientes: no imitaste al peregrino                   5
que cruza un monte de penoso acceso

y párase a escuchar con embeleso
un pájaro que canta en el camino.

Obrando tú como rapaz avieso
10    correspondiste con la trampa al trino,
por ver mi pluma y torturarme preso.

No así el viandante que se vuelve a un pino
y párase a escuchar con embeleso
un pájaro que canta en el camino.

## IN HOC SIGNO*

Cautivo un gorrión estaba
y de un astro se prendó;
y en su música decía:
—Llegue a ti mi dulce voz.

5    Por azar o por astucia,
el pajarillo escapó;
y al cielo se fue trinando;
—Alas tengo y libre soy.

Y el ave a la rica estrella
10    pudo subir y cantó:
—Ni cadenas ni distancias
vedan triunfos al amor.

## LOS PEREGRINOS

Ambos juntos recorren la campiña serena
y van por el camino conducente a Emaús*.
Encórvanse agobiados por una misma pena:
el desastre del Gólgota*, la muerte de Jesús.

5    El soplo de la tarde perfuma y acaricia;
y aquellos transeúntes hablan de la Pasión.
Y en cada tosco pecho, desnudo de malicia
se ve saltar la túnica, latir el corazón.

A los cautos discípulos la fe insegura enoja,
y los míseros dudan, como Pedro* en el mar.
Ocurre que aun los buenos olvidan de congoja
que la virtud estriba en creer y esperar.

Cadena de montículos, cuadros de sembradura,
y sangrando en la hierba la lis y el ababol;
y entre filas de sauces de pródiga verdura,
la vía que serpea, encharcada de sol.

La pareja trasuda, compungida y huraña,
en la impúdica gloria de tan pérfido abril;
y el susurro que suena en las hojas, amaña
siseos cual de turba profanadora y vil.

Los pobres compañeros se rinden al quebranto,
y de súbito miran a su lado al Señor...
Pero los ojos, turbios al arbitrio del Santo
¡se confunde, no aciertan a pesar del amor!

El Maestro, venido en sazón oportuna,
acrimina y exhorta, más dulce que cruel;
y enseñando cautiva; ¡pues en la voz aduna
armonía y fragancia y resplandor y miel!

Y pregunta y responde a la gente sencilla...
Marca rizos al viento y razona la Cruz.
¡El pie bulle y se torna; y la planta le brilla,
como al remo la pala, que surgida es de luz!

Los andantes arriban al villorio indolente,
que salubre y bucólico huele a mística paz;
y las mozas que acuden al pretil de la fuente,
los acogen con risas de indiscreto solaz.

Y los tres se introducen en humilde casona...
Y en rústica mesa, la Sagrada Persona
parte, bendice y gusta la caliente borona
y disípase, luego, como el humo fugaz.

# MANUEL GUTIÉRREZ NÁJERA

1859–1895

A ESTE POETA y prosista mexicano se le ha de considerar entre los autores más representativos del periodo de transición del verso americano. La devoción que en él se observa hacia las obras de algunos escritores románticos, en especial franceses, no consigue malograr, sin embargo, ni la originalidad de su producción ni la sincera disposición espiritual que alentaba en su vida personal. En todo momento se observa en la creación de Gutiérrez Nájera lo más profundo y esencial del auténtico romanticismo, despojado por completo de los vicios externos y afectaciones chocantes que manchan el arte de los ciegos o burdos imitadores.

Si a Manuel Gutiérrez Nájera se le negara el mérito de ser gran innovador de la poesía hispanoamericana, aun sobrevivirían su prosa y la *Revista Azul* que fundó en 1894. En ésta se dieron cita destacadas plumas del modernismo continental y cristalizaron en obras acabadas las aspiraciones más acariciadas que abrigaba el genio de la época.

La variada gama de matices expresivos que origina la fina sensibilidad de este poeta tuvo eco en los muchos discípulos y admiradores que vibraron con él y descubrieron en sus preferencias estilísticas al hombre que con tino daba salida a cierta dulce y melancólica intimidad de su ser. Aunque la adversidad de la vida llevó a Gutiérrez Nájera, en más de una ocasión, a experimentar notorios sinsabores y amargas dudas, su obra mantuvo constante el equilibrado buen gusto y la gracia inconfundible que también caracterizan los instantes más halagadores de su existencia.

# OBRAS PRINCIPALES DEL AUTOR

*Cuentos frágiles.* México, 1883.
*Poesías.* Prólogo de Justo Sierra. México, 1896.
*Cuentos de color de humo.* Madrid, 1917.
*Poesías completas.* Edición y prólogo de Francisco González Guerrero. México, 1953.


## ESTUDIOS

CARTER, B. G. *Manuel Gutiérrez Nájera—Estudio y escritos inéditos.* México: De Andrea, 1956.
CARTER, B. G. *En torno a Gutiérrez Nájera.* México: Botas, 1960.
CARTER, B. G. « Gutiérrez Nájera y Martí como iniciadores del modernismo », *Revista Iberoamericana* (México), No. 54 (1962), págs. 296–310.
CONTRERAS GARCÍA, I. *Indagaciones sobre Gutiérrez Nájera.* México: Metáfora, 1957.
GÓMEZ DEL PRADO, C. *Manuel Gutiérrez Nájera—Vida y obra.* México: De Andrea, 1964.
GONZÁLEZ GUERRERO, F. *Revisión de Gutiérrez Nájera.* México: Imprenta Universitaria, 1955.
GUTIÉRREZ NÁJERA, M. *Reflejo. Biografía anecdótica de Manuel Gutiérrez Nájera.* México: Instituto Nacional de Bellas Artes, 1960.
JIMÉNEZ RUEDA, J. « El México de Gutiérrez Nájera » en *La cultura y la literatura iberoamericanas.* México: De Andrea, 1957.
MAPES, E. K. *Obras inéditas de Gutiérrez Nájera.* (Poesías) New York: Hispanic Institute, 1943.
MEJÍA SÁNCHEZ, E. *Exposición documental de Manuel Gutiérrez Nájera, 1859–1959.* México: Universidad Nacional Autónoma de México, 1959.
MEZA FUENTES, R. *De Díaz Mirón a Rubén Darío.* Santiago de Chile: Nascimento, 1940.
MONTERDE, F. *Manuel Gutiérrez Nájera.* México: Publicaciones de la Secretaría de Educación Pública, 1925.
SCHULMAN, I. A. « José Martí y Manuel Gutiérrez Nájera: Iniciadores del modernismo », *Revista Iberoamericana* (México), No. 57 (1964), págs. 9–50.
SCHULMAN, I. A. « Función y sentido del color en la poesía de Manuel Gutiérrez Nájera », *Revista Hispánica Moderna* (U.S.A.), No. 1 (1957), págs. 1–13.
TORRES-RIOSECO, A. *Precursores del modernismo.* New York: Las Américas, 1963.
WALKER, N. *The Life and Works of Manuel Gutiérrez Nájera.* Columbia, Mo.: University of Missouri Press, 1927.

## DESEO

¿No ves cuál prende la flexible hiedra
entre las grietas del altar sombrío?
Pues como enlaza la marmórea piedra,
quiero enlazar tu corazón, bien mío.

¿Ves cuál penetra el rayo de la luna           5
las quietas ondas sin turbar su calma?
Pues tal como se interna en la laguna,
quiero bajar al fondo de tu alma.

Quiero en tu corazón, sencillo y tierno,
acurrucar mis sueños entumidos,              10
como al llegar las noches del invierno
se acurrucan las aves en sus nidos.

## MIMÍ

Llenad la alcoba de flores
y solo dejadme aquí;
quiero llorar mis amores,
que ya está muerta Mimí.

Sobre su lecho tendida,                       5
inmóvil y blanca está;
parece como dormida;
pero no despertará.

En balde mi mano toca
sus rizos color de té,                        10
y en balde beso su boca,
porque Mimí ya se fue.

Dejadme: tal vez despierta
pronto la veré saltar,
pero cerrad bien la puerta
por si se quiere escapar.

¡Mimí, la verde pradera
perfuma el blanco alelí,
ya volvió la primavera,
vamos al campo, Mimí!

¡Deja el lecho, perezosa!
Hoy es domingo, mi bien.
Está la mañana hermosa
y cerrado tu almacén.

Ata las bridas flotantes
de tu capota gentil,
mientras cubro con los guantes
tus manitas de marfil.

Abre tus ojos, ¡despierta!
¿No sabes que estoy aquí?
¿Verdad que tú no estás muerta?
¡Despierta, rubia Mimí!

Quiero en vano que responda,
¡ya nunca más la veré!
La pobre niñita blonda,
que me quiso, ya se fue.

En sus manos, hoy tan quietas,
dejo ya mi juventud,
y con azules violetas
cubro su blanco ataúd.

Si alegre, gallarda y bella
la veis pasar por allí,
no os imaginéis que es ella...
¡Ya está bien muerta Mimí!


# EFÍMERAS

¿Adónde van los sonidos
cuando muere en los oídos

la postrera vibración?
El aire es mar: en él bogan,
y se hunden, y se ahogan
en la móvil extensión.

¿Adónde vuela el perfume?
Se evapora, se consume,
y se disipa, y se va:
triste vampiro del orbe,
el aire su esencia sorbe,
y muerto el perfume está.

¿Adónde su disco encierra
el rojo sol cuando cierra
la tiniebla su capuz?
¿Y adónde, tristes y bellas,
van las pálidas estrellas
cuando aparece la luz?

El aire es tumba: devora
lo que brilla, lo que llora,
el perfume, la canción:
efímeras vibraciones,
luces, perfumes y sones
van al mismo panteón.

Pero la música blanda
revive, palpita y anda,
sumisa a la voluntad;
está dormida, no muerta;
si queréis verla despierta,
¡tocad, artistas, tocad!

El perfume no se agota:
cada molécula brota,
y se esparce en la extensión,
vibra próxima a perderse,
y ondulando va a esconderse
en las hojas del botón.

Hay bajo el gran Oceano
un palacio soberano
que habita de noche el sol;
duermen los átomos rojos;
los corales son sus ojos,
y su alcoba un caracol.

Tras los témpanos polares,
en los hiperbóreos mares
45 que triste la Osa* se ve,
en tanto que dura el día,
descansa la estrella* fría
de un monte nevado al pie.

Toda muerte es aparente;
50 el sol renace en Oriente,
surge la luna del mar.
Los aires que soplan yertos
están poblados de muertos
que van a resucitar.

55 Pero, ¿en qué limbo sepulto,
en qué caracol oculto,
en qué pétalo de flor,
en qué témpano escondido,
mientras que dure el olvido,
60 vive, señora, mi amor?

# LA DUQUESA* JOB

En dulce charla de sobremesa,
mientras devoro fresa tras fresa
y abajo ronca tu perro Bob,
te haré el retrato de la duquesa,
5 que adora a veces el duque* Job.

No es la condesa que Villasana*
caricatura, ni la poblana
de enagua roja, que Prieto* amó;
no es la criadita de pies nudosos,
10 ni la que sueña con los gomosos
y con los gallos de Micoló*.

Mi duquesita, la que me adora,
no tiene humos de gran señora:
es la griseta de Paul de Kock*.
No baila boston*, y desconoce
15 de las carreras el alto goce,
y los placeres del *five o'clock*.

Pero ni el sueño de algún poeta,
ni los querubes que vio Jacob*,
fueron tan bellos cual la coqueta
de ojitos verdes, rubia griseta
que adora a veces el duque Job.

20

Si pisa alfombras, no es en su casa,
si por Plateros* alegre pasa
y la saluda Madame Marnat*,
no es, sin disputa, porque la vista,
sí porque a casa de otra modista
desde temprano rápida va.

25

No tiene alhajas mi duquesita,
pero es tan guapa y es tan bonita,
y tiene un cuerpo tan *v'lan*, tan *pschutt*;
de tal manera trasciende a Francia,
que no le igualan en elegancia
ni las clientes de Hélène Kossut*.

30

Desde las puertas de la Sorpresa*
hasta la esquina del Jockey Club*,
no hay española, yankee o francesa,
ni más bonita, ni más traviesa
que la duquesa del duque Job.

35

¡Cómo resuena su taconeo
en las baldosas! ¡Con qué meneo
luce su talle de tentación!
¡Con qué airecito de aristocracia
mira a los hombres, y con qué gracia
frunce los labios! ¡Mimí Pinsón*!

40

45

Si alguien la alcanza, si la requiebra,
ella, ligera, como una cebra,
sigue camino del almacén;
pero ¡ay del tuno si alarga el brazo!
nadie le salva del sombrillazo
que le descarga sobre la sien.

50

¡No hay en el mundo mujer más linda
pie de andaluza, boca de guinda,
*esprit* rociado de Veuve Clicqot*;
talle de avispa, cutis de ala,
ojos traviesos de colegiala
como los ojos de *Louise Theó*!

55

Agil, nerviosa, blanca, delgada,
media de seda bien estirada,
gola de encaje, corsé de ¡crac!,
nariz pequeña, garbosa, cuca,
y palpitantes sobre la nuca
rizos tan rubios como el coñac.

Sus ojos verdes bailan el tango;
nada hay más bello que el arremango
provocativo de su nariz.
Por ser tan joven y tan bonita,
cual mi sedosa, blanca gatita,
diera sus pajes la emperatriz.

¡Ah, tú no has visto cuando se peina,
sobre sus hombros de rosa reina
caer los rizos en profusión!
¡Tú no has oído qué alegre canta,
mientras sus brazos y su garganta
de fresca espuma cubre el jabón!

¡Y los domingos!... ¡Con qué alegría
oye en su lecho bullir el día
y hasta las nueve quieta se está!
¡Cuál se acurruca la perezosa,
bajo la colcha color de rosa,
mientras a misa la criada va!

La breve cofia de blanco encaje
cubre sus rizos, el limpio traje
aguarda encima del canapé;
altas, lustrosas y pequeñitas,
sus puntas muestran las dos botitas,
abandonadas del catre al pie.

Después ligera, del lecho brinca,
¡Oh, quién la viera cuando se hinca
blanca y esbelta sobre el colchón!
¿Qué valen junto de tanta gracia
las niñas ricas, la aristocracia,
ni mis amigas de cotillón?

Toco; se viste; me abre; almorzamos;
con apetito los dos tomamos
un par de huevos y un buen beefsteak,

media botella de rico vino,
y en coche, juntos, vamos camino
del pintoresco Chapultepec*.

Desde las puertas de la Sorpresa  100
hasta la esquina del Jockey Club,
no hay española, yankee o francesa,
ni más bonita ni más traviesa
que la duquesa del duque Job.


## EL HADA VERDE

¡En tus abismos, negros y rojos,
fiebre implacable, mi alma se pierde;
y en tus abismos miro los ojos,
los ojos verdes del hada verde!

En nuestra musa glauca y sombría,  5
la copa rompe, la lira quiebra,
y a nuestro cuello se enrosca impía
            como culebra.

Llega y nos dice: —¡Soy el olvido;
yo tus dolores aliviaré!  10
Y entre tus brazos, siempre dormido,
            yace Musset*.

¡Oh musa verde! Tú la que flotas
en nuestras venas enardecidas,
tú la que absorbes, tú la que agotas  15
            almas y vidas.

En las pupilas concupiscencia;
juego en la mesa donde se pierde
con el dinero, vida y conciencia,
en nuestras copas eres demencia...  20
            ¡oh musa verde!

Son ojos verdes los que buscamos,
verde el tapete donde jugué,
verdes absintios los que apuramos,
y verde el sauce que colocamos  25
en tu sepulcro, ¡pobre Musset!

# EN UN CROMO

Niña de la blanca enagua
que miras correr el agua
y deshojas una flor:
más rápido que esas ondas,
niña de las trenzas blondas
pasa cantando el amor.

Ya me dirás, si eres franca,
niña de la enagua blanca,
que la dicha es el amor;
mas yo haré que te convenzas,
niña de las rubias trenzas,
de que olvidar es mejor.

# PARA ENTONCES

Quiero morir cuando decline el día
en alta mar y con la cara al cielo;
donde parezca un sueño la agonía,
y el alma, un ave que remonta el vuelo.

No escuchar en los últimos instantes,
ya con el cielo y con la mar a solas,
más voces ni plegarias sollozantes
que el majestuoso tumbo de las olas.

Morir cuando la luz triste retira
sus áureas redes de la onda verde,
y ser como ese sol que lento expira;
algo muy luminoso que se pierde.

Morir, y joven: antes que destruya
el tiempo aleve la gentil corona;
cuando la vida dice aún: « soy tuya »,
¡aunque sepamos bien que nos traiciona!

# ONDAS MUERTAS

En la sombra debajo de la tierra
donde nunca llegó la mirada,
se deslizan en curso infinito
silenciosas corrientes de agua.
Las primeras, al fin, sorprendidas,                    5
por el hierro que rocas taladra,
en inmenso penacho de espumas
hervorosas y límpidas saltan.
Mas las otras, en densa tiniebla,
retorciéndose siempre resbalan,                        10
sin hallar la salida que buscan,
a perpetuo correr condenadas.

A la mar se encaminan los ríos,
y en su espejo movible de plata,
van copiando los astros del cielo                      15
o los pálidos tintes del alba:
ellos tienen cendales de flores,
en su seno las ninfas se bañan,
fecundizan los fértiles valles,
y sus ondas son de agua que canta.                     20
En la fuente de mármoles níveos,
juguetona y traviesa es el agua,
como niña que en regio palacio
sus collares de perlas desgrana;
ya cual flecha bruñida se eleva,                       25
ya en abierto abanico se alza,
de diamantes salpica las hojas
o se duerme cantando en voz baja.

En el mar soberano las olas
los peñascos abruptos asaltan:                         30
al moverse, la tierra conmueven
y en tumulto los cielos escalan.
Allí es vida y es fuerza invencible,
allí es reina colérica el agua,
como igual con los cielos combate                      35
y con dioses y monstruos batalla.

¡Cuán distinta la negra corriente
a perpetua prisión condenada,
la que vive debajo de tierra
40    do ni yertos cadáveres bajan,
la que nunca la luz ha sentido,
la que nunca solloza ni canta,
esa muda que nadie conoce,
esa ciega que tienen esclava!

45    Como ella, de nadie sabidas,
como ella, de sombras cercadas,
sois vosotras también, las oscuras
silenciosas corrientes de mi alma.
¿Quién jamás conoció vuestro curso?
50    ¡Nadie a veros benévolo baja!

Y muy hondo, muy hondo se extienden
vuestras olas cautivas que callan.
Y si paso os abrieran, saldríais
como chorro bullente de agua,
55    que en columna rabiosa de espuma
sobre pinos y cedros se alza.
Pero nunca jamás, prisioneras,
sentiréis de la luz la mirada:
¡seguid siempre rodando en la sombra,
60    silenciosas corrientes del alma!


# MARIPOSAS

Ora blancas cual copos de nieve,
ora negras, azules, o rojas,
en miriadas esmaltan el aire,
y en los pétalos frescos retozan.
5    Leves saltan del cáliz abierto,
como prófugas almas de rosas,
y con gracia gentil se columpian
en sus verdes hamacas de hojas.
Una chispa de luz les da vida
10    y una gota al caer las ahoga;
aparecen al claro del día,
y ya muertas las halla la sombra.

¿Quién conoce sus nidos ocultos?
¿En qué sitio de noche reposan?
¡Las coquetas no tienen morada! 15
¡Las volubles no tienen alcoba!
Nacen, aman y brillan y mueren;
en el aire al morir se transforman,
y se van, sin dejarnos su huella,
cual de tenue llovizna las gotas. 20
Tal vez unas en flores se truecan,
y llamadas al cielo las otras,
con millones de alitas compactas
el arco iris espléndido forman.
Vagabundas, ¿en dónde está el nido? 25
Sultanita, ¿qué harén te aprisiona?
¿A qué amante prefieres, coqueta?
¿En qué tumba dormís, mariposas?

   ¡Así vuelan y pasan y expiran
las quimeras de amor y de gloria, 30
esas alas brillantes del alma,
ora blancas, azules o rojas!
¿Quién conoce en qué sitio os perdisteis,
ilusiones que sois mariposas?
¿Cuán ligero voló vuestro enjambre 35
al caer en el alma la sombra!
Tú, la blanca, ¿por qué ya no vienes?
¿no eras fresco azahar de mi novia?
Te formé con un grumo del cirio
que de niño llevé a la parroquia; 40
eras casta, creyente, sencilla,
y al posarte temblando en mi boca,
murmurabas, heraldo de goces:
—¡Ya está cerca tu noche de bodas!

   ¡Ya no viene la blanca, la buena! 45
Ya no viene tampoco la roja,
la que en sangre teñí, beso vivo,
al morder unos labios de rosa;
ni la azul que me dijo: « ¡Poeta! »,
ni la de oro, promesa de gloria. 50
¡Ha caído la tarde en el alma!
¡Es de noche ... ya no hay mariposas!
Encended ese cirio amarillo ...

Ya vendrán en tumulto las otras,
las que tienen las alas muy negras
y se acercan en fúnebre ronda.
¡Compañeras, la cera está ardiendo;
compañeras, la pieza está sola!
Si por mi alma os habéis enlutado
¡venid pronto, venid, mariposas!

# DE BLANCO

¿Qué cosa más blanca que cándido lirio?
¿Qué cosa más pura que místico cirio?
¿Qué cosa más casta que tierno azahar?
¿Qué cosa más virgen que leve neblina?
¿Qué cosa más santa que el ara divina
            de gótico altar?

¡De blancas palomas el aire se puebla;
con túnica blanca, tejida de niebla,
se envuelve a lo lejos feudal torreón;
erguida en el huerto la trémula acacia
al soplo del viento sacude con gracia
            su níveo pompón!

¿No ves en el monte la nieve que albea?
La torre muy blanca domina la aldea,
las tiernas ovejas triscando se van,
de cisnes intactos el lago se llena,
columpia su copa la enhiesta azucena,
y su ánfora inmensa levanta el volcán.

Entremos al templo: la hostia fulgura;
de nieve parecen las canas del cura,
vestido con alba de lino sutil;
cien niñas hermosas ocupan las bancas,
y todas vestidas con túnicas blancas
en ramos ofrecen las flores de abril.

Subamos al coro: la virgen propicia
escucha los rezos la casta novicia,
y el cristo de mármol expira en la cruz;
sin mancha se yerguen las velas de cera;

de encaje es la tenue cortina ligera
que ya transparenta del alba la luz.                    30

Bajemos al campo: tumulto de plumas
parece el arroyo de blancas espumas
que quieren, cantando, correr y saltar;
la airosa mantilla de fresca neblina
terció la montaña: la vela latina                       35
de barca ligera se pierde en el mar.

Ya salta del lecho la joven hermosa,
y el agua refresca sus hombros de diosa,
sus brazos ebúrneos, su cuello gentil;
cantando y risueña se ciñe la enagua,                   40
y trémulas brillan las gotas de agua
en su árabe peine de blanco marfil.

¡Oh mármol! ¡Oh nieves! ¡Oh inmensa blancura
que esparces doquiera tu casta hermosura!
¡Oh tímida virgen! ¡Oh casta vestal!                    45
Tú estás en la estatua de eterna belleza,
de tu hábito blanco nació la pureza,
¡al ángel das alas, sudario al mortal!

Tú cubres al niño que llega a la vida,
coronas las sienes de fiel prometida,                   50
al paje revistes de rico tisú.
¡Qué blancos son, reinas, los mantos de armiño!
¡Qué blanca es, oh madres, la cuna del niño!
¡Qué blanca, mi amada, qué blanca eres tú!

En sueños ufanos de amores contemplo                    55
alzarse muy blancas las torres de un templo
y oculto entre lirios abrirse un hogar;
y el velo de novia prenderse a tu frente,
cual nube de gasa que cae lentamente
y viene en tus hombros su encaje a posar.               60


# PARA UN MENÚ

Las novias pasadas son copas vacías;
en ellas pusimos un poco de amor;

el néctar tomamos ... huyeron los días ...
¡Traed otras copas con nuevo licor!

5      Champán son las rubias de cutis de azalia;
Borgoña los labios de vivo carmín;
los ojos oscuros son vinos de Italia,
¡los verdes y claros son vino del Rhin!

      Las bocas de grana son húmedas fresas,
10      las negras pupilas escancian café,
son ojos azules las llamas traviesas
¡qué trémulas corren como almas del té!

      La copa se apura, la dicha se agota;
de un sorbo tomamos mujer y licor ...
15      Dejemos las copas ... Si queda una gota,
¡que beba el lacayo las heces de amor!


## LA SERENATA DE SCHUBERT*

      ¡Oh, qué dulce canción! Límpida brota
esparciendo sus blandas armonías,
y parece que lleva en cada nota
muchas tristezas y ternuras mías.

5      ¡Así hablara mi alma ..., si pudiera!
Así, dentro del seno,
se quejan, nunca oídos, mis dolores.
Así, en mis luchas, de congoja lleno,
digo a la vida: « ¡Déjame ser bueno! »
10      ¡Así sollozan todos mis dolores!

      ¿De quién es esa voz? Parece alzarse
junto del lago azul, en noche quieta,
subir por el espacio, y desgranarse
al tocar el cristal de la ventana
15      que entreabre la novia del poeta ...
¿No la oís cómo dice: « Hasta mañana »?

      ¡Hasta mañana, amor! El bosque espeso
cruza, cantando, el venturoso amante,
y el eco vago de su voz distante
20      decir parece: « ¡Hasta mañana, beso! »

¿Por qué es preciso que la dicha acabe?
¿Por qué la novia queda en la ventana,
y a la nota que dice: «¡Hasta mañana!»
el corazón responde: «¿Quién lo sabe?»

¡Cuántos cisnes jugando en la laguna!          25
¡Qué azules brincan las traviesas olas!
En el sereno ambiente, ¡cuánta luna!
Mas las almas, ¡qué tristes y qué solas!

En las ondas de plata
de la atmósfera tibia y transparente,          30
como una Ofelia* náufraga y doliente,
¡va flotando la tierna serenata!

Hay ternura y dolor en ese canto,
y tiene esa amorosa despedida
la transparencia nítida del llanto,            35
¡y la inmensa tristeza de la vida!

¿Qué tienen esas notas? ¿Por qué lloran?
Parecen ilusiones que se alejan,
sueños amantes que piedad imploran,
y, como niños huérfanos, ¡se quejan!           40

Bien sabe el trovador cuán inhumana
para todos los buenos es la suerte ...
que la dicha es de ayer ... y que «mañana»
es el dolor, la oscuridad, ¡la muerte!

El alma se compunge y estremece               45
al oír esas notas sollozadas ...
¡Sentimos, recordamos, y parece
que surgen muchas cosas olvidadas!

¡Un peinador muy blanco y un piano!
Noche de luna y de silencio afuera ...        50
Un volumen de versos en mi mano,
y en el aire, y en todo, ¡primavera!

¡Qué olor de rosas frescas! En la alfombra,
¡qué claridad de luna!, ¡qué reflejos! ...
¡Cuántos besos dormidos en la sombra!         55
Y la muerte, la pálida, ¡qué lejos!

En torno al velador, niños jugando ...
La anciana, que en silencio nos veía ...

Schubert en tu piano sollozando,
y en mi libro, Musset* con su *Lucía*\*.

¡Cuántos sueños en mi alma y en tu alma!
¡Cuántos hermosos versos! ¡Cuántas flores!
En tu hogar apacible, ¡cuánta calma!
Y en mi pecho, ¡qué inmensa sed de amores!

¡Y todo ya muy lejos! ¡Todo ido!
¿En dónde está la rubia soñadora?
¡Hay muchas aves muertas en el nido,
y vierte muchas lágrimas la aurora!

Todo lo vuelvo a ver ..., ¡pero no existe!
Todo ha pasado ahora ..., ¡y no lo creo!
Todo está silencioso, todo triste ...
¡Y todo alegre, como entonces, veo!

... Esa es la casa ... ¡Su ventana, aquélla!
Ese el sillón en que bordar solía ...
la reja verde ... y la apacible estrella
que mis nocturnas pláticas oía.

Bajo el cedro robusto y arrogante,
que allí domina la calleja oscura,
por la primera vez y palpitante
estreché entre mis brazos su cintura.

¡Todo presente en mi memoria queda:
la casa blanca, y el follaje espeso ...
el lago azul ... el huerto ... la arboleda,
donde nos dimos, sin pensarlo, un beso!

Y te busco, cual antes te buscaba,
y me parece oírte entre las flores,
cuando la arena del jardín rozaba
el percal de tus blancos peinadores.

¡Y nada existe ya! Calló el piano ...
Cerraste, virgencita, la ventana ...
y oprimiendo mi mano con tu mano,
me dijiste también: « ¡Hasta mañana! »

¡Hasta mañana! ... ¡Y el amor risueño
no pudo en tu camino detenerte!

Y lo que tú pensaste que era el sueño,                    95
sueño fue, pero inmenso: ¡el de la muerte!

¡Ya nunca volveréis, noches de plata!
Ni unirán en mi alma su armonía
Schubert, con su doliente serenata,
y el pálido Musset con su *Lucía*.                        100


# DESPUÉS ...

¡Sombra, la sombra sin orillas, ésa
que no ve, que no acaba! ...
La sombra en que se ahogan los luceros ...,
¡ésa es la que busco para mi alma!
Esa sombra es mi madre, buena madre,                       5
¡pobre madre enlutada!
Esa me deja que en su seno llore
y nunca de su seno me rechaza ...
¡Dejadme ir con ella, amigos míos,
es mi madre, es mi patria!                                10

¿Qué mar me arroja? ¿De qué abismo vengo?
¿Qué tremenda borrasca
con mi vida jugó? ¿Qué ola clemente
me ha dejado en la playa?
¿En qué desierto suena mi alarido?                        15
¿En qué noche infinita va mi alma?
¿Por qué, prófugo huyó mi pensamiento?
¿Quién se fue? ¿Quién me llama?
¡Todo sombra! ¡Mejor! ¡Que nadie mire!
¡Estoy desnudo! ¡Ya no tengo nada!                        20

Poco a poco rasgando la tiniebla,
como puntas de dagas,
asoman en mi mente los recuerdos
y oigo voces confusas que me hablan.
No sé a qué mar cayeron mis ideas ...;                    25
con las olas luchaban ...
¡Yo vi cómo convulsas se acogían
a las flotantes tablas!

La noche era muy negra ..., el mar muy hondo ...,
¡y se ahogaban ..., se ahogaban!
¿Cuántas murieron? ¿Cuántas regresaron,
náufragos desvalidos, a la playa?
... ¡Sombra, la sombra sin orillas, ésa,
ésa es la que busco para mi alma!

Muy alto era el peñón cortado a pico,
sí, muy alto, muy alto!
Agua iracunda hervía
en el oscuro fondo del barranco.
¿Quién me arrojó? Yo estaba en esa cumbre ...
¡Y ahora estoy abajo!
Caí, como la roca descuajada
por titánico brazo.
Fui águila tal vez y tuve alas ...
¡Ya me las arrancaron!
Busco mi sangre, pero sólo miro
agua negra brotando;
y vivo, sí, mas con la vida inmóvil
del abrupto peñasco ...
¡Cae sobre mí, sacúdeme, torrente!
¡Fúndeme con tu fuego, ardiente rayo!
¡Quiero ser onda y desgarrar mi espuma
en las piedras del tajo! ...
Correr ..., correr ..., al fin de la carrera
perderme en la extensión del Oceano.

El tiempo colosal, de nave inmensa,
está mudo y sombrío;
sin flores el altar, negro, muy negro;
¡apagados los cirios!
Señor, ¿en dónde estás? ¡Te busco en vano! ...
¿En dónde estás, oh Cristo?
¡Te llamo con pavor porque estoy solo,
como llama a su padre el pobre niño!
¡Y nadie en el altar! ¡Nadie en la nave!
¡Todo en tiniebla sepulcral hundido!
¡Habla! ¡Que suene el órgano! ¡Que vea
en el desnudo altar arder los cirios!
¡Ya me ahogo en la sombra ..., ya me ahogo!
¡Resucita, Dios mío!

¡Una luz! ¡Un relámpago! ... ¡Fue acaso
que despertó una lámpara!                                70
¡Ya miro, sí! ¡Ya miro que estoy solo! ...
¡Ya puedo ver mi alma!
Ya vi que de la cruz te desclavaste
y que en la cruz no hay nada ...
Como ésa son las cruces de los muertos ...,              75
los pomos de las dagas ...
¡Y es puñal, sí, porque su hoja aguda
en mi pecho se encaja!
Ya ardieron de repente mis recuerdos,
ya brillaron las velas apagadas ...                       80
Vuelven al coro tétricos los monjes,
y vestidos de luto se adelantan ...
Traen un cadáver ..., rezan ..., ¡oh, Dios mío,
todos los cirios con tu soplo apaga! ...
¡Sombra, la sombra sin orillas, ésa,                      85
ésa es la que busco para mi alma!


## MIS ENLUTADAS

Descienden taciturnas las tristezas
al fondo de mi alma,
y entumecidas, haraposas brujas,
con uñas negras
mi vida escarban.                                          5

De sangre es el color de sus pupilas,
de nieve son sus lágrimas;
hondo pavor infunden ... yo las amo
por ser las solas
que me acompañan.                                         10

Aguárdolas ansioso si el trabajo
de ellas me separa,
y búscolas en medio del bullicio,
y son constantes,
y nunca tardan.                                           15

En las fiestas, a ratos se me pierden
o se ponen la máscara,

63

pero luego las hallo, y así dicen:
—¡Ven con nosotras!
—¡Vamos a casa!

Suelen dejarme cuando sonriendo
mis pobres esperanzas,
como enfermitas ya convalecientes,
salen alegres
a la ventana.

Corridas huyen, pero vuelven luego
y por la puerta falsa
entran trayendo como nuevo huésped
alguna triste,
lívida hermana.

Abrese a recibirlas la infinita
tiniebla de mi alma,
y van prendiendo en ella mis recuerdos
cual tristes cirios
de cera pálida.

Entre esas luces, rígido, tendido,
mi espíritu descansa;
y las tristezas, revolando en torno,
lentas salmodias
rezan y cantan.

Escudriñan del húmedo aposento
rincones y covachas,
el escondrijo do guardé cuitado
todas mis culpas,
todas mis faltas.

Y urgando mudas, como hambrientas lobas,
las encuentran, las sacan
y volviendo a mi lecho mortuorio
me las enseñan
y dicen: habla.

En lo profundo de mi ser bucean,
pescadoras de lágrimas,
y vuelven mudas con las negras conchas
en donde brillan
gotas heladas.

A veces me revuelvo contra ellas
y las muerdo con rabia,
como la niña desvalida y mártir
muerde a la harpía
que la maltrata.                                                      60

Pero en seguida, viéndose impotente,
mi cólera se aplaca,
¿qué culpa tienen, pobres hijas mías,
si yo las hice
con sangre y alma?                                                   65

Venid, tristezas de pupila turbia,
venid, mis enlutadas,
las que viajáis por la infinita sombra,
donde está todo
lo que se ama.                                                       70

Vosotras no engañáis: venid, tristezas,
¡oh mis criaturas blancas
abandonadas por la madre impía,
tan embustera,
por la esperanza!                                                    75

Venid y habladme de las cosas idas,
de las tumbas que callan,
de muertos buenos y de ingratos vivos ...
voy con vosotras,
vamos a casa.                                                        80


# PAX ANIMAE

¡Ni una palabra de dolor blasfemo!
Sé altivo, sé gallardo en la caída,
¡y ve, poeta, con desdén supremo,
todas las injusticias de la vida!

No busques la constancia en los amores,                              5
no pidas nada eterno a los mortales,
y haz, artista, con todos tus dolores
excelsos monumentos sepulcrales.

En mármol blanco tus estatuas labra,
castas en la actitud, aunque desnudas,
y que duerma en sus labios la palabra ...
y se muestren muy tristes ... ¡pero mudas!

¡El nombre! ... ¡Débil vibración sonora
que dura apenas un instante! ¡El nombre! ...
¡Idolo torpe que el iluso adora!
¡Ultima y triste vanidad del hombre!

¿A qué pedir justicia ni clemencia
—si las niegan los propios compañeros—
a la glacial y muda indiferencia
de los desconocidos venideros?

¿A qué pedir la compasión tardía
de los extraños que la sombra esconde?
¡Duermen los ecos de la selva umbría,
y nadie, nadie a nuestra voz responde!

En esta vida el único consuelo
es acordarse de las horas bellas,
y alzar los ojos para ver el cielo ...
cuando el cielo está azul o tiene estrellas.

Huir del mar, y en el dormido lago
disfrutar de las ondas el reposo ...
Dormir ... soñar ... El sueño, nuestro mago,
¡es un sublime y santo mentiroso!

... ¡Ay! Es verdad que en el honrado pecho
pide venganza la reciente herida ...;
pero ... ¡perdona el mal que te hayan hecho!,
¡todos están enfermos de la vida!

Los mismos que de flores se coronan,
para el dolor, para la muerte nacen ...
Si los que tú más amas te traicionan,
¡perdónalos, no saben lo que hacen!

Acaso esos instintos heredaron,
y son los inconscientes vengadores
de razas o de estirpes que pasaron
acumulando todos los rencores.

¿Eres acaso el juez? ¿El impecable?
¿Tú la justicia y la piedad reúnes?

... ¿Quién no es el fugitivo responsable
de alguno o muchos crímenes impunes?

¿Quién no ha mentido amor y ha profanado
de un alma virgen el sagrario augusto?                    50
¿Quién está cierto de no haber matado?
¿Quién puede ser el justiciero, el justo?

¡Lástimas y perdón para los vivos!
Y así, de amor y mansedumbre llenos,
seremos cariñosos, compasivos ...                         55
¡y alguna vez, acaso, acaso buenos!

¿Padeces? Busca a la gentil amante,
a la impasible e inmortal belleza,
y ve apoyado, como Lear* errante,
en tu joven Cordelia*, la tristeza.                       60

Mira: se aleja perezoso el día ...
¡Qué bueno es descansar! El bosque oscuro
nos arrulla con lánguida armonía ...
El agua es virgen. El ambiente es puro.

La luz, cansada, sus pupilas cierra;                      65
se escuchan melancólicos rumores,
y la noche, al bajar, dice a la tierra:
« ¡Vamos ... ya está ... ya duérmete ... no llores! »

Recordar ... Perdonar ... Haber amado ...
Ser dichoso un instante, haber creído ...                 70
Y luego ... reclinarse fatigado
en el hombro de nieve del olvido.

Sentir eternamente la ternura
que en nuestros pechos jóvenes palpita,
y recibir, si llega, la ventura                           75
como a hermosa que viene de visita.

Siempre escondido lo que más amamos:
¡siempre en los labios el perdón risueño;
hasta que, al fin, ¡oh tierra!, a ti vayamos
con la invencible laxitud del sueño!                      80

Esa ha de ser la vida del que piensa
en lo fugaz de todo lo que mira,
y se detiene, sabio, ante la inmensa
extensión de tus mares, ¡oh Mentira!

Corta las flores, mientras haya flores;
perdona las espinas a las rosas ...
¡También se van y vuelan los dolores
como turbas de negras mariposas!

Ama y perdona. Con valor resiste
lo injusto, lo villano, lo cobarde ...
¡Hermosamente pensativa y triste
está al caer la silenciosa tarde!

Cuando el dolor mi espíritu sombrea
busco en las cimas claridad y calma,
¡y una infinita compasión albea
en las heladas cumbres de mi alma!

## NON OMNIS MORIAR

¡No moriré del todo, amiga mía!
De mi ondulante espíritu disperso
algo, en la urna diáfana del verso,
piadosa guardará la Poesía.

¡No moriré del todo! Cuando herido
caiga a los golpes del dolor humano,
ligera tú, del campo entenebrido
levantarás al moribundo hermano.

Tal vez entonces por la boca inerme
que muda aspira la infinita calma,
oigas la voz de todo lo que duerme
con los ojos abiertos en mi alma.

Hondos recuerdos de fugaces días,
ternezas tristes que suspiran solas;
pálidas, enfermizas alegrías
sollozando al compás de las violas ...

Todo lo que medroso oculta el hombre
se escapará, vibrante, del poeta,
en áureo ritmo de oración secreta
que invoque en cada cláusula tu nombre.

Y acaso adviertas que de modo extraño
suenan mis versos en tu oído atento,
y en el cristal, que con mi soplo empaño,
mires aparecer mi pensamiento.

Al ver entonces lo que yo soñaba,          25
dirás de mi errabunda poesía:
—Era triste, vulgar lo que cantaba...
mas, ¡qué canción tan bella la que oía!

Y porque alzo en tu recuerdo notas
del coro universal, vívido y almo;          30
y porque brillan lágrimas ignotas
en el amargo cáliz de mi salmo;

porque existe la Santa Poesía
y en ella irradias tú, mientras disperso
átomo de mi ser esconda el verso,          35
¡no moriré del todo, amiga mía!


# A UN TRISTE

¿Por qué de amor la barca voladora
con ágil mano detener no quieres
y esquivo menosprecias los placeres
de Venus*, la impasible vencedora?

A no volver los años juveniles          5
huyen como saetas disparadas
por mano de invisible Sagitario*;
triste vejez, como ladrón nocturno,
sorpréndenos sin guarda ni defensa,
y con la extremidad de su arma inmensa          10
la copa del placer vuelca Saturno*.

¡Aprovecha el minuto y el instante!
Hoy te ofrece rendida la hermosura
de sus hechizos el gentil tesoro,
y llamándote ufana en la espesura,          15
suelta Pomona* sus cabellos de oro.

En la popa del barco empavesado
que navega veloz rumbo a Citeres*,

de los amigos el clamor te nombra,
mientras, tendidas en la egipcia alfombra,
sus crótalos agitan las mujeres.

¡Deja, por fin, la solitaria playa,
y coronado de fragantes flores
descansa en la barquilla de las diosas!
¿Qué importa lo fugaz de los amores?
¡También expiran jóvenes las rosas!

## A LA CORREGIDORA*

Al viejo primate, las nubes de incienso;
al héroe, los himnos; a Dios, el inmenso
de bosques y mares solemne rumor;
al púgil que vence, la copa murrina;
al mártir, las palmas; y a ti—la heroína—
las hojas de acanto y el trébol en flor.

Hay versos de oro y hay notas de plata;
mas busco, señora, la estrofa escarlata
que sea toda sangre, la estrofa oriental;
y húmedas, vivas, calientes y rojas,
a mí se me tienden las trémulas hojas
que en gráciles redes columpia el rosal.

¡Brotad, nuevas flores! ¡Surgid a la vida!
¡Despliega tus alas, gardenia entumida!
¡Botones, abríos! ¡Oh mirtos, arded!
¡Lucid, amapolas, los ricos briales!
¡Exúberas rosas, los pérsicos chales
de sedas joyantes al aire tended!

¿Oís un murmullo que, débil, remeda
el frote friolento de cauda de seda
en mármoles tersos o limpio marfil?
¿Oís? ... ¡Es la savia fecunda que asciende,
que hincha los tallos y rompe y enciende,
los rojos capullos del príncipe Abril!

¡Oh noble señora! La tierra te canta
el salmo de vida, y a ti se levanta

el germen despierto y el núbil botón;
el lirio gallardo de cáliz erecto;
y fúlgido, leve, vibrando, el insecto
que rasga impaciente su blanda prisión.     30

La casta azucena, cual tímida monja,
inciensa tus aras; la dalia se esponja
como ave impaciente que quiere volar;
y astuta, prendiendo su encaje a la piedra,
con corvos festones circunda la yedra,     35
celosa y constante, señora tu altar.

El chorro del agua con ímpetu rudo,
en alto su acero, brillante y desnudo,
bruñido su casco, rizado el airón,
y el iris por banda, buscándote salta     40
cual joven amante que brinca a la alta
velada cornisa de abierto balcón.

Venid a la fronda que os brinda hospedaje
¡oh pájaros raudos de rico plumaje;
los nidos aguardan; venid y cantad!     45
Cantad a la alondra que dijo al guerrero
el alba anunciando: «¡Desnuda tu acero,
despierta a los tuyos ... Es hora ... Marchad!»

# JULIÁN DEL CASAL

## 1863–1893

E N LA VIDA de este notable poeta cubano se suceden numerosos episodios dominados por el infortunio y el desaliento. No extraña, por lo tanto, que en sus versos se destaque la nota triste y dolorosa, el ansia incontenida de la muerte o una irresistible proclividad al nihilismo más completo. Ni el soñado viaje, que al fin se realizó, si bien en condiciones precarias, ni el nuevo ambiente que lograra conocer fueron capaces de curar la herida que la sociedad había abierto en el deprimido espíritu de este poeta.

El mundo de fantasías que Casal se labrara, en parte le procuró refugio y alivio pero, a la postre, le distanció de la realidad circundante y agravó su fatal propensión al aislamiento espiritual. En las imágenes de un mundo descubierto en dilatadas lecturas, especialmente francesas, al calor del arte y de pasajeros contactos personales, Casal sentía un placer casi enfermizo que le estimulaba las cuerdas más finas y positivas de su sensibilidad poética.

El estilo de los versos de este poeta habrá de ser apreciado en función de la temática que le fascinaba y de los estremecimientos que a menudo agitaban su espíritu con irrefrenable pero sincero lirismo.

En el fondo de la obra de este desdichado vate, sin embargo, hay un asunto que genera, aunque sea por etapas, todo el proceso poético que nos legó. Ante la imposibilidad de un encuentro integral con la existencia soñada e irrealizable, el prosaísmo y la ironía de la vida se agigantan hasta crear ritmos crecientes y dispares en la intimidad peculiarmente poética del autor.

*Hojas al viento*. La Habana, 1890.
*Nieve*. La Habana, 1892.
*Bustos y rimas*. La Habana, 1893.
*Poesías completas* (Recopilación, ensayo preliminar y notas de Mario Cabrera Saqui). La Habana, 1945.

ESTUDIOS

FIGUEROA, E. « Julián del Casal y el modernismo », *Revista Iberoamericana* (México), No. 59 (1965), págs. 47–49.

GEADA Y FERNÁNDEZ, J. J. « Introducción » a *Selección de poesías de Julián del Casal*. La Habana: Talleres de Cultural, 1931.

MEZA, R. *Julián del Casal—Estudio biográfico*. La Habana: Imprenta Avisador Comercial, 1910.

MEZA FUENTES, R. *De Díaz Mirón a Rubén Darío*. Santiago de Chile: Nascimento, 1940.

MONNER SANS, J. M. *Julián del Casal y el modernismo hispanoamericano*. México: Colegio de México, 1952.

MORALES GÓMEZ, J. *Julián del Casal*. La Habana, 1932.

NUNN, M. E. *Life and Works of Julián del Casal*. Urbana, Ill., 1939.

SCHULMAN, I. A. « Las estructuras polares en la obra de José Martí y Julián del Casal », *Revista Iberoamericana* (México), No. 56 (1963), págs. 251–282.

TORRES-RIOSECO, A. *Precursores del modernismo*. New York: Las Américas, 1963.

# TRAS LA VENTANA

A través del cristal de mi ventana,
por los rayos del sol iluminado,
una alegre mañana
de la verde y hermosa primavera,
de ésas en que se cubre el fresco prado          5
de blancos lirios y purpúreas rosas,
la atmósfera de aromas y canciones,
el cielo azul de vivos luminares,
de alegría los tristes corazones
y la mente de ideas luminosas;          10
yo vi cruzar por los cerúleos mares,
al impulso del viento,
ligera y voladora navecilla
que en blando movimiento
se iba alejando de la triste orilla.          15

Espiritual doncella,
en brazos de su amante reclinada,
iba en la nave aquella;
y entonaba tan dulces barcarolas,
que de la mar brillante y azulada          20
las transparentes olas
parecían abrir el blanco seno
para guardar los ecos armoniosos
de aquellos tiernos cantos amorosos,
donde vibraba la pasión ardiente          25
que hizo estallar el beso de Paolo*
de Francesca* en el labio sonriente.

La rubia cabellera de la hermosa
en largos rizos de oro descendía
por su mórbida espalda,          30
que hecha de nieve y rosa parecía,

mientras al borde de su blanca falda
asomaba su pie, breve y pulido,
como su cuello asoma,
35      entre las ramas del caliente nido,
enamorada y cándida paloma.

Sus pálidas mejillas,
al escuchar el argentino acento
del galante mancebo enamorado,
40      iban tomando ese matiz rosado,
que ostentan en sus vívidas corolas
del ígneo sol al resplandor dorado,
las frescas y encendidas amapolas.

Yo, al oír los eróticos cantares
45      de aquellos dos amantes que cruzaban
por los serenos mares,
realizando las dichas que soñaban,
desde mi estancia lóbrega y desierta
pensaba en mi adorada,
50      para esos goces muerta;
la que sacó mi alma de la nada
infundiéndole vida
con la brillante luz de su mirada;
aquélla que hoy reposa,
55      libre de los rigores de la suerte,
en solitaria fosa,
dormida por el beso de la muerte.

Y cuando el áureo sol de otra mañana,
rompiendo de la noche el negro manto,
60      vino a herir el cristal de mi ventana,
evaporóse en mi mejilla el llanto
que me arrancó del alma aquella escena
tan triste y tan hermosa,
que aun su recuerdo llena
65      de luz y sombra mi alma tenebrosa.

# A LOS ESTUDIANTES *

Víctimas de cruenta alevosía
doblasteis en la tierra vuestras frentes,

como en los campos llenos de simientes
palmas que troncha tempestad bravía.

Aún vagan en la atmósfera sombría
vuestros últimos gritos inocentes,
mezclados a los golpes estridentes
del látigo que suena todavía.

Dormid en paz los sueños postrimeros
en el seno profundo de la nada,
que nadie ha de venir a perturbaros;

los que ayer no supieron defenderos
sólo pueden, con alma resignada,
soportar la vergüenza de lloraros.

## LA AGONÍA DE PETRONIO*

Tendido en la bañera de alabastro
donde serpea el purpurino rastro
de la sangre que corre de sus venas,
yace Petronio, el bardo decadente,
mostrando coronada la ancha frente
de rosas, terebintos y azucenas.

Mientras los magistrados le interrogan,
sus jóvenes discípulos dialogan
o recitan sus dáctilos de oro,
y al ver que aquéllos en tropel se alejan
ante el maestro ensangrentado dejan
caer las gotas de su amargo lloro.

Envueltas en sus peplos vaporosos
y tendidos los cuerpos voluptuosos
en la muelle extensión de los triclinios,
alrededor, sombrías y livianas,
agrúpanse las bellas cortesanas
que habitan del imperio en los dominios.

Desde el baño fragante en que aún respira,
el bardo pensativo las admira,
fija en la más hermosa la mirada
y le demanda, con arrullo tierno,

la postrimera copa de falerno
por sus marmóreas manos escanciada.

25 Apurando el licor hasta las heces,
enciende las mortales palideces
que oscurecían su viril semblante,
y volviendo los ojos inflamados
a sus fieles discípulos amados
30 háblales triste en el postrer instante,

hasta que heló su voz mortal gemido,
amarilleó su rostro consumido,
frío sudor humedeció su frente,
amoratáronse sus labios rojos,
35 densa nube empañó sus claros ojos,
el pensamiento abandonó su mente.

Y como se doblega el mustio nardo,
dobló su cuello el moribundo bardo,
libre por siempre de mortales penas,
40 aspirando en su lánguida postura
del agua perfumada la frescura
y el olor de la sangre de sus venas.


## EL CAMINO DE DAMASCO*

Lejos brilla el Jordán* de azules ondas
que esmalta el sol de lentejuelas de oro,
atravesando las tupidas frondas,
pabellón verde del bronceado toro.

5 Del majestuoso Líbano* en la cumbre,
erige su ramaje el cedro altivo,
y del día estival bajo la lumbre
desmaya en los senderos el olivo.

Piafar se escuchan árabes caballos
10 que, a través de la cálida arboleda,
van levantando con sus férreos callos,
en la ancha ruta, opaca polvareda.

Desde el confín de las lejanas costas
sombreadas por los ásperos nopales,

enjambres purpurinos de langostas 15
vuelan a los ardientes arenales.

Abrense en las llanuras las cavernas
pobladas de escorpiones encarnados,
y al borde de las límpidas cisternas
embalsaman el aire los granados. 20

En fogoso corcel de crines blancas,
lomo robusto, refulgente casco,
belfo espumante y sudorosas ancas,
marcha por el camino de Damasco

Saulo*, y eleva su bruñida lanza 25
que, a los destellos de la luz febea,
mientras el bruto relinchando avanza
entre nubes de polvo, centellea.

Tras las hojas de oscuros olivares
mira de la ciudad los minaretes, 30
y encima de los negros almenares
ondear azulados gallardetes.

Súbito, desde lóbrego celaje
que desgarró la luz de hórrido rayo,
oye la voz de célico mensaje, 35
cae transido de mortal desmayo,

bajo el corcel ensangrentado rueda,
su lanza estalla con vibrar sonoro
y, a los reflejos de la luz, remeda
sierpe de fuego con escamas de oro. 40

# SALOMÉ*

En el palacio hebreo, donde el suave
humo fragante, por el sol deshecho,
sube a perderse en el calado techo
o se dilata en la anchurosa nave,

está el Tetrarca* de mirada grave, 5
barba canosa y extenuado pecho,
sobre el trono, hierático y derecho,
como adormido por canciones de ave.

Delante de él, con veste de brocado
estrellada de ardiente pedrería,
al dulce son del bandolín sonoro,

Salomé baila, y en la diestra alzado,
muestra siempre, radiante de alegría,
un loto blanco de pistilos de oro.


## PROMETEO*

Bajo el dosel de gigantesca roca
yace el titán, cual Cristo en el Calvario*,
marmóreo, indiferente y solitario,
sin que brote el gemido de su boca.

Su pie desnudo en el peñasco toca,
donde agoniza un buitre sanguinario
que ni atrae su ojo visionario
ni compasión en su ánimo provoca.

Escuchando el hervor de las espumas
que se deshacen en las altas peñas,
ve de su redención luces extrañas,

junto a otro buitre de nevadas plumas,
negras pupilas y uñas marfileñas
que ha extinguido la sed en sus entrañas.


## ELENA*

Luz fosfórica entreabre claras brechas
en la celeste inmensidad, y alumbra
del foso en la fatídica penumbra
cuerpos hendidos por doradas flechas.

Cual humo frío de homicidas mechas,
en la atmósfera densa se vislumbra
vapor disuelto que la brisa encumbra
a las torres de Ilión*, escombros hechas.

Envuelta en veste de opalina gasa,
recamada de oro, desde el monte
de ruinas hacinadas en el llano,

indiferente a lo que en torno pasa,
mira Elena hacia el lívido horizonte
irguiendo un lirio en la rosada mano.

10

## JÚPITER* Y EUROPA*

En la playa fenicia, a las boreales
radiaciones del astro matutino,
surgió Europa del piélago marino,
envuelta de la espuma en los cendales.

Júpiter, tras los ásperos breñales,
acéchala a la orilla del camino
y, elevando su cuerpo alabastrino,
intérnase entre oscuros chaparrales.

5

Mientras al borde de la ruta larga
alza la plebe su clamor sonoro,
mirándola surgir de la onda amarga,

10

desnuda va sobre su blanco toro*
que, enardecido por la amante carga,
erige hacia el azul los cuernos de oro.

## UNA MAJA

Muerden su pelo negro, sedoso y rizo,
los dientes nacarados de alta peineta,
y surge de sus dedos la castañeta
cual mariposa negra de entre el granizo.

Pañolón de Manila, fondo pajizo,
que a su talle ondulante firme sujeta,
echa reflejos de ámbar, rosa y violeta,
moldeando de sus carnes todo el hechizo,

5

Cual tímidas palomas por el follaje,
asoman sus chapines bajo su traje
hecho de blondas negras y verde raso,

y al choque de las copas de manzanilla
riman con los tacones la seguidilla
perfumes enervantes dejando al paso.

## UN FRAILE

Descalzo, con oscuro sayal de lana,
sobre el lomo rollizo de su jumento,
mendigando limosnas para el convento
va el fraile franciscano por la mañana.

Tras él resuena el toque de la campana
que a la misa convoca con dulce acento
y se pierde en las nubes del firmamento
teñidas por la aurora de oro y de grana.

Opreso entre la diestra lleva el breviario,
pende de su cintura tosco rosario,
cestas de provisiones su mente forja,

y escucha que a lo largo de su camino,
respondiendo al rebuzno de su pollino,
silba el aire escondiéndose entre la alforja.

## PAX ANIMAE

No me habléis más de dichas terrenales
que no ansío gustar. Está ya muerto
mi corazón, y en su recinto abierto
sólo entrarán los cuervos sepulcrales.

Del pasado no llevo las señales,
y a veces de que existo no estoy cierto,
porque es la vida para mí un desierto
poblado de figuras espectrales.

No veo más que un astro oscurecido
por brumas de crepúsculo lluvioso, 10
y, entre el silencio de sopor profundo,

tan sólo llega a percibir mi oído
algo extraño, confuso y misterioso
que me arrastra muy lejos de este mundo.


## PAISAJE ESPIRITUAL

Perdió mi corazón el entusiasmo
al penetrar en la mundana liza,
cual la chispa al caer en la ceniza
pierde el ardor en fugitivo espasmo.

Sumergido en estúpido marasmo 5
mi pensamiento atónito agoniza
o, al revivir, mis fuerzas paraliza
mostrándome en la acción un vil sarcasmo.

Y aunque no endulcen mi infernal tormento
ni la Pasión, ni el Arte, ni la Ciencia, 10
soporto los ultrajes de la suerte,

porque en mi alma desolada siento
el hastío glacial de la existencia
y el horror infinito de la muerte.


## KAKEMONO*

Borrando de tu faz el fondo níveo
hiciste que adquiriera los colores
pálidos de los rayos de la luna,
cuando atraviesan los sonoros bosques
de flexibles bambúes. Tus mejillas 5
pintaste con el tinte que se esconde
en el rojo cinabrio. Perfumaste
de almizcle conservando en negro cofre
tus formas virginales. Con oscura
pluma de golondrina puesta al borde 10

de ardiente pebetero, prolongaste
de tus cejas el arco. Acomodóse
tu cuerpo erguido en amarilla estera,
y ante el espejo oval, montado en cobre,
15    recogiste el raudal de tus cabellos
con agujas de oro y blancas flores.

Ornada tu belleza primitiva
por diestra mano con extraños dones,
sumergiste tus miembros en el traje
20    de seda japonesa. Era de corte
imperial. Ostentaba ante tus ojos
el azul de brillantes gradaciones
que tiene el cielo de la hermosa Yedo*,
el rojo que la luz deja en los bordes
25    del raudo Kisogawa*, y la blancura
jaspeada de fulgentes tornasoles,
que a los granos de arroz en las espigas
presta el sol con sus ígneos resplandores;
recamaban tu regia vestidura
30    cigüeñas, mariposas y dragones
hechos con áureos hilos. En tu busto,
ajustado por anchos ceñidores
de crespón, amarillos, crisantemos
tu sierva colocó. Cogiendo entonces
35    el abanico de marfil calado
y plumas de avestruz, a los fulgores
de encendidas arañas venecianas,
mostraste tu hermosura en los salones,
inundando de férvida alegría
40    el alma de los tristes soñadores.


## NOSTALGIAS

### I

Suspiro por las regiones
donde vuelan los alciones
sobre el mar,
y el soplo helado del viento,

parece en su movimiento 5
   sollozar;
donde la nieve que baja
del firmamento, amortaja
   el verdor
de los campos olorosos 10
y de ríos caudalosos
   el rumor;
donde ostenta siempre el cielo,
a través de aéreo velo,
   color gris; 15
es más hermosa la luna
y cada estrella más que una
   flor de lis.

## II

Otras veces sólo ansío
bogar en firme navío 20
   o existir
en algún país remoto,
sin pensar en el ignoto
   porvenir.
Ver otro cielo, otro monte, 25
otra playa, otro horizonte,
   otro mar,
otros pueblos, otras gentes
de maneras diferentes
   de pensar. 30
¡Ah! Si yo un día pudiera,
con qué júbilo partiera
   para Argel*,
donde tiene la hermosura
el color y la frescura 35
   de un clavel.
Después fuera en caravana
por la llanura africana
   bajo el sol
que, con sus vivos destellos, 40
pone un tinte a los camellos
   tornasol.
Y cuando el día expirara,

mi árabe tienda plantara
45  en mitad
de la llanura ardorosa
inundada de radiosa
claridad.
Cambiando de rumbo luego,
50  dejara el país del fuego
para ir
hasta el Imperio florido
en que el opio da el olvido
del vivir.
55  Vegetara allí contento
de alto bambú corpulento
junto al pie,
o aspirando en rica estancia
la embriagadora fragancia
60  que da el té.
De la Luna al claro brillo
iría al Río Amarillo*
a esperar
la hora en que, el botón roto,
65  comienza la flor del loto
a brillar.
O mi vista deslumbrara
tanta maravilla rara
que el buril
70  de artista ignorado y pobre
graba en sándalo o en cobre
o en marfil.
Cuando tornara el hastío
en el espíritu mío
75  a reinar,
cruzando el inmenso piélago
fuera a taitiano archipiélago
a encallar.
A aquel en que vieja historia
80  asegura a mi memoria
que se ve
el lago en que una hada peina
los cabellos de la reina
Pomaré*.
85  Así errabundo viviera

sintiendo toda quimera
rauda huir,
y hasta olvidando la hora
incierta y aterradora
del morir.                                              90

### III

Mas no parto. Si partiera
al instante yo quisiera
regresar.
¡Ah! ¿Cuándo querrá el Destino
que yo pueda en mi camino                               95
reposar?


## PAISAJE DE VERANO

Polvo y moscas. Atmósfera plomiza
donde retumba el tabletear del trueno
y, como cisnes entre inmundo cieno,
nubes blancas en cielo de ceniza.

El mar sus ondas glaucas paraliza,                      5
y el relámpago encima de su seno,
del horizonte en el confín sereno
traza su rauda exhalación rojiza.

El árbol soñoliento cabecea,
honda calma se cierne largo instante,                   10
hienden el aire rápidas gaviotas,

el rayo en el espacio centellea,
y sobre el dorso de la tierra humeante
baja la lluvia en crepitantes gotas.


## A LA BELLEZA

¡Oh, divina belleza! Visión casta
de incógnito santuario,
ya muero de buscarte por el mundo
sin haberte encontrado.

 87

Nunca te han visto mis inquietos ojos,
 pero en el alma guardo
intuición poderosa de la esencia
 que anima tus encantos.
Ignoro en qué lenguaje tú me hablas,
 pero, en idioma vago,
percibo tus palabras misteriosas
 y te envío mis cantos.
Tal vez sobre la tierra no te encuentre,
 pero febril te aguardo,
como el enfermo, en la nocturna sombra,
 del sol el primer rayo.
Yo sé que eres más blanca que los cisnes,
 más pura que los astros,
fría como las vírgenes y amarga
 cual corrosivos ácidos.
Ven a calmar las ansias infinitas
 que, como mar airado,
impulsan el esquife de mi alma
 hacia país extraño.
Yo sólo ansío, al pie de tus altares,
 brindarte en holocausto
la sangre que circula por mis venas
 y mis ensueños castos.
En las horas dolientes de la vida
 tu protección demando,
como el niño que marcha entre zarzales
 tiende al viento los brazos.
Quizás como te sueña mi deseo
 estés en mí reinando,
mientras voy persiguiendo por el mundo
 las huellas de tu paso.
Yo te busqué en el fondo de las almas
 que el mal no ha mancillado
y surgen del estiércol de la vida
 cual lirios de un pantano.
En el seno tranquilo de la ciencia
 que, cual tumba de mármol,
guarda tras la bruñida superficie
 podredumbre y gusanos.
En brazos de la gran Naturaleza,
 de los que huí temblando

cual del regazo de la madre infame
   huye el hijo azorado.
En la infinita calma que se aspira
   en los templos cristianos         50
como el aroma sacro de incienso
   en ardiente incensario.
En las ruinas humeantes de los siglos,
   del dolor en los antros
y en el fulgor que irradian las proezas    55
   del heroísmo humano.
Ascendiendo del Arte a las regiones
   sólo encontré tus rasgos
de un pintor en los lienzos inmortales
   y en las rimas de un bardo.       60
Mas como nunca en mi áspero sendero
   cual te soñé te hallo,
moriré de buscarte por el mundo
   sin haberte encontrado.

# CREPUSCULAR

Como vientre rajado sangra el ocaso,
manchando con sus chorros de sangre humeante
de la celeste bóveda el azul raso,
de la mar estañada la onda espejeante.

Alzan sus moles húmedas los arrecifes    5
donde el chirrido agudo de las gaviotas,
mezclado a los crujidos de los esquifes,
agujerea el aire de extrañas notas.

Va la sombra extendiendo sus pabellones,
rodea el horizonte cinta de plata,    10
y, dejando las brumas hechas jirones,
parece cada faro flor escarlata.

Como ramos que ornaron senos de ondinas
y que surgen nadando de infecto lodo,
vagan sobre las ondas algas marinas    15
impregnadas de espumas, salitre y yodo.

Abrense las estrellas como pupilas,
imitan los celajes negruzcas focas
y, extinguiendo las voces de las esquilas,
20      pasa el viento ladrando sobre las rocas.


# NIHILISMO

Voz inefable que a mi estancia llega
en medio de las sombras de la noche,
por arrastrarme hacia la vida brega
con las dulces cadencias del reproche.

5       Yo la escucho vibrar en mis oídos,
como al pie de olorosa enredadera
los gorjeos que salen de los nidos
indiferente escucha la herida fiera.

¿A qué llamarme al campo del combate
10      con la promesa de terrenos bienes,
si ya mi corazón por nada late
ni oigo la idea martillar mis sienes?

Reservad los laureles de la fama
para aquéllos que fueron mis hermanos;
15      yo, cual fruto caído de la rama,
aguardo los famélicos gusanos.

Nadie extrañe mis ásperas querellas:
mi vida, atormentada de rigores,
es un cielo que nunca tuvo estrellas,
20      es un árbol que nunca tuvo flores.

De todo lo que he amado en este mundo
guardo, como perenne recompensa,
dentro del corazón, tedio profundo,
dentro del pensamiento, sombra densa.

25      Amor, patria, familia, gloria, rango,
sueños de calurosa fantasía,
cual nelumbios abiertos entre el fango
sólo vivisteis en mi alma un día.

Hacia país desconocido abordo
30      por el embozo del desdén cubierto:

para todo gemido estoy ya sordo,
para toda sonrisa estoy ya muerto.

Siempre el destino mi labor humilla
o en males deja mi ambición trocada:
donde arroja mi mano una semilla
brota luego una flor emponzoñada.

Ni en retornar la vista hacia el pasado
goce encuentra mi espíritu abatido;
yo no quiero gozar como he gozado,
yo no quiero sufrir como he sufrido.

Nada del porvenir a mi alma asombra
y nada del presente juzgo bueno;
si miro al horizonte, todo es sombra,
si me inclino a la tierra, todo es cieno.

Y nunca alcanzaré en mi desventura
lo que un día mi alma ansiosa quiso:
después de atravesar la selva oscura
Beatriz* no ha de mostrarme el Paraíso.

Ansias de aniquilarme sólo siento
o de vivir en mi eternal pobreza
con mi fiel compañero, el descontento,
y mi pálida novia, la tristeza.

## BOHEMIOS

Sombríos, encrespados los cabellos,
tostada la color, la barba hirsuta,
empolvados los pies, rojos los cuellos,
mordiendo la corteza de agria fruta,

sin que el temor en vuestras almas quepa,
ni os señale el capricho rumbo cierto,
os perdéis en las nieves de la estepa
o en las rojas arenas del desierto.

Mujeres de mirada abrasadora,
siguen por los caminos vuestras huellas,
ya al fulgor sonrosado de la aurora,
ya a la argentada luz de las estrellas.

Una muestra en los brazos su chiquillo
como la palma en su ramaje el fruto;
otra acaricia el pomo de un cuchillo;
viste aquélla de rojo, ésta de luto.

Prende la rubia flores en sus rizos,
la morena un collar en su garganta,
y la más bella, ajando sus hechizos,
joven oso a sus pechos amamanta.

Pero nunca las rinde la fatiga
ni os demandan segura recompensa,
porque abrasante fiebre las hostiga
del mundo a recorrer la ruta inmensa.

Execrando los dones del trabajo
lleváis de una comarca a otra comarca,
lo mismo del mendigo el roto andrajo
que la púrpura ardiente del monarca.

Ningún sitio el espíritu os recrea,
y si en uno posáis la móvil planta,
el deseo febril os espolea
de ver el que más lejos se levanta.

Ya os hielen las escarchas del invierno,
ya os abrasen los rayos del estío,
girando vais en movimiento eterno
para sólo segar flores de hastío.

Yo os amo porque os lleva el devaneo
donde el peligro vuestra vida afronte,
y en vuestros ojos soñadores leo
ansias de traspasar el horizonte;

porque no soportáis extraño yugo
y llenos de salvaje independencia
no la trocáis jamás por un mendrugo
en los días crueles de indigencia;

porque todo en el mundo halláis pequeño
y tan sólo seguís el ígneo rastro
que os traza en lo infinito vuestro ensueño,
como se sigue por el cielo un astro;

porque el soplo glacial del desengaño
no extingue vuestras locas ilusiones,

ni la sed insaciable de lo extraño
que abrasa vuestros secos corazones.


## SOURIMONO*

Como rosadas flechas de aljabas de oro
vuelan de los bambúes finos flamencos,
poblando de graznidos el bosque mudo,
rompiendo de la atmósfera los níveos velos.

El disco anaranjado del sol poniente                         5
que sube tras la copa de arbusto seco,
finge un nimbo de oro que se desprende
del cráneo amarfilado de un bonzo yerto.

Y las ramas erguidas de los juncales
cabecean al borde de los riachuelos,                        10
como al soplo del aura sobre la playa
los mástiles sin vela de esquifes viejos.


## RONDELES

I

De mi vida misteriosa,
tétrica y desencantada,
oirás contar una cosa
que te deje el alma helada.

Tu faz de color de rosa                                      5
se quedará demacrada,
al oír la extraña cosa
que te deje el alma helada.

Mas sé para mí piadosa,
si de mi vida ignorada                                      10
cuando yo duerma en la fosa,
oyes contar una cosa
que te deje el alma helada.

## II

Quizás sepas algún día
el secreto de mis males,
de mi honda melancolía
y de mis tedios mortales.

Las lágrimas a raudales
marchitarán tu alegría,
si a saber llegas un día
el secreto de mis males.

## III

Quisiera de mí alejarte,
porque me causa la muerte
con la tristeza de amarte
el dolor de comprenderte.

Mientras pueda contemplarte
me ha de deparar la suerte,
con la tristeza de amarte
el dolor de comprenderte.

Y sólo ansío olvidarte,
nunca oírte y nunca verte,
porque me causa la muerte
con la tristeza de amarte
el dolor de comprenderte.

## RECUERDO DE LA INFANCIA

Una noche mi padre, siendo yo niño,
mirando que la pena me consumía,
con las frases que dicta sólo el cariño,
lanzó de mi destino la profecía,
una noche mi padre, siendo yo niño.

Lo que tomé yo entonces por un reproche
y, extendiendo mi cuello sobre mi hombro,

me hizo pasar llorando toda la noche,
hoy inspira a mi alma terror y asombro,
lo que tomé yo entonces por un reproche.          10

—Sumergida en profunda melancolía
como estrella en las brumas de la alborada,
gemirá para siempre—su voz decía—
por todos los senderos tu alma cansada,
sumergida en profunda melancolía.          15

Persiguiendo en la sombra vana quimera
que tan sólo tu mente de encantos viste,
te encontrará cada año la primavera
enfermo y solitario, doliente y triste,
persiguiendo en la sombra vana quimera.          20

Para ti la existencia no tendrá un goce
ni habrá para tus penas ningún remedio
y, unas veces sintiendo del mal el roce,
otras veces henchido de amargo tedio,
para ti la existencia no tendrá un goce.          25

Como una planta llena de estéril jugo
que ahora de sus ramas la florescencia,
de tu propia alegría serás verdugo
y morirás ahogado por la impotencia
como una planta llena de estéril jugo.          30

Como pájaros negros por azul lago
nublaron sus pupilas mil pensamientos,
y, al morir en la sombra su acento vago,
vi pasar por su mente remordimientos
como pájaros negros por azul lago.          35


# DÍA DE FIESTA

Un cielo gris. Morados estandartes
con escudo de oro; vibraciones
de altas campanas; báquicas canciones;
palmas verdes ondeando en todas partes;

banderas tremolando en los baluartes;
figuras femeninas en balcones;
estampidos cercanos de cañones;
gentes que lucran por diversas artes.

Mas ¡ay! mientras la turba se divierte,
y se agita en ruidoso movimiento
como una mar de embravecidas olas,

circula por mi ser frío de muerte,
y en lo interior del alma sólo siento
ansia infinita de llorar a solas.

## PÁGINAS DE VIDA

En la popa desierta del viejo barco
cubierto por un toldo de frías brumas,
mirando cada mástil doblarse en arco,
oyendo los fragores de las espumas;

5     mientras daba la nave tumbo tras tumbo,
encima de las ondas alborotadas,
cual si ansiosa estuviera de emprender rumbo
hacia remotas aguas nunca surcadas;

sintiendo ya el delirio de los alcohólicos
10 en que ahogaba su llanto de despedida,
narrábame, en los tonos más melancólicos,
las páginas secretas de nuestra vida.

—Yo soy como esas plantas que ignota mano
siembra un día en el surco por donde marcha,
15 ya para que la anime luz de verano,
ya para que la hiele frío de escarcha.

Llevado por el soplo del torbellino
que cada día a extraño suelo me arroja,
entre las rudas zarzas de mi camino,
20 si no dejo un capullo, dejo una hoja.

Mas como nada espero lograr del hombre,
y en la bondad divina mi ser confía,

aunque llevo en el alma penas sin nombre,
no siento la nostalgia de la alegría.

¡Ignea columna* sigue mi paso cierto!                    25
¡Salvadora creencia mi ánimo salva!
Yo sé que tras las olas me aguarda el puerto.
Yo sé que tras la noche surgirá el alba.

Tú, en cambio, que doliente mi voz escuchas,
sólo el hastío llevas dentro del alma:                    30
juzgándote vencido por nada luchas
y de ti se desprende siniestra calma.

Tienes en tu conciencia sinuosidades
donde se extraviaría mi pensamiento,
como al surcar del éter las soledades                     35
el águila en las nubes del firmamento.

Sé que ves en el mundo cosas pequeñas
y que por algo grande siempre suspiras,
mas no hay nada tan bello como lo sueñas,
ni es la vida tan triste como la miras.                   40

Si hubiéramos más tiempo juntos vivido
no nos fuera la ausencia tan dolorosa.
¡Tú cultivas tus males, yo el mío olvido!
¡Tú lo ves todo en negro, yo todo en rosa!

Quisiera estar contigo largos instantes,                  45
pero a tu ardiente súplica ceder no puedo:
¡hasta tus verdes ojos relampagueantes,
si me inspiran cariño, me infunden miedo!

Genio errante, vagando de clima en clima,
sigue tras el rastro fulgente de un espejismo,            50
con el ansia de alzarse siempre a la cima,
mas también con el vértigo que da el abismo.

Cada vez que en él pienso la calma pierdo,
palidecen los tintes de mi semblante,
y en mi alma se arraiga su fiel recuerdo                  55
como en fosa sombría cardo punzante.

Doblegado en la tierra luego de hinojos,
miro cuanto a mi lado gozoso existe,

y pregunto, con lágrimas en los ojos:
60    ¿Por qué has hecho, ¡oh, Dios mío!, mi alma tan triste?


## NEUROSIS

Noemí, la pálida pecadora
de los cabellos de color de aurora
y las pupilas de verde mar,
entre cojines de raso lila,
5    con el espíritu de Dalila*
deshoja el cáliz de un azahar.

Arde a sus plantas la chimenea
donde la leña chisporrotea
lanzando en torno seco rumor,
10    y alzada tiene su tapa el piano
en que vagaba su blanca mano
cual mariposa de flor en flor.

Un biombo rojo de seda china
abre sus hojas en una esquina
15    con grullas de oro volando en cruz,
y en curva mesa de fina laca
ardiente lámpara se destaca
de la que surge rosada luz.

Blanco abanico y azul sombrilla,
20    con unos guantes de cabritilla
yacen encima del canapé,
mientras en taza de porcelana,
hecha con tintes de la mañana,
humea el alma verde del té.

25    Pero, ¿qué piensa la hermosa dama?
¿Es que su príncipe ya no la ama
como en los días de amor feliz,
o que en los cofres del gabinete
ya no conserva ningún billete
30    de los que obtuvo por un desliz?

¿Es que la rinde crüel anemia?
¿Es que en sus búcaros de Bohemia
rayos de luna quiere encerrar,

o que, con suave mano de seda,
del blanco cisne que amaba Leda*                     35
ansía las plumas acariciar?

¡Ay! Es que en horas de desvarío
para consuelo del regio hastío
que en su alma esparce quietud mortal,
un sueño antiguo la ha aconsejado                     40
beber en copa de ónix labrado
la roja sangre de un tigre real.


## EN EL CAMPO

Tengo el impuro amor de las ciudades,
y a este sol que ilumina las edades
prefiero yo del gas las claridades.

A mis sentidos lánguidos arroba,
más que el olor de un bosque de caoba,                 5
el ambiente enfermizo de una alcoba,

Mucho más que las selvas tropicales,
plácenme los sombríos arrabales
que encierran las vetustas capitales.

A la flor que se abre en el sendero,                   10
como si fuese terrenal lucero,
olvido por la flor de invernadero.

Más que la voz del pájaro en la cima
de un árbol todo en flor, a mi alma anima
la música armoniosa de una rima.                       15

Nunca a mi corazón tanto enamora
el rostro virginal de una pastora,
como un rostro de regia pecadora.

Al oro de la mies en primavera,
yo siempre en mi capricho prefiriera                   20
el oro de teñida cabellera.

No cambiara sedosas muselinas
por los velos de nítidas neblinas
que la mañana prende en las colinas.

Más que al raudal que baja de la cumbre
quiero oír a la humana muchedumbre
gimiendo en su perpetua servidumbre.

El rocío que brilla en la montaña
no ha podido decir a mi alma extraña
lo que el llanto al bañar una pestaña.

Y el fulgor de los astros rutilantes
no trueco por los vívidos cambiantes
del ópalo, la perla o los diamantes.

## TARDES DE LLUVIA

Bate la lluvia la vidriera
y las rejas de los balcones,
donde tupida enredadera
cuelga sus floridos festones.

Bajo las hojas de los álamos
que estremecen los vientos frescos,
piar se escucha entre sus tálamos
a los gorriones picarescos.

Abrillántanse los laureles,
y en la arena de los jardines
sangran corolas de claveles,
nievan pétalos de jazmines.

Al último fulgor del día
que aún el espacio gris clarea,
abre su botón la peonía,
cierra su cáliz la ninfea.

Cual los esquifes en la rada
y reprimiendo sus arranques,
duermen los cisnes en bandada
a la margen de los estanques.

Parpadean las rojas llamas
de los faroles encendidos,
y se difunden por las ramas
acres olores de los nidos.

Lejos convoca la campana,       25
dando sus toques funerales,
a que levante el alma humana
las oraciones vesperales.

Todo parece que agoniza
y que se envuelve lo creado       30
en un sudario de ceniza
por la llovizna adiamantado.

Yo creo oír lejanas voces
que, surgiendo de lo infinito,
inícianme en extraños goces       35
fuera del mundo en que me agito.

Veo pupilas que en las brumas
dirígenme tiernas miradas,
como si de mis ansias sumas
ya se encontrasen apiadadas.       40

Y, a la muerte de estos crepúsculos,
siento, sumido en mortal calma,
vagos dolores en los músculos,
hondas tristezas en el alma.

# JOSÉ ASUNCIÓN SILVA

## 1865–1896

L A VIDA de este renombrado poeta colombiano se inicia en condiciones que no parecen sino anunciarle un porvenir próspero y sonriente. Al talento que demuestra desde muy temprana edad se añaden circunstancias que nutren el desarrollo de su espíritu durante la juventud. Los viajes que emprende y la permanencia que disfruta en las capitales europeas le facilitan un estrecho contacto con lo más granado de la intelectualidad de la época.

No tardan, sin embargo, en precipitarse diversos e imprevistos hechos que fatalmente cambian y tronchan el curso halagüeño de la existencia de Silva, precipitándolo en el abismo del desengaño y del suicidio. Fácil será observar en la trayectoria poética que nos legó este autor, la pendiente por la cual se deslizó su espíritu.

En el tono de los versos, en el simbolismo que ellos encierran y hasta en la estructura que distingue la técnica formal con que han sido elaborados, quedan con precisos relieves líricos las variadas alternativas que experimentaron los finos sentimientos del artista colombiano. Si la amargura a menudo consume a Silva, el recuerdo de mejores días también se insinúa conjugado con el dolor de la desilusión, la angustia por el futuro incierto y la ironía malévola de un presente que revela carencia de toda esperanza o consuelo.

Gran innovador de las formas y contenidos poéticos, pese a la tradición artística que se perpetúa en su obra, Silva no aspiró a ocupar el lugar destacado que hoy le corresponde en el afianzamiento del modernismo americano. Ni siquiera se preocupó de la ordenación de su obra, dispersa y llena de variantes hasta que numerosos críticos e investigadores la sistematizaron. Justo es decirlo, nunca ha habido desacuerdo con respecto a la alta calidad y transcendencia de la producción que sin propósitos interesados nos legara este notable vate colombiano.

### OBRAS PRINCIPALES DEL AUTOR

*Poesías.* Bogotá, 1886.

*Poesías.* Prólogo de Miguel de Unamuno. Barcelona, 1908.

*Poesías.* Edición definitiva. Estudio de Baldomero Sanín Cano. Santiago de Chile, 1923.

*De Sobremesa.* Bogotá, 1925.

*El libro de versos.* Bogotá, 1928.

*Poesías completas.* Prólogo de Arturo Capdevila. Buenos Aires, 1944.

*Poesías completas.* Noticia biográfica por Camilo de Brigard Silva. Prólogo de Miguel de Unamuno. Madrid, 1952.


### ESTUDIOS

CAPARROSO, C. A. *Silva y su obra.* Bilbao: Gráficas Ellacuria, 1954 (2a. ed.).

GARCÍA PRADA, C. *Estudios hispanoamericanos.* México: El Colegio de México, 1945.

GARCÍA PRADA, C. « José Asunción Silva » en *Diccionario de la literatura latinoamericana—Colombia.* Washington, D. C.: Pan American Union, 1959.

GICOVATE, B. « Estructura y significado en la poesía de José Asunción Silva », *Revista Iberoamericana* (México), No. 48 (1959), págs. 327–331.

GICOVATE, B. *Conceptos fundamentales de literatura comparada—Iniciación de la poesía modernista.* San Juan, P. R.: Asomante, 1962.

HOLGUÍN, A. *La poesía inconclusa y otros ensayos.* Bogotá: Editorial Centro—Instituto Gráfico Ltda., 1947.

JIMÉNEZ, J. R. *Españoles de tres mundos.* Madrid: Aguado, 1960.

KING, G. G. *A Citizen of the Twilight, José Asunción Silva.* New York: Longmans, Green and Company, 1921.

LIÉVANO, R. *En torno a Silva; selección de estudios e investigaciones sobre la obra y la vida íntima del poeta.* Bogotá: El Gráfico, 1946.

MAYA, R. *Elogios—De Silva a Rivera.* Bogotá: Universidad, 1929.

MAYA, R. *Alabanza del hombre y de la tierra.* Bogotá, 1934.

MEZA FUENTES, R. *De Díaz Mirón a Rubén Darío.* Santiago de Chile: Nascimento, 1940.

MIRAMÓN, A. *José Asunción Silva; ensayo biográfico con documentos inéditos.* Bogotá: Imprenta Nacional, 1937; Bogotá: Ministerio de Educación Nacional, 1957 (2a. ed.).

PANIAGUA MAYO, B. *José Asunción Silva y su poesía.* México: Facultad de Filosofía y Letras U.N.A.M., 1957.

PARDO GARCÍA, G. « Frecuencia de Silva en mi espíritu », *Revista de las Indias* (Bogotá), No. 89 (1946), págs. 179–188.

SÁNCHEZ, L. A. *Escritores representativos de América.* Tomo II. Madrid: Gredos, 1957.

SCHWARTZ, R. J. « En busca de Silva », *Revista Iberoamericana* (México), No. 47 (1959), págs. 65–77.

TORRES-RIOSECO, A. *Ensayos sobre literatura latinoamericana.* Primera serie. México: Fondo de Cultura Económica, 1953.

TORRES-RIOSECO, A. *Precursores del modernismo.* New York: Las Américas, 1963.

## RISA Y LLANTO

Juntos los dos reímos cierto día...
¡ay, y reímos tanto
que toda aquella risa bulliciosa
se tornó pronto en llanto!

¡Después, juntos los dos, alguna noche          5
lloramos mucho, tanto,
que quedó como huella de las lágrimas
un misterioso encanto!

Nacen hondos suspiros de la orgía
entre las copas cálidas;                        10
y en el agua salobre de los mares
se forjan perlas pálidas.

## CREPÚSCULO

Junto de la cuna aún no está encendida
la lámpara tibia que alegra y reposa,
y se filtra opaca, por entre cortinas,
de la tarde triste la luz azulosa.

Los niños cansados suspenden sus juegos,        5
de la calle vienen extraños rüidos,
en estos momentos, en todos los cuartos,
se van despertando los duendes dormidos.

La sombra que sube por los cortinajes,
para los hermosos oyentes pueriles,             10
se puebla y se llena con los personajes
de los tenebrosos cuentos infantiles.

Flota en ella el pobre Rin Rin Renacuajo\*,
corre y huye el triste Ratoncito Pérez\*,
y la entenebrece la forma del trágico
Barba Azul\*, que mata sus siete mujeres.

En unas distancias enormes e ignotas,
que por los rincones oscuros suscita,
andan por los prados el Gato con Botas\*,
y el lobo que marcha con Caperucita\*.

Y, ágil caballero, cruzando la selva,
do vibra el ladrido fúnebre de un gozque,
a escape tendido va el Príncipe Rubio\*
a ver a la Hermosa Durmiente del Bosque\*.

Del infantil grupo se levanta leve
argentada y pura una vocecilla
que comienza: « Entonces se fueron al baile
y dejaron sola a Cenicentilla\*;

se quedó la pobre triste en la cocina,
de llanto, de pena nublados los ojos,
mirando los juegos extraños que hacían
en las sombras negras los carbones rojos.

Pero vino el hada, que era su madrina,
le trajo un vestido de encaje y crespones,
le hizo un coche de oro de una calabaza,
convirtió en caballos unos seis ratones,

le dio un ramo enorme de magnolias húmedas,
unos zapatitos de vidrio, brillantes,
y de un solo golpe de la vara mágica
las cenizas grises convirtió en diamantes. »

Con atento oído las niñas la escuchan,
las muñecas duermen en la blanca alfombra,
medio abandonadas, y en el aposento
la luz disminuye, se aumenta la sombra.

¡Fantásticos cuentos de duendes y hadas,
llenos de paisajes y de sugestiones,
que abrís a lo lejos amplias perspectivas
a las infantiles imaginaciones!

¡Cuentos que nacisteis en ignotos tiempos
y que vais volando por entre lo oscuro,

desde los potentes arios primitivos,
hasta las enclenques razas del futuro!;

¡cuentos que repiten sencillas nodrizas
muy paso a los niños cuando no se duermen
y que en sí atesoran del sueño poético                      55
el íntimo encanto, la esencia y el germen!;

cuentos más durables que las convicciones
de graves filósofos y sabias escuelas,
y que rodeasteis con vuestras ficciones
las cunas doradas de las bisabuelas!                        60

¡Fantásticos cuentos de duendes y hadas,
que pobláis los sueños confusos del niño!
El tiempo os sepulta por siempre en el alma
y el hombre os evoca con hondo cariño.

## ESTRELLAS FIJAS

Cuando ya de la vida
el alma tenga, con el cuerpo, rota,
y duerma en el sepulcro
esa noche más larga que las otras,

mis ojos, que en recuerdo                                   5
del infinito eterno de las cosas,
guardaron, sólo, como de un ensueño,
la tibia luz de tus miradas hondas,

al ir descomponiéndose
entre la oscura fosa,                                       10
verán, en lo ignorado de la muerte,
tus ojos ... destacándose en la sombra.

## PAISAJE TROPICAL

Magia adormecedora vierte el río
en la calma monótona del viaje,
cuando borra los lejos del paisaje
la sombra que se extiende en el vacío.

 109

Oculta en sus negruras al bohío
la maraña tupida, y el follaje
semeja los calados de un encaje,
al caer del crepúsculo sombrío.

Venus* se enciende en el espacio puro.
La corriente dormida, una piragua
rompe en su viaje rápido y seguro,

y con sus nubes el Poniente fragua
otro cielo rosado y verdeoscuro
en los espejos húmedos del agua.

## MARIPOSAS

En tu aposento tienes,
en urna frágil,
clavadas mariposas
que, si brillante
rayo de sol las toca,
parecen nácares
o pedazos de cielo,
cielos de tarde,
o brillos opalinos
de alas suaves;
y allí están las azules
hijas del aire,
fijas ya para siempre
las alas ágiles,
las alas, peregrinas
de ignotos valles
que, como los deseos
de tu alma amante,
a la aurora parecen
resucitarse,
cuando de tus ventanas
las hojas abres
y da el sol en tus ojos
y en los cristales.

# OBRA HUMANA

En lo profundo de la selva añosa
donde una noche, al comenzar de mayo,
tocó en la vieja enredadera hojosa
de la pálida luna el primer rayo,

pocos meses después la luz de aurora
del gas en la estación iluminaba
el paso de la audaz locomotora,
que en el carril durísimo cruzaba.

Y en donde fuera en otro tiempo el nido,
albergue muelle del alado enjambre,
pasó por el espacio un escondido
telegrama de amor, por el alambre.

# ARS

El verso es vaso santo; poned en él tan sólo
un pensamiento puro,
en cuyo fondo bullan hirvientes las imágenes
como burbujas de oro de un viejo vino oscuro.

Allí verted las flores que la continua lucha
ajó del mundo frío,
recuerdos deliciosos de tiempos que no vuelven,
y nardos empapados en gotas de rocío.

Para que la existencia mísera se embalsame
cual de una ciencia ignota,
quemándose en el fuego del alma enternecida
de aquel supremo bálsamo, ¡basta una sola gota!

# TALLER MODERNO

Por el aire del cuarto, saturado
de un olor de vejeces peregrino,

del crepúsculo el rayo vespertino
va a desteñir los muebles de brocado.

5
El piano está del caballete al lado
y de un busto del Dante\* el perfil fino,
del arabesco azul de un jarro chino,
medio oculta el dibujo complicado.

Junto al rojizo orín de una armadura,
10
hay un viejo retablo, donde inquieta,
brilla la luz del marco en la moldura,

y parecen clamar por un poeta
que improvise del cuarto la pintura
las manchas de color de la paleta.

## UN POEMA

Soñaba en ese entonces con forjar un poema
de arte nervioso y nuevo, obra audaz y suprema.

Escogí entre un asunto grotesco y otro trágico,
llamé a todos los ritmos con un conjuro mágico,

5
y los ritmos indóciles vinieron acercándose,
juntándose en las sombras, huyéndose y buscándose:

ritmos sonoros, ritmos potentes, ritmos graves,
unos cual choque de armas, otros cual canto de aves;

de Oriente hasta Occidente, desde el Sur hasta el Norte,
10
de metros y de formas se presentó la corte.

Tascando frenos áureos bajo las riendas frágiles
cruzaron los tercetos, como corceles ágiles;

abriéndose ancho paso por entre aquella grey,
vestido de oro y púrpura llegó el soneto rey.

15
Y allí cantaron todos ... Entre la algarabía
me fascinó el espíritu por su coquetería

alguna estrofa aguda, que excitó mi deseo,
con el retintín claro de su campanilleo.

Y la escogí entre todas ... Por regalo nupcial
le di unas rimas ricas, de plata y de cristal.                    20

En ella conté un cuento que, huyendo lo servil,
tomó un carácter trágico, fantástico y sutil;

era la historia triste, desprestigiada y cierta
de una mujer hermosa, idolatrada y muerta;

y para que sintieran la amargura, ex profeso,          25
junté sílabas dulces, como el sabor de un beso,

bordé las frases de oro, les di música extraña,
como de mandolinas que un laúd acompaña;

dejé en una luz vaga las hondas lejanías
llenas de nieblas húmedas y de melancolías,            30

y por el fondo oscuro, como en mundana fiesta,
cruzan ágiles máscaras al compás de la orquesta,

envueltas en palabras que ocultan como un velo,
y con caretas negras de raso y terciopelo,

cruzar hice en el fondo las vagas sugestiones          35
de sentimientos místicos y humanas tentaciones ...

Complacido en mis versos, con orgullo de artista,
les di olor de heliotropo y color de amatista ...

Le mostré mi poema a un crítico estupendo ...
y lo leyó seis veces, y me dijo: « ¡No entiendo! »      40


# CRISÁLIDAS

Cuando enferma la niña todavía
salió cierta mañana
y recorrió, con inseguro paso,
la vecina montaña,
trajo, entre un ramo de silvestres flores,          5
oculta una crisálida
que en su aposento colocó, muy cerca
de la cunita blanca ...

Unos días después, en el momento
en que ella expiraba,
y todos la veían con los ojos
nublados por las lágrimas,
en el instante en que murió, sentimos
leve rumor de alas
y vimos escapar, tender el vuelo
por la antigua ventana
que da sobre el jardín, una pequeña
mariposa dorada ...

La prisión, ya vacía, del insecto,
busqué con vista rápida;
al mirar vi, de la difunta niña
la frente mustia y pálida,
y pensé: Si al dejar su cárcel triste
la mariposa alada,
la luz encuentra y el espacio inmenso,
y las campestres auras,
al dejar la prisión que las encierra
¿qué encontrarán las almas?

# ORACIÓN

En el aposento estrecho,
en la blanca pared fijo,
tiene muy cerca del lecho
donde duerme, un crucifijo
que, como a dulces abrazos
llamando al ánima vil,
tiende los rígidos brazos
sobre una cruz de marfil.

Y de espinas coronada
dobla la cabeza inerte,
de noble expresión helada
por el beso de la muerte.
En ese sitio, amorosa
la oración de ritmo breve
va de sus brazos de rosa
hacia los brazos de nieve.

# LA VOZ DE LAS COSAS

Si os encerrara yo en mis estrofas,
frágiles cosas que sonreís,
pálido lirio que te deshojas,
rayo de luna sobre el tapiz
de húmedas flores, y verdes hojas,     5
que al tibio soplo de mayo abrís;
¡si os encerrara yo en mis estrofas,
pálidas cosas que sonreís!

Si aprisionaros pudiera el verso,
fantasmas grises, cuando pasáis,     10
móviles formas del Universo,
sueños confusos, seres que os vais,
ósculo triste, suave y perverso,
que entre las sombras al alma dais;
¡si aprisionaros pudiera el verso,     15
fantasmas grises, cuando pasáis!


## ... ? ...

Estrellas que entre lo sombrío
de lo ignorado y de lo inmenso,
asemejáis en el vacío
jirones pálidos de incienso;
nebulosas que ardéis tan lejos     5
en el infinito que aterra,
que sólo alcanzan los reflejos
de vuestra luz hasta la tierra;
astros que en abismos ignotos
derramáis resplandores vagos,     10
constelaciones que en remotos
tiempos adoraron los magos;
millones de mundos lejanos,
flores de fantástico broche;
islas claras en los oceanos     15
sin fin ni fondo de la noche;

¡estrellas, luces pensativas!
¡Estrellas, pupilas inciertas!
¿Por qué os calláis si estáis vivas,
y por qué alumbráis si estáis muertas?

## SERENATA

La calle está desierta; la noche fría;
velada por las nubes pasa la luna;
arriba está cerrada la celosía,
y las notas vibrantes, una por una,
suenan cuando los dedos fuertes y ágiles,
mientras la voz que canta, ternuras narra,
hacen que vibren las cuerdas frágiles
de la guitarra.

La calle está desierta; la noche fría;
una nube borrosa tapó la luna;
arriba está cerrada la celosía
y se apagan las notas una por una.
Tal vez la serenata con su ruido
busca un alma de niña que ama y espera,
como buscan alares donde hacer nido
las golondrinas pardas de primavera.

La calle está desierta; la noche fría;
en un espacio claro brilló la luna;
arriba ya está abierta la celosía
y se apagan las notas una por una.
El cantor con los dedos fuertes y ágiles,
de la vieja ventana se asió a la barra
y dan como un gemido las cuerdas frágiles
de la guitarra.

## LOS MADEROS DE SAN JUAN

... Y aserrín
aserrán,
los maderos
de San Juan

piden pan;
los de Roque,
alfandoque;
los de Rique,
alfeñique; 10
los de Trique,
Triquitrán.
¡Triqui, triqui, triqui, tran!
¡Triqui, triqui, triqui, tran!

Y en las rodillas duras y firmes de la abuela 15
con movimiento rítmico se balancea el niño,
y entrambos agitados y trémulos están ...
La abuela se sonríe con maternal cariño,
mas cruza por su espíritu como un temor extraño
por lo que en lo futuro, de angustia y desengaño, 20
los días ignorados del nieto guardarán ...

Los maderos
de San Juan
piden queso,
piden pan: 25
¡Triqui, triqui, triqui, tran!

Esas arrugas hondas recuerdan una historia
de largos sufrimientos y silenciosa angustia;
y sus cabellos blancos como la nieve están;
de un gran dolor el sello marcó la frente mustia, 30
y son sus ojos turbios espejos que empañaron
los años, y que ha tiempo las formas reflejaron
de seres y de cosas que nunca volverán ...

... Los de Roque
alfandoque ... 35
¡Triqui, triqui, triqui, tran!

Mañana, cuando duerma la abuela, yerta y muda,
lejos del mundo vivo, bajo la oscura tierra,
donde otros, en la sombra, desde hace tiempo están,
del nieto a la memoria, con grave voz que encierra 40
todo el poema triste de la remota infancia,
pasando por las sombras del tiempo y la distancia,
de aquella voz querida las notas volverán ...

<pre>
                    ... Los de Rique
45                     alfeñique ...
                    ¡Triqui, triqui, triqui, tran!
</pre>

En tanto, en las rodillas cansadas de la abuela
con movimiento rítmico se balancea el niño
y entrambos agitados y trémulos están ...
50 La abuela se sonríe con maternal cariño,
mas cruza por su espíritu como un temor extraño
por lo que en lo futuro, de angustia y desengaño,
los días ignorados del nieto guardarán ...

<pre>
                    ... Los maderos
55                  de San Juan
                    piden queso,
                    piden pan;
                    los de Roque,
                    alfandoque;
60                  los de Rique,
                    alfeñique;
                    Triquitrán
                ¡Triqui, triqui, triqui, trán!
</pre>


# MIDNIGHT DREAMS

Anoche, estando solo y ya medio dormido,
mis sueños de otras épocas se me han aparecido.

Los sueños de esperanzas, de glorias, de alegrías
y de felicidades, que nunca han sido mías,

5   se fueron acercando en lentas procesiones
y de la alcoba oscura poblaron los rincones.

Hubo un silencio grave en todo el aposento
y en el reloj la péndola detúvose un momento.

La fragancia indecisa de un olor olvidado
10  llegó como un fantasma y me habló del pasado.

Vi caras que la tumba desde hace tiempo esconde,
y oí voces oídas ya no recuerdo dónde.

¡Los sueños se acercaron y me vieron dormido;
se fueron alejando sin hacerme rüido

y sin pisar los hilos sedosos de la alfombra,                          15
se fueron deshaciendo y hundiéndose en la sombra!

## VEJECES

Las cosas viejas, tristes, desteñidas,
sin voz y sin color, saben secretos
de las épocas muertas, de las vidas
que ya nadie conserva en la memoria,
y a veces a los hombres, cuando inquietos            5
las miran y las palpan, con extrañas
voces de agonizantes dicen, paso,
casi al oído, alguna rara historia
que tiene oscuridad de telarañas,
son de laúd, y suavidad de raso.                     10

¡Colores de anticuada miniatura,
hoy, de algún mueble en el cajón dormida;
cincelado puñal; carta borrosa;
tabla en que se deshace la pintura,
por el tiempo y el polvo ennegrecida;              15
histórico blasón, donde se pierde
la divisa latina, presuntuosa,
medio borrada por el liquen verde;
misales de las viejas sacristías;
de otros siglos fantásticos espejos                20
que en el azogue de las lunas frías
guardáis de lo pasado los reflejos;
arca, en un tiempo de ducados llena,
crucifijo que tanto moribundo
humedeció con lágrimas de pena                      25
y besó con amor grave y profundo;
negro sillón de Córdoba; alacena
que guardaba un tesoro peregrino
y donde anida la polilla sola;
sortija que adornaste el dedo fino                  30
de algún hidalgo de espadín y gola;

mayúsculas del viejo pergamino;
batista tenue que a vainilla hueles;
seda que te deshaces en la trama
35 confusa de los ricos brocateles;
arpa olvidada que al sonar te quejas;
barrotes que formáis un monograma
incomprensible en las antiguas rejas:
el vulgo os huye, el soñador os ama
40 y en vuestra muda sociedad reclama
las confidencias de las cosas viejas.

El pasado perfuma los ensueños
con esencias fantásticas y añejas,
y nos lleva a lugares halagüeños
45 en épocas distantes y mejores:
¡por eso a los poetas soñadores
les son dulces, gratísimas y caras,
las crónicas, historias y consejas,
las formas, los estilos, los colores,
50 las sugestiones místicas y raras
y los perfumes de las cosas viejas!


# RONDA

¡Poeta! ¡di paso
los furtivos besos! ...

¡La sombra! ¡Los recuerdos! La luna no vertía
allí ni un solo rayo ... Temblabas y eras mía.
5 Temblabas y eras mía bajo el follaje espeso;
una errante luciérnaga alumbró nuestro beso,
el contacto furtivo de tus labios de seda ...
La selva negra y mística fue cámara sombría,
en aquel sitio el musgo tiene olor de reseda ...
10 filtró luz por las ramas cual si llegara el día;
entre las nieblas pálidas la luna aparecía ...

¡Poeta! ¡di paso
los íntimos besos!

¡Ah! de las noches dulces me acuerdo todavía.
15 En señorial alcoba do la tapicería

amortiguaba el ruido con sus hilos espesos,
desnuda tú en mis brazos, fueron míos tus besos;
tu cuerpo de veinte años entre la roja seda,
tus cabellos dorados y tu melancolía,
tus frescuras de niña y tu olor de reseda ...                    20
Apenas alumbraba la lámpara sombría
los desteñidos hilos de la tapicería ...

        ¡Poeta! ¡di paso
        el último beso!

    ¡Ah, de la noche trágica me acuerdo todavía!        25
¡El ataúd heráldico en el salón yacía;
mi oído fatigado por vigilias y excesos
sintió como a distancia los monótonos rezos!
Tú, mustia, yerta y pálida entre la negra seda ...
la llama de los cirios temblaba y se movía;                     30
perfumaba la atmósfera un olor de reseda;
un crucifijo pálido los brazos extendía,
¡y estaba helada y cárdena tu boca que fue mía!

## NOCTURNO

        Una noche,
una noche toda llena de murmullos, de perfumes y de
                    músicas de alas,
        una noche
en que ardían en la sombra nupcial y húmeda las
               luciérnagas fantásticas,
a mi lado, lentamente, contra mí ceñida toda, muda y pálida,   5
como si un presentimiento de amarguras infinitas
hasta el más secreto fondo de las fibras te agitara,
        por la senda florecida
        que atraviesa la llanura
        caminabas,                                   10
        y la luna llena
por los cielos azulosos, infinitos y profundos esparcía su luz
                   blanca
        y tu sombra
        fina y lánguida,
        y mi sombra                                  15

por los rayos de la luna proyectadas
sobre las arenas tristes
de la senda se juntaban
y eran una
20      y eran una
¡y eran una sola sombra larga!
¡y eran una sola sombra larga!
¡y eran una sola sombra larga!

Esta noche
25     solo, el alma
llena de infinitas amarguras y agonías de tu muerte,
separado de ti misma por el tiempo, por la tumba y
           la distancia,
por el infinito negro
donde nuestra voz no alcanza,
30     mudo y solo
por la senda caminaba ...
y se oían los ladridos de los perros a la luna
a la luna pálida,
y el chirrido
35     de las ranas ...
Sentí frío. Era el frío que tenían en tu alcoba
tus mejillas y tus sienes adoradas,
entre las blancuras níveas
de las mortuorias sábanas.
40 Era el frío del sepulcro, era el hielo de la muerte,
era el frío de la nada ...
Y mi sombra,
por los rayos de la luna proyectada,
iba sola,
45     iba sola,
iba sola por la estepa solitaria;
y tu sombra esbelta y ágil,
fina y lánguida,
como en esa noche tibia de la muerta primavera,
como en esa noche llena de murmullos, de perfumes y
50        de músicas de alas,
se acercó y marchó con ella,
se acercó y marchó con ella,
se acercó y marchó con ella ...
¡Oh las sombras enlazadas!

¡Oh, las sombras de los cuerpos que se juntan con la
sombra de las almas! 55
¡Oh, las sombras que se buscan en las noches de tristezas
y de lágrimas!

## LÁZARO*

—¡Ven, Lázaro! —gritóle
el Salvador. Y del sepulcro negro
el cadáver alzóse entre el sudario,
ensayó caminar, a pasos trémulos,
olió, palpó, miró, sintió, dio un grito          5
y lloró de contento.

Cuatro lunas más tarde, entre las sombras
del crepúsculo oscuro, en el silencio
del lugar y la hora, entre las tumbas
de antiguo cementerio,                          10
Lázaro estaba sollozando a solas
y envidiando a los muertos.


## LA RESPUESTA DE LA TIERRA

Era un poeta lírico, grandioso y sibilino
que le hablaba a la tierra una tarde de invierno,
frente de una posada y al volver de un camino:
—¡Oh madre, oh tierra! —díjole,—en tu girar eterno
nuestra existencia efímera tal parece que ignoras.          5
Nosotros esperamos un cielo o un infierno,
sufrimos o gozamos en nuestras breves horas,
e indiferente y muda, tú, madre sin entrañas,
de acuerdo con los hombres no sufres y no lloras.
¿No sabes el secreto misterioso que entrañas?              10
¿Por qué las noches negras, las diáfanas auroras?
Las sombras vagorosas y tenues de unas cañas
que se reflejan lívidas en los estanques yertos,
¿no son como conciencias fantásticas y extrañas
que les copian sus vidas en espejos inciertos?            15

¿Qué somos? ¿A do vamos? ¿Por qué hasta aquí vivimos?
¿Conocen los secretos del más allá los muertos?
¿Por qué la vida inútil y triste recibimos?
¿Hay un oasis húmedo después de estos desiertos?
20  ¿Por qué nacemos, madre, dime, por qué morimos?
¿Por qué? Mi angustia sacia y mi ansiedad contesta.

Yo, sacerdote tuyo, arrodillado y trémulo,
en estas soledades aguardo la respuesta.

La tierra, como siempre, displicente y callada,
25  al gran poeta lírico no le contestó nada.

## ¿ ... ?

¿Por qué de los cálidos besos,
de las dulces idolatradas
en noches jamás olvidadas
nos matan los locos excesos?

5  ¿Son sabios los místicos rezos
y las humildes madrugadas
en las celdas sólo adornadas
con una cruz y cuatro huesos?

¡No, soñadores de infinito!
10  De la carne el supremo grito
hondas vibraciones encierra;

dejadla gozar de la vida
antes de caer, corrompida,
en las negruras de la tierra.

## PSICOPATÍA

El parque se despierta, ríe y canta
en la frescura matinal. La niebla,
donde saltan aéreos surtidores,
de arco iris se puebla,

y en luminosos vuelos se levanta.                                5
Su olor esparcen entreabiertas flores;
suena en las ramas verdes el pío, pío
de los alados huéspedes cantores;
brilla en el césped húmedo rocío.
¡Azul el cielo! ¡Azul! Y la süave                               10
brisa que pasa, dice:
¡Reíd! ¡Cantad! ¡Amad! ¡La vida es fiesta,
es calor, es pasión, es movimiento!
Y forjando en las ramas una orquesta,
con voz grave lo mismo dice el viento,                          15
y por entre el sutil encantamiento
de la mañana sonrosada y fresca,
de la luz, de las yerbas y las flores,
pálido, descuidado, soñoliento,
sin tener en la boca una sonrisa,                               20
y de negro vestido
un filósofo joven se pasea,
olvida luz y olor primaverales,
e impertérrito sigue en su tarea
de pensar en la muerte, en la conciencia                        25
y en las causas finales.
Lo sacuden las ramas de azalea,
dándole al aire el aromado aliento
de las rosadas flores;
lo llaman unos pájaros, del nido                                30
do cantan sus amores,
y los cantos risueños
van, por entre el follaje estremecido,
a suscitar voluptüosos sueños,
y él sigue su camino, triste, serio,                            35
pensando en Fichte*, en Kant*, en Vogt*, en Hegel*,
y del *yo* complicado en el misterio.

    La chicuela del médico que pasa,
una rubia adorable, cuyos ojos
arden como una brasa,                                           40
abre los labios húmedos y rojos,
y le pregunta al padre, enternecida:
—Aquel señor, papá, ¿de qué está enfermo,
qué tristeza le anubla así la vida?

Cuando va a casa a verle a usted, me duermo;
tan silencioso y triste ... ¿Qué mal sufre?
Una sonrisa el profesor contiene,
mira luego una flor, color de azufre,
oye el canto de un pájaro que viene,
y comienza de pronto, con descaro:
—Ese señor padece un mal muy raro,
que ataca rara vez a las mujeres
y pocas a los hombres, ¡hija mía!
Sufre este mal: *pensar* ... Esa es la causa
de su grave y sutil melancolía ...
El profesor después hace una pausa,
y sigue: —En las edades
de bárbaras naciones,
serias autoridades
curaban este mal dando cicuta,
encerrando al enfermo en las prisiones,
o quemándolo vivo ... ¡Buen remedio!
Curación decisiva y absoluta
que cortaba de lleno la disputa
y sanaba al paciente ... Mira el medio ...
la profilaxia, en fin ... antes; ahora
el mal reviste tantas formas graves,
la invasión se dilata aterradora,
y no lo curan polvos ni jarabes;
en vez de prevenirlo, los gobiernos
lo riegan y estimulan;
tomos gruesos, revistas y cuadernos
revuelan y circulan
y dispersan el germen homicida ...
El mal, gracias a Dios, no es contagioso,
y lo adquieren muy pocos; en mi vida
sólo he curado a dos. Les dije:
                                    —Mozo,
váyase usted a trabajar de lleno,
en una fragua negra y encendida,
o en un bosque espesísimo y sereno;
machaque hierro, hasta arrancarle chispas,
o tumbe viejos troncos seculares,
y logre que lo piquen las avispas;
si lo prefiere usted, cruce los mares

de grumete en un buque, duerma, coma,
muévase, grite, forcejee y sude,
mira la tempestad cuando se asoma,
y los cables de popa ate y anude,
hasta hacerse diez callos en las manos,                    90
y limpiarse de ideas el cerebro.
Ellos lo hicieron y volvieron sanos.
—Estoy tan bien, doctor ... —¡Pues lo celebro! ...
Pero el joven aquel es caso grave
como conozco pocos,                                        95
más que cuantos nacieron piensa y sabe;
irá a pasar diez años con los locos,
¡y no se curará sino hasta el día
en que duerma a sus anchas
en una angosta sepultura fría,                            100
lejos del mundo y de la vida loca,
en un negro ataúd de cuatro planchas,
con un montón de tierra entre la boca.


# DÍA DE DIFUNTOS

La luz vaga ... opaco el día ...
La llovizna cae y moja
con sus hilos penetrantes la ciudad desierta y fría,
por el aire, tenebrosa, ignorada mano arroja
un oscuro velo opaco, de letal melancolía,                 5
y no hay nadie que en lo íntimo no se aquiete y se recoja
al mirar las tinieblas grises de la atmósfera sombría
y al oír en las alturas
meláncolicas y oscuras
los acentos dejativos                                      10
y tristísimos e inciertos
con que suenan las campanas,
las campanas plañideras,
que les hablan a los vivos
de los muertos.                                            15

Y hay algo de angustioso y de incierto
que mezcla a ese sonido su sonido,

e inarmónico vibra en el concierto
que alzan los bronces al tocar a muerto
20    por todos los que han sido.
Es la voz de la campana
que va marcando la hora,
hoy lo mismo que mañana,
rítmica, igual y sonora;
25    una campana se queja
y la otra campana llora,
ésta tiene voz de vieja
y ésa de niña que ora.

Las campanas más grandes que dan un doble recio
30    suenan con acento de místico desprecio;
mas la campana que da la hora
ríe, no llora;
tiene en su timbre seco sutiles ironías;
su voz parece que habla de fiestas, de alegrías;
35    de citas, de placeres, de cantos y de bailes,
de las preocupaciones que llenan nuestros días;
es una voz del siglo entre un coro de frailes,
y con sus notas se ríe
escéptica y burladora
40    de la campana que gime,
de la campana que implora,
y de cuanto aquel coro conmemora;
y es que con su retintín
ella midió el dolor humano
45    y marcó del dolor el fin.

Por eso se ríe del grave esquilón
que suena allá arriba con fúnebre son;
por eso interrumpe los tristes conciertos
con que el bronce santo llora por los muertos.
50    No la oigáis, ¡oh, bronces!, no la oigáis, campanas,
que con la voz grave de ese clamoreo
rogáis por los seres que duermen ahora
lejos de la vida, libres del deseo,
lejos de las rudas batallas humanas;
55    seguid en el aire vuestro bamboleo:
¡no la oigáis, companas! ...
Contra lo imposible, ¿qué puede el deseo?

Allá arriba suena, rítmica y sonora,
esa voz de oro,
y sin que lo impidan sus graves hermanas                    60
que rezan en coro,
la campana del reloj
suena, suena, suena ahora,
y dice que ella marcó,
con su vibración sonora,                                     65
de los olvidos la hora;
que después de la velada
que pasó cada difunto
en una sala enlutada
y con la familia junto                                      70
en dolorosa actitud,
mientras la luz de los cirios
alumbraba el ataúd
y las coronas de lirios;
que después de la tristura,                                  75
de los gritos de dolor,
de las frases de amargura,
del llanto conmovedor,
marcó ella misma el momento
en que con la languidez                                     80
del luto, huyó el pensamiento
del muerto, y el sentimiento
seis meses más tarde ... o diez.

Y hoy, día de muertos ... ahora que flota
en las tinieblas grises la melancolía,                      85
en que la llovizna cae gota a gota
y con sus tristezas los nervios embota,
y envuelve en un manto la ciudad sombría;
ella, que ha marcado la hora y el día
en que a cada casa lúgubre y vacía                          90
tras el luto breve volvió la alegría;
ella, que ha marcado la hora del baile
en que al año justo un vestido aéreo
estrena la niña, cuya madre duerme
olvidada y sola en el cementerio;                           95
suena indiferente a la voz de fraile
del esquilón grave y a su canto serio;
ella, que ha marcado la hora precisa

en que a cada boca que el dolor sellaba
100     como por encanto volvió la sonrisa,
esa precursora de la carcajada;
ella, que ha marcado la hora en que el viudo
habló de suicidio y pidió el arsénico,
cuando aún en la alcoba recién perfumada
105     flotaba el aroma del ácido fénico;
y ha marcado luego la hora en que mudo
por las emociones con que el gozo agobia,
para que lo unieran con sagrado nudo
a la misma iglesia fue con otra novia;
110     ella no comprende nada del misterio
de aquellas quejumbres que pueblan el aire,
y lo ve en la vida todo jocoserio;
y sigue marcando con el mismo modo,
el mismo entusiasmo y el mismo desgaire
115     la huída del tiempo que lo borra todo.

Y eso es lo angustioso y lo incierto
que flota en el sonido;
ésa es la nota irónica que vibra en el concierto
que alzan los bronces al tocar a muerto
120     por todos los que han sido.

Es la voz fina y sutil
de vibraciones de cristal
que con acento juvenil,
indiferente al bien y al mal
125     mide lo mismo la hora vil,
que la sublime y fatal,
y resuena en las alturas
melancólicas y oscuras
sin tener en su tañido
130     claro, rítmico y sonoro,
los acentos dejativos
y tristísimos e inciertos
de aquel misterioso coro
con que suenan las campanas ...
135     ¡las campanas plañideras
que les hablan a los vivos
de los muertos! ...

# EL MAL DEL SIGLO

—Doctor, un desaliento de la vida
que en lo íntimo de mí se arraiga y nace:
el mal del siglo ..., el mismo mal de Werther*,
de Rolla*, de Manfredo* y de Leopardi*.
Un cansancio de todo, un absoluto                          5
desprecio por lo humano ..., un incesante
renegar de lo vil de la existencia
digno de mi maestro Schopenhauer*;
un malestar profundo que se aumenta
con todas las torturas del análisis ...                    10

EL MÉDICO
—Eso es cuestión de régimen. Camine
de mañanita; duerma largo; báñese;
beba bien; coma bien; cuídese mucho;
¡lo que usted tiene es hambre!


# ¡OH DULCE NIÑA PÁLIDA!

¡Oh dulce niña pálida!, que como un montón de oro
de tu inocencia cándida conservas el tesoro;
a quien los más audaces, en locos devaneos,
jamás se han acercado con carnales deseos;
tú, que advinar dejas inocencias extrañas            5
en tus ojos velados por sedosas pestañas,
y en cuyos dulces labios, abiertos sólo al rezo
jamás se habrá posado ni la sombra de un beso ...;
dime quedo, en secreto, al oído, muy paso,
con esa voz que tiene suavidades de raso:            10
si entrevieras dormida a aquél con quien tú sueñas,
tras las horas de baile rápidas y risueñas,
y sintieras sus labios anidarse en tu boca
y recorrer tu cuerpo, y en su lascivia loca

besar todos sus pliegues de tibio aroma llenos
y las rígidas puntas rosadas de tus senos;
si en los locos, ardientes y profundos abrazos
agonizar soñaras de placer en sus brazos,
por aquél de quien eres todas las alegrías,
¡oh dulce niña pálida!, di, ¿te despertarías?

## IDILIO

Ella lo idolatraba, y él la adoraba.
—¿Se casaron al fin?
—No, señor. Ella se casó con otro.
—Y ¿murió de sufrir?
—No, señor: De un aborto.
—Y el pobre aquel infeliz,
¿le puso a la vida fin?
—No, señor. Se casó seis meses antes
del matrimonio de ella, y es feliz.

## ÉGALITÉ

Juan Lanas, el mozo de esquina,
es absolutamente igual
al Emperador de la China:
los dos son un mismo animal.

Juan Lanas cubre su pelaje
con nuestra manta nacional:
el gran magnate lleva un traje
de seda verde excepcional.

Del uno cuidan cien dragones
de porcelana y de metal;
el otro cuenta sus jirones
triste y hambreado en un portal.

Pero si alguna mandarina
siguiendo el instinto sexual

al potentado se avecina 15
en el traje tradicional,

que tenía nuestra madre Eva
en aquella tarde fatal
en que se comieron la breva
del árbol del bien y del mal, 20

y si al mismo Juan una Juana
se entrega de un modo brutal
y palpita la bestia humana
en un solo espasmo sexual,

Juan Lanas, el mozo de esquina, 25
es absolutamente igual
al Emperador de la China:
los dos son un mismo animal.

# RUBÉN DARÍO

1867–1916

E N LA OBRA magistral de este gran poeta nicaragüense quedan
expresados en su integridad el modernismo literario, el nuevo
espíritu de América y los vínculos muy estrechos en que se funden
los sentimientos hispánicos más admirables y castizos. La personalidad de Rubén Darío se destaca, por lo tanto, como la más
sobresaliente, transcendental y perfecta del siglo XX—en España
y América—por la original universalidad, la indiscutible influencia
y el maravilloso poder de síntesis poética que posee.

La excepcional sensibilidad de este prodigioso autor percibió
la profunda huella que habían dejado sus antecesores y se hizo
cargo de las más nobles aspiraciones artísticas que se insinuaban
en el ambiente de su tiempo. Gracias al talento que poseía, Darío
asimiló con provecho las múltiples lecturas que tuvo a su alcance
en los numerosos lugares en que vivió y por los cuales peregrinó
en el agitado curso de su vida, y adoptó para su nuevo arte una estética propia que plasmaba tanto las formas establecidas por los antiguos maestros del idioma, como los renovados moldes de los
modernos. Un proceso de tal magnitud necesariamente hubo de
originar efectos hasta entonces desconocidos en la lengua española,
en particular cuando la raíz de la innovación se extendía a las literaturas extranjeras, a las letras clásicas y a la más antigua tradición hispánica.

El preciosismo de la forma que queda de relieve en el arte de
Darío con creciente intensidad en los años de su mayor apogeo,

tiende a simplificarse moderadamente al declinar los bríos juveniles que devoraban su espíritu renovador. La transformación poética que reflejan los versos rubenianos no son, sin embargo, meros malabarismos verbales ni novedosas combinaciones métricas cuyo propósito se limite a efectos rítmicos y escultóricos.

Las vulgaridades del mundo circundante que chocaban lamentablemente con los gustos del poeta, le llevaron a elaborar un vistoso mundo de exquisiteces que satisfacían con plenitud los sueños a que se rendía su fecunda fantasía. Este refugio, sin embargo, no siempre fue constante o de una pieza. En algunos casos—los que han dejado un surco más hondo en los lectores—se trata de un amplio y abigarrado ámbito de refinamientos cuyos estímulos a los sentidos ejercen fuerte, abundante y variada influencia en todo el espíritu. Luego se abrevia, con el correr del tiempo, el distanciamiento exótico, se atenúa el efectismo que originan los contenidos extranjerizantes y se nota un paulatino allegarse a lo inmediato, sea por los contactos físicos o humanos, sociales o históricos, que establece el poeta.

La producción de Darío sintetiza todo un pasado poético de seculares proyecciones y disemina por doquier—en América y en España—una nueva estética que no exige a sus cultores otra condición que la sinceridad en el esfuerzo constante por renovarse, perfeccionarse y crear con independencia, originalidad y buen gusto. Caben, por lo tanto, dentro del concepto y la sensibilidad de Darío todas las personales disposiciones de ánimo y los más diversos anhelos de transformación formal. Por eso es que con suma facilidad se convirtió en guía y encarnación de una nueva poesía que ya otros empezaban a ensayar, aunque Darío mismo nunca quiso formar escuela ni llegar a ser rígido preceptista.

Si el genio luminoso de Rubén Darío estimuló a incontables talentos de la época, su obra sirvió de fuente en la cual se nutrieron años más tarde notables representantes de las orientaciones postmodernistas y de vanguardia. En su tiempo y hasta hoy, la poesía hispánica tiene una enorme deuda de gratitud con el poeta nicaragüense, pese a la disparidad de opiniones que su vida y obra originaron cuando aún no se las conocía en sus gigantescas proyecciones y clara trayectoria.

OBRAS PRINCIPALES DEL AUTOR

*Primeras notas.* Managua, 1885.
*Abrojos.* Valparaíso, 1887.
*Azul.* Valparaíso, 1888; Guatemala, 1890.

*Prosas profanas.* Buenos Aires, 1896.
*Cantos de vida y esperanza.* Madrid, 1905.
*Oda a Mitre.* París, 1906.
*El canto errante.* Madrid, 1906.
*Poema del otoño y otros poemas.* Madrid, 1910.
*Canto a la Argentina.* Buenos Aires, 1910.
*Poesías completas.* Edición, introducción y notas de Alfonso Méndez Plancarte. Madrid, 1961.

PROSAS

*Los raros.* Buenos Aires, 1896.
*España contemporánea.* París, 1901.
*Peregrinaciones.* París, 1901.
*La caravana pasa.* París, 1903.
*Historia de mis libros.* Buenos Aires, 1912.

ESTUDIOS

ALEMÁN BOLAÑOS, G. *La juventud de Rubén Darío (1890-1893).* Guatemala: Editorial Universitaria, 1958.
ALONSO, AMADO. *Materia y forma en poesía.* Madrid: Gredos, 1960.
CASTILLO, H. «Caupolicán en el modernismo de Darío», *Revista Iberoamericana* (México), No. 37 (1953), págs. 111–118.
CONTRERAS, F. *Rubén Darío, su vida y su obra.* Santiago de Chile: Ercilla, 1937.
DE CHASCA, EDMUNDO. « El ‹ Reino interior › de Rubén Darío y ‹ Crimen Amoris › de Verlaine», *Revista Iberoamericana* (México), Nos. 41 y 42 (1956), págs. 309–317.
DÍAZ PLAJA, G. *Rubén Darío, la vida, la obra, notas críticas.* México: Editora Nacional, 1957.
DONOSO, A. *Obras de juventud de Rubén Darío.* Santiago de Chile: Nascimento, 1927.
FIORE, D. A. *Rubén Darío in Search of Inspiration.* New York: Las Américas, 1963.
FOGELQUIST, D. S. «The Silva-Darío Controversy», *Hispania* (U.S.A.), *XLII* (1959), págs. 341–346.
GARCIASOL, R. DE. *Lección de Rubén Darío.* Madrid: Taurus, 1961.
JIMÉNEZ, J. R. *Españoles de tres mundos.* Madrid: Aguado, 1960.
LORENZ, E. *Rubén Darío « bajo el divino imperio de la música ».* Managua: Academia Nicaragüense de la Lengua, 1960.
LUGONES, L. *Rubén Darío.* Ediciones Selectas—Cuadernos Mensuales de Letras y Ciencias, Tomo I, Núm. 9. Buenos Aires: Talleres Gráficos A. Ferriol, 1919.
MARASSO, A. *Rubén Darío y su creación poética.* La Plata: Universidad de la Plata, 1934.

Meza Fuentes, R. *De Díaz Mirón a Rubén Darío*. Santiago de Chile: Nascimento, 1940.

Monguió, L. « El origen de unos versos ‹ A Roosevelt ›», *Hispania* (U.S.A.), *XXXVIII* (1955), págs. 424–426.

Oliver Belmás, A. *Este otro Rubén Darío*. Prólogo de Francisco Maldonado de Guevara. Barcelona: Aedos, 1960.

Phillips, A. W. « Rubén Darío y sus juicios sobre el modernismo », *Revista Iberoamericana* (México), No. 47 (1959), págs. 41–64.

Phillips, A. W. « Sobre: ‹ Sinfonía en gris mayor ›, de Rubén Darío », *Cuadernos Americanos* (México), No. 6 (1960), págs. 217–224.

Salinas, Pedro. *La poesía de Rubén Darío*. Buenos Aires: Losada, 1948.

Sánchez, L. A. *Escritores representativos de América*. Tomo I. Madrid: Gredos, 1957.

Sequeira, D. M. *Rubén Darío criollo*. Buenos Aires: Kraft, 1945.

Silva Castro, Raúl. *Rubén Darío y Chile*. Santiago de Chile: Imprenta « La Tracción », 1930.

Silva Castro, Raúl. *Rubén Darío a los veinte años*. Madrid: Gredos, 1956.

Silva Castro, Raúl. « El ciclo de lo ‹ azul › en Rubén Darío », *Revista Hispánica Moderna* (U.S.A.), Nos. 1 y 2 (1959), págs. 81–95.

Soto Hall, M. *Revelaciones íntimas de Rubén Darío*. Buenos Aires: El Ateneo, 1925.

Torres, E. *La dramática vida de Rubén Darío*. México: Biografías Gandesa, 1958.

Torres-Rioseco, A. *Rubén Darío—Casticismo y americanismo*. Cambridge, Mass.: Harvard University Press, 1931.

Torres-Rioseco, A. *Vida y poesía de Rubén Darío*. Buenos Aires: Emecé, 1944.

Vargas Vila, J. M. *Rubén Darío*. Barcelona: Sopena, 1921.

Ycaza Tigerino, J. C. *Los nocturnos de Rubén Darío*. Managua: Imprenta Granada, 1954.

# EL AÑO LÍRICO

## *Primaveral*

Mes de rosas. Van mis rimas
en ronda, a la vasta selva,
a recoger miel y aromas
en las flores entreabiertas.
Amada, ven. El gran bosque                    5
es nuestro templo; allí ondea
y flota un santo perfume
de amor. El pájaro vuela
de un árbol a otro y saluda
tu frente rosada y bella                       10
como a un alba; y las encinas
robustas, altas, soberbias,
cuando tú pasas agitan
sus hojas verdes y trémulas,
y enarcan sus ramas como                       15
para que pase una reina.
¡Oh, amada mía! Es el dulce
tiempo de la primavera.
Mira en tus ojos los míos;
da al viento la cabellera,                     20
y que bañe el sol ese oro
de luz salvaje y espléndida.
Dame que aprieten mis manos
las tuyas de rosa y seda,
y ríe, y muestren tus labios                   25
su púrpura húmeda y fresca.
Yo voy a decirte rimas,
tú vas a escuchar risueña;
si acaso algún ruiseñor
viniese a posarse cerca                         30

y a contar alguna historia
de ninfas, rosas o estrellas,
tú no oirás notas ni trinos,
sino, enamorada y regia,
35 escucharás mis canciones
fija en mis labios que tiemblan.
¡Oh, amada mía! Es el dulce
tiempo de la primavera.

Allá hay una clara fuente
40 que brota de una caverna,
donde se bañan desnudas
las blancas ninfas que juegan.
Ríen al son de la espuma,
hienden la linfa serena;
45 entre polvo cristalino
esponjan sus cabelleras;
y saben himnos de amores
en hermosa lengua griega,
que en glorioso tiempo antiguo
50 Pan* inventó en las florestas.
Amada, pondré en mis rimas
la palabra más soberbia
de las frases, de los versos,
de los himnos de esa lengua;
55 y te diré esa palabra
empapada en miel hiblea* ...
¡Oh, amada mía! Es el dulce
tiempo de la primavera.

Van en sus grupos vibrantes
60 revolando las abejas
como un áureo torbellino
que la blanca luz alegra;
y sobre el agua sonora
pasan radiantes, ligeras,
65 con sus alas cristalinas
las irisadas libélulas.
Oye: canta la cigarra
porque ama al sol, que en la selva
su polvo de oro tamiza,
70 entre las hojas espesas.
Su aliento nos da en un soplo
fecundo la madre tierra,

con el alma de los cálices
y el aroma de las hierbas.

    ¿Ves aquel nido? Hay un ave.        75
Son dos: el macho y la hembra.
Ella tiene el buche blanco,
él tiene las plumas negras.
En la garganta el gorjeo,
las alas blancas y trémulas;        80
y los picos que se chocan
como labios que se besan.
El nido es cántico. El ave
incuba el trino, ¡oh, poetas!
de la lira universal,        85
el ave pulsa una cuerda.
Bendito el calor sagrado
que hizo reventar las yemas.
¡Oh, amada mía! Es el dulce
tiempo de la primavera.        90

    Mi dulce musa Delicia
me trajo un ánfora griega
cincelada en alabastro,
de vino de Naxos* llena;
y una hermosa copa de oro,        95
la base henchida de perlas,
para que bebiese el vino
que es propicio a los poetas.
En el ánfora está Diana*,
real, orgullosa y esbelta,        100
con su desnudez divina
y en su actitud cinegética.
Y en la copa luminosa
está Venus Citerea*
tendida cerca de Adonis*        105
que sus caricias desdeña.
No quiero el vino de Naxos
ni el ánfora de asas bellas,
ni la copa donde Cipria*
al gallardo Adonis ruega.        110
Quiero beber el amor
sólo en tu boca bermeja.
¡Oh, amada mía! Es el dulce
tiempo de primavera.

## Estival

### I

115 La tigre de Bengala*
con su lustrosa piel manchada a trechos,
está alegre y gentil, está de gala.
Salta de los repechos
de un ribazo, al tupido
120 carrizal de un bambú; luego a la roca
que se yergue a la entrada de su gruta.
Allí lanza un rugido,
se agita como una loca
y eriza de placer su piel hirsuta.

125 La fiera virgen ama.
Es el mes del ardor. Parece el suelo
rescoldo; y en el cielo
el sol, inmensa llama.
Por el ramaje oscuro
130 salta huyendo el canguro.
El boa se infla, duerme, se calienta
a la tórrida lumbre;
el pájaro se sienta
a reposar sobre la verde cumbre.

135 Siéntense vahos de horno;
y la selva indïana
en alas del bochorno,
lanza, bajo el sereno
cielo, un soplo de sí. La tigre ufana
140 respira a pulmón lleno,
y al verse hermosa, altiva, soberana,
le late el corazón, se le hincha el seno.

Contempla su gran zarpa, en ella la uña
de marfil; luego toca
145 el filo de una roca,
y prueba y lo rasguña.
Mírase luego el flanco
que azota con el rabo puntiagudo
de color negro y blanco,
150 y móvil y felpudo;

luego el vientre. En seguida
abre las anchas fauces, altanera
como reina que exige vasallaje;
después husmea, busca, va. La fiera
exhala algo a manera                                155
de un suspiro salvaje.
Un rugido callado
escuchó. Con presteza
volvió la vista de uno a otro lado.
Y chispeó su ojo verde y dilatado                   160
cuando miró de un tigre la cabeza
surgir sobre la cima de un collado.
El tigre se acercaba.

                    Era muy bello.
Gigantesca la talla, el pelo fino,                  165
apretado el ijar, robusto el cuello,
era un Don Juan felino
en el bosque. Anda a trancos
callados; ve a la tigre inquieta, sola,
y le muestra los blancos                            170
dientes; y luego arbola
con donaire la cola.
Al caminar se vía
su cuerpo ondear, con garbo y bizarría.
Se miraban los músculos hinchados                   175
debajo de la piel. Y se diría
ser aquella alimaña
un rudo gladiador de la montaña.
Los pelos erizados
del labio relamía. Cuando andaba,                   180
con su peso chafaba
la hierba verde y muelle,
y el ruido de su aliento semejaba
el resollar de un fuelle.
El es, él es el rey. Cetro de oro                    185
no, sino la ancha garra
que se hinca recia en el testuz del toro
y las carnes desgarra.
La negra águila enorme, de pupilas
de fuego y corvo pico relumbrante                    190
tiene a Aquilón*; las hondas y tranquilas

aguas, el gran caimán; el elefante,
la cañada y la estepa;
la víbora, los juncos por do trepa;
195     y su caliente nido
del árbol suspendido,
el ave dulce y tierna
que ama la primera luz.

                    El, la caverna.
200    No envidia al león la crin, ni al potro rudo
el casco, ni al membrudo
hipopótamo el lomo corpulento,
quien bajo los ramajes de copudo
baobab, ruge al viento.

205    Así va el orgulloso, llega, halaga;
corresponde la tigre que le espera,
y con caricias las caricias paga
en su salvaje ardor, la carnicera.

    Después el misterioso
210    tacto, las impulsivas
fuerzas que arrastran con poder pasmoso;
y ¡oh, gran Pan*!, el idilio monstrüoso
bajo las vastas selvas primitivas.
No es el de las musas de las blandas horas
215    süaves, expresivas,
en las rientes auroras
y las azules noches pensativas;
sino el que todo enciende, anima, exalta,
polen, savia, calor, nervio, corteza,
220    y en torrentes de vida brota y salta
del seno de la gran Naturaleza.

              II

    El príncipe de Gales* va de caza
por bosques y por cerros,
con su gran servidumbre y con sus perros
225    de la más fina raza.
Acallando el tropel de los vasallos,
deteniendo traíllas y caballos,
con la mirada inquieta,
contempla a los dos tigres, de la gruta

a la entrada. Requiere la escopeta,  230
y avanza y no se inmuta.

Las fieras se acarician. No han oído
tropel de cazadores.
A esos terribles seres,
embriagados de amores,  235
con cadenas de flores
se les hubiera uncido
a la nevada concha de Citeres*
o al carro de Cupido*.

El príncipe atrevido,  240
adelanta, se acerca, ya se para;
ya apunta y cierra un ojo; ya dispara;
ya del arma el estruendo
por el espeso bosque ha resonado.
El tigre sale huyendo  245
y la hembra queda, el vientre desgarrado.
¡Oh, va a morir!... Pero antes, débil, yerta,
chorreando sangre por la herida abierta,
con ojo dolorido
miró a aquel cazador, lanzó un gemido  250
como un ¡ay! de mujer..., y cayó muerta.

### III
Aquel macho que huyó, bravo y zahareño
a los rayos ardientes
del sol, en su cubil después dormía.
Entonces tuvo un sueño:  255
que enterraba las garras y los dientes
en vientres sonrosados
y pechos de mujer; y que engullía
por postres delicados
de comidas y cenas,  260
como tigre goloso entre golosos,
unas cuantas docenas
de niños tiernos, rubios y sabrosos.

### Autumnal
En las pálidas tardes
yerran nubes tranquilas  265

en el azul; en las ardientes manos
se posan las cabezas pensativas.
¡Ah los suspiros! ¡Ah los dulces sueños!
¡Ah las tristezas íntimas!
270 ¡Ah el polvo de oro que en el aire flota,
tras cuyas ondas trémulas se miran
los ojos tiernos y húmedos,
las bocas inundadas de sonrisas,
las crespas cabelleras
275 y los dedos de rosa que acarician!

En las pálidas tardes
me cuenta un hada amiga
las historias secretas
llenas de poesía;
280 lo que cantan los pájaros,
lo que llevan las brisas,
lo que vaga en las nieblas,
lo que sueñan las niñas.

Una vez sentí el ansia
285 de una sed infinita.
Dije al hada amorosa:
—Quiero en el alma mía
tener la inspiración honda, profunda,
inmensa: luz, calor, aroma, vida.
290 Ella me dijo:—¡Ven!—con el acento
con que hablaría un arpa. En él había
un divino idïoma de esperanza.
¡Oh sed del ideal!
Sobre la cima
295 de un monte, a medianoche,
me mostró las estrellas encendidas.
Era un jardín de oro
con pétalos de llama que titilan.
Exclamé:—Más ...
300 La aurora
vino después. La aurora sonreía,
con la luz en la frente,
como la joven tímida
que abre la reja, y la sorprenden luego
305 ciertas curiosas, mágicas pupilas.

Y dije: Más ...—Sonriendo
la celeste hada amiga
prorrumpió:—¡Y bien! ¡Las flores!
                              Y las flores
estaban frescas, lindas,                               310
empapadas de olor: la rosa virgen,
la blanca margarita,
la azucena gentil y las volúbiles
que cuelgan de la rama estremecida.
Y dije:—Más ...                                        315
              El viento
arrastraba rumores, ecos, risas,
murmullos misteriosos, aleteos,
músicas nunca oídas.
El hada entonces me llevó hasta el velo                320
que nos cubre las ansias infinitas,
la inspiración profunda
y el alma de las liras.
Y lo rasgó. Y allí todo era aurora.
En el fondo se veía                                    325
un bello rostro de mujer.
                        ¡Oh, nunca
Piérides*, diréis las sacras dichas
que en el alma sintiera!
Con su vaga sonrisa:                                   330
—¿Más? ... —dijo el hada—. Y yo tenía entonces
clavadas las pupilas
en el azul, y en mis ardientes manos
se posó mi cabeza pensativa ...

## Invernal

Noche. Este viento vagabundo lleva                     335
las alas entumidas
y heladas. El gran Andes
yergue al inmenso azul su blanca cima.
La nieve cae en copos,
sus rosas transparentes cristaliza;                    340
en la ciudad, los delicados hombros
y gargantas se abrigan;
ruedan y van los coches,

suenan alegres pianos, el gas brilla;
345 y si no hay un fogón que le caliente,
el que es pobre tirita.

Yo estoy con mis radiantes ilusiones
y mis nostalgias íntimas,
junto a la chimenea
350 bien harta de tizones que crepitan.
Y me pongo a pensar; ¡Oh! ¡Si estuviese
ella, la de mis ansias infinitas,
la de mis sueños locos
y mis azules noches pensativas!
355 ¿Cómo? Mirad:

De la apacible estancia
en la extensión tranquila
vertería la lámpara reflejos
de luces opalinas.
360 Dentro, el amor que abrasa;
fuera, la noche fría;
el golpe de la lluvia en los cristales,
y el vendedor que grita
su monótona y triste melopea
365 a las glaciales brisas.
Dentro, la ronda de mis mil delirios,
las canciones de notas cristalinas,
unas manos que toquen mis cabellos,
un aliento que roce mis mejillas,
370 un perfume de amor, mil conmociones,
mil ardientes caricias;
ella y yo: los dos juntos, los dos solos;
la amada y el amado, ¡oh Poesía!,
los besos de sus labios,
375 la música triunfante de mis rimas,
y en la negra y cercana chimenea
el tuero brillador que estalla en chispas.

¡Oh! ¡Bien haya el brasero
lleno de pedrería!
380 Topacios y carbunclos,
rubíes y amatistas,
en la ancha copa etrusca

repleta de ceniza.
Los lechos abrigados,
las almohadas mullidas,                                385
las pieles de Astracán*, los besos cálidos
que dan las bocas húmedas y tibias.
¡Oh, viejo Invierno, salve!,
puesto que traes con las nieves frígidas
el amor embriagante                                    390
y el vino del placer en tu mochila.

　　Sí, estaría a mi lado,
dándome sus sonrisas,
ella, la que hace falta a mis estrofas,
ésa que mi cerebro se imagina;                         395
la que, si estoy en sueños,
se acerca y me visita;
ella que, hermosa, tiene
una carne ideal, grandes pupilas,
algo del mármol, blanca luz de estrella;               400
nerviosa, sensitiva,
muestra el cuello gentil y delicado
de las Hebes* antiguas;
bellos gestos de diosa,
tersos brazos de ninfa,                                405
lustrosa cabellera
en la nuca encrespada y recogida,
y ojeras que denuncian
ansias profundas y pasiones vivas.
¡Ah, por verla encarnada,                              410
por gozar sus caricias,
por sentir en mis labios
los besos de su amor, diera la vida!
Entre tanto hace frío.
Yo contemplo las llamas que se agitan,                 415
cantando alegres con sus lenguas de oro,
móviles, caprichosas e intranquilas,
en la negra y cercana chimenea
do el tuero brillador estalla en chispas.

　　Luego pienso en el coro                            420
de las alegres liras.

En la copa labrada, el vino negro,
la copa hirviente cuyos bordes brillan
con iris temblorosos y cambiantes
425      como un collar de prismas;
el vino negro que la sangre enciende,
y pone el corazón con alegría,
y hace escribir a los poetas locos
sonetos áureos y flamantes silvas.
430      El invierno es beodo.
Cuando soplan sus brisas
brotan las viejas cubas
la sangre de las viñas.
Sí, yo pintara su cabeza cana
435      con corona de pámpanos guarnida.
El invierno es galeoto*,
porque en las noches frías
Paolo* besa a Francesca*
en la boca encendida,
440      mientras su sangre como fuego corre
y el corazón ardiendo le palpita.
¡Oh, crudo Invierno, salve!,
puesto que traes con las nieves frígidas
el amor embriagante
445      y el vino del placer en tu mochila.

    Ardor adolescente,
miradas y caricias;
cómo estaría trémula en mis brazos
la dulce amada mía,
450      dándome con sus ojos luz sagrada,
con su aroma de flor, savia divina.
En la alcoba, la lámpara
derramando sus luces opalinas;
oyéndose tan sólo
455      suspiros, ecos, risas;
el ruido de los besos;
la música triunfante de mis rimas,
y en la negra y cercana chimenea
el tuero brillador que estalla en chispas.
460      Dentro, el amor que abrasa;
fuera, la noche fría.

# SONETOS ÁUREOS

## Caupolicán*

Es algo formidable que vio la vieja raza;
robusto tronco de árbol al hombro de un campeón
salvaje y aguerrido, cuya fornida maza
blandiera el brazo de Hércules*, o el brazo de Sansón*.

Por casco sus cabellos, su pecho por coraza,                    5
pudiera tal guerrero, de Arauco* en la región,
lancero de los bosques, Nemrod* que todo caza,
desjarretar un toro, o estrangular un león.

Anduvo, anduvo, anduvo. Le vio la luz del día,
le vio la tarde pálida, le vio la noche fría,                   10
y siempre el tronco de árbol a cuestas del titán.

« ¡El Toqui*, el Toqui! », clama la conmovida casta.
Anduvo, anduvo, anduvo, La aurora dijo: « Basta »,
e irguióse la alta frente del gran Caupolicán.

## Venus*

En la tranquila noche, mis nostalgias amargas sufría.          15
En busca de quietud bajé al fresco y callado jardín.
En el oscuro cielo Venus bella temblando lucía,
como incrustado en ébano un dorado y divino jazmín.

A mi alma enamorada, una reina oriental parecía,
que esperaba a su amante, bajo el techo de su camarín,         20
o que, llevada en hombros, la profunda extensión recorría,
triunfante y luminosa, recostada sobre un palanquín.

« ¡Oh, reina rubia!—díjele—, mi alma quiere dejar su crisálida
y volar hacia ti, y tus labios de fuego besar;
y flotar en el nimbo que derrama en tu frente luz pálida,      25

y en siderales éxtasis no dejarte un momento de amar ».
El aire de la noche refrescaba la atmósfera cálida.
Venus, desde el abismo, me miraba con triste mirar.

## De Invierno

En invernales horas, mirad a Carolina.
Medio apelotonada, descansa en su sillón,
envuelta con su abrigo de marta cibelina
y no lejos del fuego que brilla en el salón.

El fino angora blanco, junto a ella se reclina,
rozando con su hocico la falda de Alençon*,
no lejos de las jarras de porcelana china
que medio oculta un biombo de seda del Japón.

Con sus sutiles filtros la invade un dulce sueño;
entro, sin hacer ruido; dejo mi abrigo gris;
voy a besar su rostro, rosado y halagüeño

como una rosa roja que fuera flor de lis;
abre los ojos; mírame, con su mirar risueño,
y en tanto cae la nieve del cielo de París.


# MEDALLONES

## Leconte de Lisle*

De las eternas musas el reino soberano
recorres, bajo un soplo de vasta inspiración,
como un rajá soberbio que en su elefante indiano
por sus dominios pasa de rudo viento al son.

Tú tienes en tu canto ecos del Oceano;
se ve en tu poesía la selva y el león;
salvaje luz irradia la lira que en tu mano
derrama su sonora, robusta vibración.

Tú del faquir conoces secretos y avatares;
a tu alma dio el Oriente misterios seculares,
visiones legendarias y espíritu oriental.

Tu verso está nutrido con savia de la tierra;
fulgor de Ramayanas* tu viva estrofa encierra,
y cantas en la lengua del bosque colosal.

## Catulle Mendès[*]

Puede ajustarse al pecho coraza férrea y dura;       15
puede regir la lanza, la rienda del corcel;
sus músculos de atleta soportan la armadura...
pero él busca en las bocas rosadas leche y miel.

Artista, hijo de Capua[*], que adora la hermosura,
la carne femenina prefiere su pincel,       20
y en el recinto oculto de tibia alcoba oscura,
agrega mirto y rosas a su triunfal laurel.

Canta de los oarystis el delicioso instante,
los besos y el delirio de la mujer amante;
y en sus palabras tiene perfume, alma, color.       25

Su ave es la venusina, la tímida paloma.
Vencido hubiera en Grecia, vencido hubiera en Roma,
en todos los combates del arte o del amor.

## Walt Whitman[*]

En su país de hierro vive el gran viejo,
bello como un patriarca, sereno y santo.       30
Tiene en la arruga olímpica de su entrecejo,
algo que impera y vence con noble encanto.

Su alma del infinito parece espejo;
son sus cansados hombros dignos del manto;
y con arpa labrada de un roble añejo,       35
como un profeta nuevo canta su canto.

Sacerdote que alienta soplo divino,
anuncia, en el futuro, tiempo mejor.
Dice el águila: « ¡Vuela! », « ¡Boga! », al marino,

y « ¡Trabaja! », al robusto trabajador.       40
¡Así va ese poeta por su camino
con su soberbio rostro de emperador!

## J. J. Palma[*]

Ya de un corintio templo cincela una metopa,
ya de un morisco alcázar el capitel sutil,

ya como Benvenuto*, del oro de una copa
forma un joyel artístico, prodigio del buril.

Pinta las dulces Gracias* o la desnuda Europa*,
en el pulido borde de un vaso de marfil,
o a Diana*, diosa virgen de desceñida ropa,
con aire cinegético, o en grupo pastoril.

La musa que al poeta sus cánticos inspira
no lleva la vibrante trompeta de metal,
ni es la bacante loca que canta y que delira,

en el amor fogosa, y en el placer triunfal:
ella al cantor ofrece la septicorde lira,
o, rítmica y sonora, la flauta de cristal.

## *Salvador Díaz Mirón**

Tu cuarteto es cuadriga de águilas bravas
que aman las tempestades, los oceanos;
las pesadas tizonas, las férreas clavas,
son las armas forjadas para tus manos.

Tu idea tiene cráteres y vierte lavas;
del arte recorriendo montes y llanos,
van tus rudas estrofas jamás esclavas,
como un tropel de búfalos americanos.

Lo que suena en tu lira lejos resuena,
como cuando habla el bóreas, o cuando truena.
¡Hijo del Nuevo Mundo!, la Humanidad

oiga, sobre la frente de las naciones,
la hímnica pompa lírica de tus canciones
que saludan triunfantes la Libertad.

# ERA UN AIRE SUAVE

Era un aire suave, de pausados giros;
el hada Harmonía ritmaba sus vuelos;
e iban frases vagas y tenues suspiros
entre los sollozos de los violoncelos.

Sobre la terraza junto a los ramajes,                    5
diríase un trémolo de liras eolias
cuando acariciaban los sedosos trajes
sobre el tallo erguidas las blancas magnolias.

La marquesa Eulalia risas y desvíos
daba a un tiempo mismo para dos rivales:            10
el vizconde rubio de los desafíos
y el abate* joven de los madrigales*.

Cerca, coronado con hojas de viña,
reía en su máscara Término* barbudo,
y, como un efebo que fuese una niña,                  15
mostraba una Diana* su mármol desnudo.

Y bajo un boscaje del amor palestra,
sobre rico zócalo al modo de Jonia*,
con un candelabro prendido en la diestra
volaba el Mercurio* de Juan de Bolonia*.        20

La orquesta perlaba sus mágicas notas;
un coro de sones alados se oía;
galantes pavanas, fugaces gavotas
cantaban los dulces violines de Hungría.

Al oír las quejas de sus caballeros,                     25
ríe, ríe, ríe la divina Eulalia,
pues son su tesoro las flechas de Eros*,
el cinto de Cipria*, la rueca de Onfalia*.

¡Ay de quien sus mieles y frases recoja!
¡Ay de quien del canto de su amor se fíe!         30
Con sus ojos lindos y su boca roja,
la divina Eulalia ríe, ríe, ríe.

Tiene azules ojos, es maligna y bella;
cuando mira, vierte viva luz extraña:
se asoma a sus húmedas pupilas de estrella        35
el alma del rubio cristal de Champaña*.

Es noche de fiesta, y el baile de trajes
ostenta su gloria de triunfos mundanos.
La divina Eulalia, vestida de encajes,
una flor destroza con sus tersas manos.           40

El teclado armónico de su risa fina
a la alegre música de un pájaro iguala,

con los *staccati*\* de una bailarina
y las locas fugas de una colegiala.

45 ¡Amoroso pájaro que trinos exhala
bajo el ala a veces ocultando el pico;
que desdenes rudos lanza bajo el ala,
bajo el ala aleve del leve abanico!

Cuando a media noche sus notas arranque
50 y en arpegios áureos gima Filomela\*,
y el ebúrneo cisne, sobre el quieto estanque,
como blanca góndola imprima su estela,

la marquesa alegre llegará al boscaje,
boscaje que cubre la amable glorieta
55 donde han de estrecharla los brazos de un paje,
que siendo su paje será su poeta.

Al compás de un canto de artista de Italia
que en la brisa errante la orquesta deslíe,
junto a los rivales, la divina Eulalia,
60 la divina Eulalia ríe, ríe, ríe.

¿Fue acaso en el tiempo del rey Luis de Francia\*,
sol con corte de astros, en campo de azur,
cuando los alcázares llenó de fragancia
la regia y pomposa rosa Pompadour\*?

65 ¿Fue cuando la bella su falda cogía
con dedos de ninfa, bailando el minué,
y de los compases el ritmo seguía
sobre el tacón rojo, lindo y leve pie?

¿O cuando pastoras de floridos valles
70 ornaban con cintas sus albos corderos,
y oían, divinas Tirsis\* de Versalles\*,
las declaraciones de sus caballeros?

¿Fue en ese buen tiempo de duques pastores,
de amantes princesas y tiernos galanes,
75 cuando entre sonrisas y perlas y flores
iban las casacas de los chambelanes?

¿Fue acaso en el Norte o en el Mediodía\*?
Yo el tiempo y el día y el país ignoro,
pero sé que Eulalia ríe todavía,
80 ¡y es crüel y eterna su risa de oro!

# SONATINA

La princesa está triste ... ¿Qué tendrá la princesa?
Los suspiros se escapan de su boca de fresa,
que ha perdido la risa, que ha perdido el color.
La princesa está pálida en su silla de oro,
está mudo el teclado de su clave sonoro,                    5
y en un vaso olvidada se desmaya una flor.

El jardín puebla el triunfo de los pavos reales ...
Parlanchina, la dueña dice cosas banales,
y vestido de rojo piruetea el bufón.
La princesa no ríe, la princesa no siente;                  10
la princesa persigue por el cielo de Oriente
la libélula vaga de una vaga ilusión.

¿Piensa acaso en el príncipe de Golconda* o de China,
o en el que ha detenido su carroza argentina
para ver de sus ojos la dulzura de luz,                     15
o en el rey de las islas de las rosas fragantes,
o en el que es soberano de los claros diamantes,
o en el dueño orgulloso de las perlas de Ormuz*?

¡Ay! la pobre princesa de la boca de rosa
quiere ser golondrina, quiere ser mariposa,                 20
tener alas ligeras, bajo el cielo volar;
ir al sol por la escala luminosa de un rayo,
saludar a los lirios con los versos de Mayo,
o perderse en el viento sobre el trueno del mar.

Ya no quiere el palacio, ni la rueca de plata,             25
ni el halcón encantado, ni el bufón escarlata,
ni los cisnes unánimes en el lago de azur.
Y están tristes las flores por la flor de la corte;
los jazmines de Oriente, los nelumbos del Norte,
de Occidente las dalias y las rosas del Sur.                30

¡Pobrecita princesa de los ojos azules!
Está presa en sus oros, está presa en sus tules,
en la jaula de mármol del palacio real;
el palacio soberbio que vigilan los guardas,
que custodian cien negros con sus cien alabardas,           35
un lebrel que no duerme y un dragón colosal.

¡Oh, quién fuera hipsipila que dejó la crisálida!
(La princesa está triste. La princesa está pálida.)
¡Oh visión adorada de oro, rosa y marfil!
40 ¡Quién volara a la tierra donde un príncipe existe
(La princesa está pálida. La princesa está triste.)
más brillante que el alba, más hermoso que Abril!

—Calla, calla, princesa—dice el hada madrina—;
en caballo con alas hacia acá se encamina,
45 en el cinto la espada y en la mano el azor,
el feliz caballero que te adora sin verte,
y que llega de lejos, vencedor de la Muerte,
a encenderte los labios con su beso de amor.


# BLASÓN

El olímpico cisne de nieve
con el ágata rosa del pico
lustra el ala eucarística y breve
que abre al sol como un casto abanico.

5 En la forma de un brazo de lira
y del asa de un ánfora griega
es su cándido cuello, que inspira
como prora ideal que navega.

Es el cisne de estirpe sagrada
10 cuyo beso, por campos de seda
ascendió hasta la cima rosada
de las dulces colinas de Leda*.

Blanco rey de la fuente Castalia*,
su victoria ilumina el Danubio;
15 Vinci* fue su varón en Italia;
Lohengrín* es su príncipe rubio.

Su blancura es hermana del lino,
del botón de los blancos rosales
y del albo toisón diamantino
20 de los tiernos corderos pascuales.

Rimador de ideal florilegio
es de armiño su lírico manto,

y es el mágico pájaro regio
que al morir rima el alma en un canto.

El alado aristócrata muestra                                25
lises albos en campo de azur,
y ha sentido en sus plumas la diestra
de la amable y gentil Pompadour*.

Boga y boga en el lago sonoro
donde el sueño a los tristes espera,        30
donde aguarda una góndola de oro
a la novia de Luis de Baviera*.

Dad, Condesa, a los cisnes cariño;
dioses son de un país halagüeño,
y hechos son de perfume, de armiño,          35
de luz alba, de seda y de sueño.


## PARA UNA CUBANA*

Poesía dulce y mística,
busca a la blanca cubana
que se asomó a la ventana
como una visión artística.

Misteriosa y cabalística,                        5
puede dar celos a Diana*,
con su faz de porcelana
de una blancura eucarística.

Llena de un prestigio asiático,
roja, en el rostro enigmático,                   10
su boca púrpura finge,

y al sonreírse vi en ella
el resplandor de una estrella
que fuese alma de una esfinge.


## PARA LA MISMA*

Miré al sentarme a la mesa,
bañado en la luz del día,

el retrato de María*
la cubana-japonesa.

5
El aire acaricia y besa,
como un amante lo haría,
la orgullosa bizarría
de la cabellera espesa.

Diera un tesoro el Mikado*
10
por sentirse acariciado
por princesa tan gentil,

digna de que un gran pintor
la pinte junto a una flor
en un vaso de marfil.


## MARGARITA

¿Recuerdas que querías ser una Margarita
Gautier*? Fijo en mi mente tu extraño rostro está,
cuando cenamos juntos, en la primera cita,
en una noche alegre que nunca volverá.

5
Tus labios escarlata de púrpura maldita
sorbían el champaña del fino baccarat;
tus dedos deshojaban la blanca margarita,
« Sí ..., no ..., sí ..., no ... », ¡y sabías que te adoraba ya!

Después, ¡oh flor de Histeria!, llorabas y reías;
10
tus besos y tus lágrimas tuve en mi boca yo;
tus risas, tus fragancias, tus quejas eran mías.

Y en una tarde triste de los más dulces días,
la Muerte, la celosa, por ver si me querías,
¡como a una margarita de amor te deshojó!


## DICE MÍA

Mi pobre alma pálida
era una crisálida;
luego, mariposa
de color de rosa.

Un céfiro inquieto                                        5
dijo mi secreto.
—¿Has sabido tu secreto un día?

¡Oh Mía!
Tu secreto es una
melodía en un rayo de luna.                              10
—¿Una melodía?


## HERALDOS

¡Helena\*!
La anuncia el blancor de un cisne.

¡Makheda\*!
La anuncia un pavo real.

¡Ifigenia\*, Electra\*, Catalina\*!                        5
Anúncialas un caballero con un hacha.

¡Ruth\*, Lía\*, Enone\*!
Anúncialas un paje con un lirio.

¡Yolanda\*!
Anúnciala una paloma.                                    10

¡Clorinda\*, Carolina\*!
Anúncialas un paje con un ramo de viña.

¡Sylvia\*!
Anúnciala una corza blanca.

¡Aurora, Isabel\*!                                        15
Anúncialas de pronto
un resplandor que ciega mis ojos.

¿Ella\*?
(No la anuncian. No llega aún.)


## EL POETA PREGUNTA POR STELLA\*

Lirio divino, lirio de las Anunciaciones;
lirio, florido príncipe,

hermano perfumado de las estrellas castas,
joya de los abriles.

5    A ti las blancas dianas* de los parques ducales;
los cuellos de los cisnes,
las místicas estrofas de cánticos celestes
y en el sagrado empíreo, la mano de las vírgenes.

Lirio, boca de nieve donde sus dulces labios
10  la primavera imprime:
en tus venas no corre la sangre de las rosas pecadoras,
sino el icor* excelso de las flores insignes.

Lirio real y lírico
que naces con la albura de las hostias sublimes
15  de las cándidas perlas
y del lino sin mácula de las sobrepellices:
¿Has visto acaso el vuelo del alma de mi Stella,
la hermana de Ligeia*, por quien mi canto a veces es tan triste?


# ELOGIO DE LA SEGUIDILLA*

Metro mágico y rico que al alma expresas
llameantes alegrías, penas arcanas,
desde en los suaves labios de las princesas
hasta en las bocas rojas de las gitanas.

5    Las almas armoniosas buscan tu encanto,
sonora rosa métrica que ardes y brillas,
y España ve en tu ritmo, siente en tu canto
sus hembras, sus claveles, sus manzanillas.

Vibras al aire, alegre como una cinta,
10  el músico te adula, te ama el poeta;
Rueda en ti sus fogosos paisajes pinta
con la audaz policromia de su paleta.

En ti el hábil orfebre cincela el marco
en que la idea-perla su oriente acusa,
15  o en tu cordaje armónico formas el arco
con que lanza sus flechas la airada musa.

A tu voz en el baile crujen las faldas,
los piececitos hacen brotar las rosas

e hilan hebras de amores las Esmeraldas*
en ruecas invisibles y misteriosas.                                    20

La andaluza hechicera, paloma arisca,
por ti irradia, se agita, vibra y se quiebra,
con el lánguido gesto de la odalisca
o las fascinaciones de la culebra.

Pequeña ánfora lírica de vino llena,                                   25
compuesto por la dulce musa Alegría
con uvas andaluzas, sal macarena*
flor y canela frescas de Andalucía*.

Subes, creces y vistes de pompas fieras;
retumbas en el ruido de las metrallas,                                 30
ondulas con el ala de las banderas,
suenas con los clarines de las batallas.

Tienes toda la lira*; tienes las manos
que acompasan las danzas y las canciones;
tus órganos, tus prosas, tus cantos llanos                             35
y tus llantos que parten los corazones.

Ramillete de dulces trinos verbales,
jabalina de Diana* la cazadora,
ritmo que tiene el filo de cien puñales,
que muerde y acaricia, mata y enflora.                                 40

Las Tirsis* campesinas de ti están llenas,
y aman, radiosa abeja, tus bordoneos;
así riegas tus chispas las nochebuenas,
como adornas la lira de los Orfeos*.

Que bajo el sol dorado de Manzanilla                                   45
que esta azulada concha del cielo baña,
polítona y triunfante, la seguidilla
es la flor del sonoro Pindo* de España.


# EL CISNE

Fue en una hora divina para el género humano.
El Cisne antes cantaba sólo para morir.
Cuando se oyó el acento del Cisne wagneriano
fue en medio de una aurora, fue para revivir.

5 Sobre las tempestades del humano oceano
se oye el canto del Cisne; no se cesa de oír,
dominando el martillo del viejo Thor* germano
o las trompas que cantan la espada de Argantir*.

¡Oh cisne! ¡Oh sacro pájaro! Si antes la blanca Helena*
10 del huevo azul de Leda* brotó de gracia llena,
siendo de la Hermosura la princesa inmortal,

bajo tus blancas alas la nueva Poesía
concibe en una gloria de luz y de armonía
la Helena eterna y pura que encarna el ideal.

## SINFONÍA EN GRIS MAYOR

El mar como un vasto cristal azogado
refleja la lámina de un cielo de cinc;
lejanas bandadas de pájaros manchan
el fondo bruñido de pálido gris.

5 El sol como un vidrio redondo y opaco
con paso de enfermo camina al cenit;
el viento marino descansa en la sombra
teniendo de almohada su negro clarín.

Las ondas que mueven su vientre de plomo
10 debajo del muelle parecen gemir.
Sentado en un cable, fumando su pipa,
está un marinero pensando en las playas
de un vago lejano brumoso país.

Es viejo ese lobo. Tostaron su cara
15 los rayos de fuego del sol del Brasil;
los recios tifones del mar de la China
le han visto bebiendo su frasco de gin.

La espuma impregnada de yodo y salitre
ha tiempo conoce su roja nariz,
20 sus crespos cabellos, sus biceps de atleta,
su gorra de lona, su blusa de dril.

En medio del humo que forma el tabaco
ve el viejo el lejano brumoso país,
adonde una tarde caliente y dorada
25 tendidas las velas partió el bergantín ...

La siesta del trópico. El lobo se aduerme.
Ya todo lo envuelve la gama de gris.
Parece que un suave y enorme esfumino
del curvo horizonte borrara el confín.

La siesta del trópico. La vieja cigarra          30
ensaya su ronca guitarra senil,
y el grillo preludia su solo monótono
en la única cuerda que está en su violín.


✠


# VERLAINE*

## *Responso*

Padre y maestro mágico, liróforo celeste
que al instrumento* olímpico y a la siringa* agreste
    diste tu acento encantador.
¡Panida*! Pan* tú mismo, que coros condujiste      5
hacia el propíleo sacro que amaba tu alma triste,
    al son del sistro y del tambor!

Que tu sepulcro cubra de flores Primavera,
que se humedezca el áspero hocico de la fiera
    de amor, si pasa por allí;                   10
que el fúnebre recinto visite Pan* bicorne;
que de sangrientas rosas el fresco Abril te adorne,
    y de claveles de rubí.

Que si posarse quiere sobre la tumba el cuervo,
ahuyenten la negrura del pájaro protervo         15
    el dulce canto del cristal
que Filomela* vierta sobre tus tristes huesos,
o la armonía dulce de risas y de besos,
    de culto oculto y florestal.

Que púberes canéforas* te ofrenden el acanto;    20
que sobre tu sepulcro no se derrame el llanto,
    sino rocío, vino, miel;
que el pámpano allí brote, las flores de Citeres*,
y que se escuchen vagos suspiros de mujeres
    bajo un simbólico laurel.

25

Que si un pastor su pífano bajo el frescor del haya,
en amorosos días, como en Virgilio*, ensaya
      tu nombre ponga en la canción;
y que la virgen náyade*, cuando ese nombre escuche,
con ansias y temores entre las linfas luche,
      llena de miedo y de pasión.

De noche, en la montaña, en la negra montaña
de las visiones, pase gigante sombra extraña,
      sombra de un sátiro* espectral;
que ella al centauro* adusto con su grandeza asuste;
que una extrahumana flauta la melodía ajuste
      a la armonía sideral.

Y huya el tropel equino por la montaña vasta;
tu rostro de ultratumba bañe la luna casta
      de compasiva y blanca luz;
y el sátiro contemple sobre un lejano monte,
una cruz que se eleve cubriendo el horizonte
      ¡y en resplandor sobre la cruz!

# CANTO DE LA SANGRE

Sangre de Abel. Clarín de las batallas.
Luchas fraternales; estruendos, horrores;
flotan las banderas, hieren las metrallas,
y visten la púrpura los emperadores.

Sangre del Cristo. El órgano sonoro.
La viña celeste da el celeste vino;
y en el labio sacro del cáliz de oro
las almas se abrevan del vino divino.

Sangre de los martirios. El salterio.
Hogueras, leones, palmas vencedoras;
los heraldos rojos con que del misterio
vienen precedidas las grandes auroras.

Sangre que vierte el cazador. El cuerno.
Furias escarlatas y rojos destinos
forjan en las fraguas del oscuro infierno
las fatales armas de los asesinos.

¡Oh sangre de las vírgenes! La lira.
Encanto de abejas y de mariposas.
La estrella de Venus\* desde el cielo mira
el purpúreo triunfo de las reinas rosas.                                    20

    Sangre que la Ley vierte.
Tambor a la sordina.
Brotan las adelfas que riega la Muerte
y el rojo cometa que anuncia la ruina.

    Sangre de los suicidas. Organillo.                          25
Fanfarrias macabras, responsos corales,
con que de Saturno\* celébrase el brillo
en los manicomios y en los hospitales.


# EL REINO INTERIOR

    Una selva suntuosa
en el azul celeste su rudo perfil calca.
Un camino. La tierra es de color de rosa,
cual la que pinta fra Doménico Cavalca\*
en sus Vidas de santos. Se ven extrañas flores       5
de la flora gloriosa de los cuentos azules,
y entre las ramas encantadas, papemores
cuyo canto extasiara de amor a los bulbules.
(*Papemor*: ave rara; *Bulbules*: ruiseñores.)

    Mi alma frágil se asoma a la ventana oscura      10
de la torre terrible en que ha treinta años sueña.
La gentil Primavera, primavera le augura.
La vida le sonríe rosada y halagüeña.
Y ella exclama. « ¡Oh fragante día! ¡Oh sublime día! »
Se diría que el mundo está en flor; se diría         15
que el corazón sagrado de la tierra se mueve
con un ritmo de dicha; luz brota, gracia llueve.
« ¡Yo soy la prisionera que sonríe y que canta! »
Y las manos liliales agita, como infanta
real en los balcones del palacio paterno.            20

    ¿Qué son se escucha, son lejano, vago y tierno?
Por el lado derecho del camino adelanta,

el paso leve, una adorable teoría
virginal. Siete blancas doncellas, semejantes
a siete blancas rosas de gracia y de armonía
que el alba constelara de perlas y diamantes.
¡Alabastros celestes habitados por astros:
Dios se refleja en esos dulces alabastros!
Sus vestes son tejidas del lino de la luna.
Van descalzas. Se mira que posan el pie breve
sobre el rosado suelo como una flor de nieve.
Y los cuellos se inclinan, imperiales, en una
manera que lo excelso pregona de su origen.
Como al compás de un verso, su suave paso rigen.
Tal el divino Sandro* dejara en sus figuras,
esos graciosos gestos en esas líneas puras.
Como a un velado son de liras y laúdes,
divinamente blancas y castas pasan esas
siete bellas princesas. Y esas bellas princesas
son las siete Virtudes.

Al lado izquierdo del camino y paralela-
mente, siete mancebos—oro, seda, escarlata,
armas ricas de Oriente—hermosos, parecidos
a los satanes* verlenianos* de Ecbatana*,
vienen también. Sus labios sensuales y encendidos,
de efebos criminales, son cual rosas sangrientas;
sus puñales de piedras preciosas revestidos
—ojos de víboras de luces fascinantes—
al cinto penden; arden las púrpuras violentas
en los jubones; ciñen las cabezas triunfantes
oro y rosas; sus ojos, ya lánguidos, ya ardientes,
son dos carbunclos mágicos de fulgor sibilino,
y en sus manos de ambiguos príncipes decadentes
relucen como gemas las uñas de oro fino.
Bellamente infernales,
llenan el aire de hechiceros maleficios
esos siete mancebos. Y son los siete Vicios,
los siete poderosos Pecados capitales.

Y los siete mancebos a las siete doncellas
lanzan vivas miradas de amor. Las Tentaciones,
de sus liras melifluas arrancan vagos sones.
Las princesas prosiguen, adorables visiones
en su blancura de palomas y de estrellas.

Unos y otras se pierden por la vía de rosa,
y el alma mía queda pensativa a su paso.                                65
« ¡Oh! ¿qué hay en ti, alma mía?
¡Oh! ¿qué hay en ti, mi pobre infancia misteriosa?
¿Acaso piensas en la blanca teoría?
¿Acaso
los brillantes mancebos te atraen, mariposa? »                          70

Ella no me responde.
Pensativa se aleja de la oscura ventana
—pensativa y risueña,
de la Bella*-durmiente-del-Bosque tierna hermana—,
y se adormece en donde                                                  75
hace treinta años sueña.

Y en sueño dice: « ¡Oh dulces delicias de los cielos!
¡Oh tierra sonrosada que acarició mis ojos!
¡Princesas, envolvedme con vuestros blancos velos!
¡Príncipes, estrechadme con vuestros brazos rojos! »                    80

# YO SOY AQUEL

Yo soy aquel que ayer no más decía
el verso azul y la canción profana,
en cuya noche un ruiseñor había
que era alondra de luz por la mañana.

El dueño fui de mi jardín de sueño,                                      5
lleno de rosas y de cisnes vagos;
el dueño de las tórtolas, el dueño
de góndolas y liras en los lagos;

y muy siglo diez y ocho y muy antiguo
y muy moderno; audaz, cosmopolita;                                      10
con Hugo* fuerte y con Verlaine* ambiguo,
y una sed de ilusiones infinita.

Yo supe de dolor desde mi infancia,
mi juventud... ¿fue juventud la mía?
Sus rosas aun me dejan su fragancia                                     15
—una fragancia de melancolía...

Potro sin freno se lanzó mi instinto,
mi juventud montó potro sin freno;

iba embriagada y con puñal al cinto;
si no cayó, fue porque Dios es bueno.

En mi jardín se vio una estatua bella;
se juzgó mármol y era carne viva;
un alma joven habitaba en ella,
sentimental, sensible, sensitiva.

Y tímida ante el mundo, de manera
que encerrada en silencio no salía,
sino cuando en la dulce primavera
era la hora de la melodía...

Hora de ocaso y de discreto beso;
hora crepuscular y de retiro;
hora de madrigal y de embeleso,
de « te adoro », de « ay » y de suspiro.

Y entonces era en la dulzaina un juego
de misteriosas gamas cristalinas,
un renovar de notas de Pan* griego,
y un desgranar de músicas latinas,

con aire tal y con ardor tan vivo,
que a la estatua nacían de repente
en el muslo viril patas de chivo
y dos cuernos de sátiro* en la frente.

Como la Galatea* gongorina*
me encantó la marquesa verleniana,
y así juntaba a la pasión divina
una sensual hiperestesia humana;

todo ansia, todo ardor, sensación pura
y vigor natural; y sin falsía,
y sin comedia y sin literatura...:
si hay un alma sincera, ésa es la mía.

La torre de marfil* tentó mi anhelo;
quise encerrarme dentro de mí mismo,
y tuve hambre de espacio y sed de cielo
desde las sombras de mi propio abismo.

Como la esponja que la sal satura
en el jugo del mar, fue el dulce y tierno
corazón mío, henchido de amargura
por el mundo, la carne y el infierno.

Mas, por gracia de Dios, en mi conciencia
el Bien supo elegir la mejor parte;
y si hubo áspera hiel en mi existencia,
melificó toda acritud el Arte.                                    60

Mi intelecto libré de pensar bajo,
bañó el agua castalia* el alma mía,
peregrinó mi corazón y trajo
de la sagrada selva* la armonía.

¡Oh la selva sagrada! ¡Oh, la profunda          65
emanación del corazón divino
de la sagrada selva! ¡Oh, la fecunda
fuente cuya virtud vence al destino!

Vida, luz y verdad, tal triple llama
produce la interior llama infinita;                              70
el Arte puro como Cristo exclama:
*Ego* sum lux et veritas et vita!

Y la vida es misterio, la luz ciega
y la verdad inaccesible asombra;
la adusta perfección jamás se entrega,          75
y el secreto ideal duerme en la sombra.

Por eso ser sincero es ser potente;
de desnuda que está, brilla la estrella;
el agua dice el alma de la fuente
en la voz de cristal que fluye de ella.          80

Tal fue mi intento, hacer del alma pura
mía, una estrella, una fuente sonora,
con el horror de la literatura
y loco de crepúsculo y de aurora.

Del crepúsculo azul que da la pauta          85
que los celestes éxtasis inspira,
bruma y tono menor—¡toda la flauta!
y Aurora, hija del Sol—¡toda la lira*!

Pasó una piedra que lanzó una honda;
pasó una flecha que aguzó un violento.          90
La piedra de la honda fue a la onda,
y la flecha del odio fuese al viento.

La virtud está en ser tranquilo y fuerte;
con el fuego interior todo se abrasa;
95        se triunfa del rencor y de la muerte,
y hacia Belén ... la caravana pasa.


## SALUTACIÓN DEL OPTIMISTA

Inclitas razas ubérrimas, sangre de Hispania* fecunda,
espíritus fraternos, luminosas almas, ¡salve*!
Porque llega el momento en que habrán de cantar nuevos himnos
lenguas de gloria. Un vasto rumor llena los ámbitos;
5  mágicas ondas de vida van renaciendo de pronto;
retrocede el olvido, retrocede engañada la muerte;
se anuncia un reino nuevo, feliz sibila sueña,
y en la caja pandórica* de que tantas desgracias surgieron
encontramos de súbito, talismánica, pura, rïente,
10  cual pudiera decirla en sus versos Virgilio* divino,
la divina reina de luz, ¡la celeste esperanza!

Pálidas indolencias, desconfianzas fatales que a tumba
o a perpetuo presidio, condenasteis al noble entusiasmo,
ya veréis el salir del sol en un triunfo de liras,
15  mientras dos continentes, abonados de huesos gloriosos,
del Hércules* antiguo la gran sombra soberbia evocando,
digan al orbe: la alta virtud resucita,
que a la hispana progenie hizo dueña de siglos.

Abominad la boca que predice desgracias eternas;
20  abominad los ojos que ven sólo zodíacos funestos;
abominad las manos que apedrean las ruinas ilustres,
o que la tea empuñan o la daga suicida.
Siéntense sordos ímpetus en las entrañas del mundo,
la inminencia de algo fatal hoy conmueve la tierra;
25  fuertes colosos caen, se desbandan bicéfalas* águilas,
y algo se inicia como vasto social cataclismo
sobre la faz del orbe. ¿Quién dirá que las savias dormidas
no despierten entonces en el tronco del roble gigante*
bajo el cual se exprimió la ubre de la loba romana*?
30  ¿Quién será el pusilánime que al vigor español niegue músculos
y que al alma española juzgase áptera y ciega y tullida?

No es Babilonia* ni Nínive* enterrada en olvido y en polvo,
ni entre momias y piedras, reina que habita el sepulcro,
la nación generosa, coronada de orgullo inmarchito,
que hacia el lado del alba fija las miradas ansiosas,          35
ni la que, tras los mares en que yace sepulta la Atlántida*,
tiene su coro de vástagos, altos, robustos y fuertes.

Unanse, brillen, secúndense tantos vigores dispersos;
formen todos un solo haz de energía ecuménica.
Sangre de Hispania fecunda, sólidas, ínclitas razas,          40
muestren los dones pretéritos que fueron antaño su triunfo.
Vuelva el antiguo entusiasmo, vuelva el espíritu ardiente
que regará lenguas de fuego en esa epifanía.
Juntas las testas ancianas ceñidas de líricos lauros
y las cabezas jóvenes que la alta Minerva* decora,           45
así los manes* heroicos de los primitivos abuelos,
de los egregios padres que abrieron el surco pristino,
sientan los soplos agrarios de primaverales retornos
y el rumor de espigas que inició la labor triptolémica*.

Un continente y otro renovando las viejas prosapias,         50
en espíritu unidos, en espíritu y ansias y lengua,
ven llegar el momento en que habrán de cantar nuevos himnos.
La latina estirpe verá la gran alba futura
en un trueno de música gloriosa; millones de labios
saludarán la espléndida luz que vendrá del Oriente,          55
Oriente augusto en donde todo lo cambia y renueva
la eternidad de Dios, la actividad infinita.
Y así sea Esperanza la visión permanente en nosotros,
¡ínclitas razas ubérrimas, sangre de Hispania fecunda!

# AL REY OSCAR*

Así, Sire, en el aire de la Francia nos llega
la paloma de plata de Suecia y Noruega,
que trae en vez de olivo una rosa de fuego.

Un búcaro latino, un noble vaso griego
recibirá el regalo del país de la nieve.                      5
Que a los reinos boreales el patrio viento lleve
otra rosa de sangre y de luz españolas;

pues sobre la sublime hermandad de las olas,
al brotar tu palabra, un saludo le envía
al sol de medianoche el sol de Mediodía*.

Si Segismundo* siente pesar, Hamlet* se inquieta.
El Norte ama las palmas; y se junta el poeta
del fjord con el del carmen, porque el mismo oriflama
es de azur. Su divina cornucopia derrama,
sobre el polo y el trópico, la Paz; y el orbe gira
en un ritmo uniforme por una propia lira:
el Amor. Allá surge Sigurd* que al Cid se aúna.
Cerca de Dulcinea* brilla el rayo de luna,
y la musa de Bécquer* del ensueño es esclava
bajo un celeste palio de luz escandinava.

Sire de ojos azules, gracias; por los laureles
de cien bravos vestidos de honor; por los claveles
de la tierra andaluza y la Alhambra* del moro;
por la sangre solar de una raza de oro;

por la armadura antigua y el yelmo de la gesta;
por las lanzas que fueron una vasta floresta
de gloria y que pasaron Pirineos y Andes;
por Lepanto* y Otumba*, por el Perú, por Flandes;
por Isabel* que cree, por Cristóbal* que sueña
y Velázquez* que pinta y Cortés* que domeña;
por el país sagrado en que Herakles* afianza
sus macizas columnas de fuerza y esperanza,
mientras Pan* trae el ritmo con la egregia siringa*
que no hay trueno que apague ni tempestad que extinga;
por el león simbólico y la Cruz, gracias, Sire.

¡Mientras el mundo aliente, mientras la esfera gire,
mientras la onda cordial alimente un ensueño,
mientras haya una viva pasión, un noble empeño,
un buscado imposible, una imposible hazaña,
una América oculta que hallar, vivirá España!

Y pues tras la tormenta vienes de peregrino
real, a la morada* que entristeció el destino,
la morada que viste luto sus puertas abra
al purpúreo y ardiente vibrar de tu palabra:

¡Y que sonría, oh rey Oscar, por un instante;
y tiemble en la flor áurea el más puro brillante

para quien sobre brillos de corona y de nombre,
con labios de monarca lanza un grito de hombre!


# A ROOSEVELT*

¡Es con voz de la Biblia*, o verso de Walt Whitman*,
que habría de llegar hasta ti, Cazador!
¡Primitivo y moderno, sencillo y complicado,
con un algo de Washington y cuatro de Nemrod*!

Eres los Estados Unidos,                                        5
eres el futuro invasor
de la América ingenua que tiene sangre indígena,
que aún reza a Jesucristo y aún habla en español.

Eres soberbio y fuerte ejemplar de tu raza;
eres culto, eres hábil; te opones a Tolstoy*.                   10
Y domando caballos, o asesinando tigres,
eres un Alejandro*-Nabucodonosor*.
(Eres un profesor de Energía,
como dicen los locos de hoy.)

Crees que la vida es incendio,                                  15
que el progreso es erupción;
que en donde pones la bala
el porvenir pones.
                    No.

Los Estados Unidos son potentes y grandes.                      20
Cuando ellos se estremecen hay un hondo temblor
que pasa por las vértebras enormes de los Andes.
Si clamáis, se oye el rugir del león.
Ya Hugo* a Grant* lo dijo: « Las estrellas son vuestras. »
(Apenas brilla, alzándose, el argentino sol                     25
y la estrella chilena se levanta ...) Sois ricos.
Juntáis al culto de Hércules* el culto de Mammón*;
y alumbrando el camino de la fácil conquista,
la Libertad levanta su antorcha en Nueva York.

Mas la América nuestra, que tenía poetas                        30
desde los viejos tiempos de Netzahualcoyotl*,
que ha guardado las huellas de los pies del gran Baco*,

que el alfabeto pánico en un tiempo aprendió;
que consultó los astros, que conoció la Atlántida*
35    cuyo nombre nos llega resonando en Platón*,
que desde los remotos momentos de su vida
vive de luz, de fuego, de perfume, de amor,
la América del grande Moctezuma*, del Inca*,
la América fragante de Cristóbal Colón,
40    la América católica, la América española,
la América en que dijo el noble Guatemoc*:
« Yo no estoy en un lecho de rosas »; esa América
que tiembla de huracanes y que vive de amor;
hombres de ojos sajones y alma bárbara, vive.
45    Y sueña. Y ama, y vibra; y es la hija del Sol.
Tened cuidado. ¡Vive la América española!
Hay mil cachorros sueltos del León Español.
Se necesitaría, Roosevelt, ser, por Dios mismo,
el Riflero terrible y el fuerte Cazador,
50    para poder tenernos en vuestras férreas garras.

Y, pues, contáis con todo, falta una cosa: ¡Dios!


## CANTO DE ESPERANZA

Un gran vuelo de cuervos mancha el azul celeste.
Un soplo milenario trae amagos de peste.
Se asesinan los hombres en el extremo Este.

¿Ha nacido el apocalíptico Anticristo?
5    Se han sabido presagios y prodigios se han visto,
y parece inminente el retorno de Cristo.

La tierra está preñada de dolor tan profundo,
que el soñador, imperial meditabundo,
sufre con las angustias del corazón del mundo.

10    Verdugos de ideales afligieron la tierra;
en un pozo de sombra la humanidad se encierra
con los rudos molosos* del odio y de la guerra.

¡Oh, Señor Jesucristo! ¿Por qué tardas? ¿Qué esperas
para tender tu mano de luz sobre las fieras
15    y hacer brillar al sol tus divinas banderas?

Surge de pronto y vierte la esencia de la vida
sobre tanta alma loca, triste o empedernida
que amante de tinieblas, tu dulce aurora olvida.

Ven, Señor, para hacer la gloria de ti mismo.
Ven con temblor de estrellas y horror de cataclismo;  20
ven a traer amor y paz sobre el abismo.

Y tu caballo blanco, que miró el visionario,
pase. Y suene el divino clarín extraordinario.
Mi corazón será brasa de tu incensario.

## MARCHA TRIUNFAL

¡Ya viene el cortejo!
¡Ya viene el cortejo! Ya se oyen los claros clarines.
La espada se anuncia con vivo reflejo;
ya viene, oro y hierro, el cortejo de los paladines.

Ya pasa, debajo los arcos ornados de blancas Minervas* y Martes*,  5
los arcos triunfales en donde las Famas erigen sus largas trompetas,
la gloria solemne de los estandartes
llevados por manos robustas de heroicos atletas.
Se escucha el rüido que forman las armas de los caballeros,
los frenos que mascan los fuertes caballos de guerra,  10
los cascos que hieren la tierra,
y los timbaleros
que el paso acompasan con ritmos marciales.
¡Tal pasan los fieros guerreros
debajo los arcos triunfales!  15

Los claros clarines de pronto levantan sus sones,
su canto sonoro,
su cálido coro,
que envuelve en un trueno de oro
la augusta soberbia de los pabellones.  20
El dice la lucha, la herida venganza,
las ásperas crines,
los rudos penachos, la pica, la lanza,
la sangre que riega de heroicos carmines
la tierra;  25

los negros mastines
que azuza la muerte, que rige la guerra.

Los áureos sonidos
anuncian el advenimiento
30 triunfal de la Gloria;
dejando el picacho que guarda sus nidos,
tendiendo sus alas enormes al viento,
los cóndores llegan. ¡Llegó la victoria!

Ya pasa el cortejo.
35 Señala el abuelo los héroes al niño:
—ved cómo la barba del viejo
los bucles de oro circunda de armiño—.
Las bellas mujeres aprestan coronas de flores,
y bajo los pórticos vense sus rostros de rosa;
40 y la más hermosa
sonríe al más fiero de los vencedores.
¡Honor al que trae cautiva la extraña bandera;
honor al herido y honor a los fieles
soldados que muerte encontraron por mano extranjera!
45 ¡Clarines! ¡Laureles!

Las nobles espadas de tiempos gloriosos,
desde sus panoplias saludan las nuevas coronas y lauros:
—las viejas espadas de los granaderos, más fuertes que osos,
hermanos de aquellos lanceros que fueron centauros*—.

50 Las trompas guerreras resuenan;
de voces los aires se llenan ...
—A aquellas antiguas espadas,
a aquellos ilustres aceros,
que encarnan las glorias pasadas ...
55 ¡Y al sol que hoy alumbra las nuevas victorias ganadas,
y al héroe que guía su grupo de jóvenes fieros;
al que ama la insignia del suelo paterno,
al que ha desafiado, ceñido el acero y el arma en la mano,
los soles del rojo verano,
60 las nieves y vientos del gélido invierno,
la noche, la escarcha
y el odio y la muerte, por ser por la patria inmortal,
saludan con voces de bronce las trompas de guerra que tocan la
marcha triunfal ...

# LOS CISNES

¿Qué signo haces, ¡oh Cisne!, con tu encorvado cuello
al paso de los tristes y errantes soñadores?
¿Por qué tan silencioso de ser blanco y ser bello,
tiránico a las aguas e impasible a las flores?

Yo te saludo ahora como en versos latinos                    5
te saludara antaño Publio Ovidio Nasón*,
Los mismos ruiseñores cantan los mismos trinos,
y en diferentes lenguas es la misma canción.

A vosotros mi lengua no debe ser extraña.
A Garcilaso* visteis, acaso, alguna vez ...                  10
Soy un hijo de América, soy un nieto de España ...
Quevedo* pudo hablaros en verso en Aranjuez* ...

Cisnes, los abanicos de vuestras alas frescas
den a las frentes pálidas sus caricias más puras,
y alejen vuestras blancas figuras pintorescas                15
de nuestras mentes tristes las ideas oscuras.

Brumas septentrionales nos llenan de tristezas,
se mueren nuestras rosas, se agostan nuestras palmas;
casi no hay ilusiones para nuestras cabezas,
y somos los mendigos de nuestras pobres almas.               20

Nos predican la guerra con águilas feroces,
gerifaltes de antaño revienen a los puños;
mas no brillan las glorias de las antiguas hoces,
ni hay Rodrigos* ni Jaimes*; ni hay Alfonsos* ni Nuños*.

Faltos de los alientos que dan las grandes cosas,            25
¿qué haremos los poetas sino buscar tus lagos?
A falta de laureles son muy dulces las rosas,
y a falta de victorias busquemos los halagos.

La América española como la España entera,
fija está en el Oriente de su fatal destino;                 30
yo interrogo a la Esfinge* que el porvenir espera
con la interrogación de tu cuello divino.

¿Seremos entregados a los bárbaros fieros?
¿Tantos millones de hombres hablaremos inglés?

35 ¿Ya no hay nobles hidalgos ni bravos caballeros?
¿Callaremos ahora para llorar después?

He lanzado mi grito, Cisnes, entre vosotros,
que habéis sido los fieles en la desilusión,
mientras siento una fuga de americanos potros
40 y el estertor postrero de un caduco león ...

... Y un Cisne negro dijo: « La noche anuncia el día. »
Y uno blanco: « ¡La aurora es inmortal! ¡La aurora
es inmortal! » ¡Oh tierras de sol y de armonía,
aún guarda la Esperanza* la caja de Pandora*!


# LA DULZURA DEL ÁNGELUS* ...

La dulzura del ángelus matinal y divino
que diluyen ingenuas campanas provinciales,
en un aire inocente a fuerza de rosales,
de plegaria, de ensueño de virgen y de trino

5 de ruiseñor, opuesto todo al rudo destino
que no cree en Dios ... El áureo ovillo vespertino
que la tarde devana tras opacos cristales
por tejer la inconsútil tela de nuestros males,

todos hechos de carne aromados de vino ...
10 Y esta atroz amargura de no gustar de nada,
de no saber adónde dirigir nuestra prora,

mientras el pobre esquife en la noche cerrada
va en hostiles olas huérfano de la aurora ...
(¡Oh, süaves campanas entre la madrugada!)


# NOCTURNO (I)

Quiero expresar mi angustia en versos que abolida
dirán mi juventud de rosas y de ensueños,
y la desfloración amarga de mi vida
por un vasto dolor y cuidados pequeños.

Y el viaje a un vago Oriente por entrevistos barcos,     5
y el grano de oraciones que floreció en blasfemias,
y los azoramientos del cisne entre los charcos,
y el falso azul nocturno de inquerida bohemia.

Lejano clavicordio que en silencio y olvido
no diste nunca al sueño la sublime sonata,               10
huérfano esquife, árbol insigne, oscuro nido
que suavizó la noche de dulzura de plata ...

Esperanza olorosa a hierbas frescas, trino
del ruiseñor primaveral y matinal,
azucena tronchada por un fatal destino,                  15
rebusca de la dicha, persecución del mal ...

El ánfora funesta del divino veneno
que ha de hacer por la vida la tortura interior,
la conciencia espantable de nuestro humano cieno
y el horror de sentirse pasajero, el horror              20

de ir a tientas, en intermitentes espantos,
hacia lo inevitable desconocido y la
pesadilla brutal de este dormir de llantos
de la cual no hay más que Ella* que nos despertará.


# CANCIÓN DE OTOÑO EN PRIMAVERA

Juventud, divino tesoro
¡ya te vas para no volver!
Cuando quiero llorar, no lloro ...
y a veces lloro sin querer.

Plural ha sido la celeste                                5
historia de mi corazón.
Era una dulce niña, en este
mundo de duelo y aflicción.

Miraba como el alba pura;
sonreía como una flor.                                   10
Era su cabellera oscura
hecha de noche y de dolor.

✤❧{ 181 }❦✤

Yo era tímido como un niño.
Ella, naturalmente fue,
para mi amor hecho de armiño,
Herodías* y Salomé* ...

Juventud, divino tesoro,
¡ya te vas para no volver ...!
Cuando quiero llorar, no lloro,
y a veces lloro sin querer.

La otra fue más sensitiva,
y más consoladora y más
halagadora y expresiva,
cual no pensé encontrar jamás.

Pues a su continua ternura
una pasión violenta unía.
En un peplo de gasa pura
una bacante se envolvía ...

En sus brazos tomó mi ensueño
y lo arrulló como a un bebé ...
Y lo mató, triste y pequeño,
falto de luz, falto de fe ...

Juventud, divino tesoro,
¡te fuiste para no volver!
Cuando quiero llorar, no lloro,
y a veces lloro sin querer ...

Otra juzgó que era mi boca
el estuche de su pasión
y que me roería, loca,
con sus dientes el corazón

poniendo en un amor de exceso
la mira de su voluntad,
mientras eran abrazo y beso
síntesis de la eternidad:

y de nuestra carne ligera
imaginar siempre un Edén,
sin pensar que la Primavera
y la carne acaban también ...

Juventud, divino tesoro,
¡ya te vas para no volver!

Cuando quiero llorar, no lloro,
¡y a veces lloro sin querer!

¡Y las demás!, en tantos climas,
en tantas tierras, siempre son,
si no pretextos de mis rimas,                55
fantasmas de mi corazón.

En vano busqué a las princesas
que estaba triste de esperar.
La vida es dura. Amarga y pesa.
¡Ya no hay princesa que cantar!             60

Mas a pesar del tiempo terco,
mi sed de amor no tiene fin;
con el cabello gris me acerco
a los rosales del jardín ...

Juventud, divino tesoro,                    65
¡ya te vas para no volver! ...
Cuando quiero llorar, no lloro,
y a veces lloro sin querer ...

¡Mas es mía el Alba de oro!


## UN SONETO A CERVANTES

Horas de pesadumbre y de tristeza
paso en mi soledad. Pero Cervantes
es buen amigo. Endulza mis instantes
ásperos, y reposa mi cabeza.

El es la vida y la naturaleza,            5
regala un yelmo de oros y diamantes
a mis sueños errantes.
Es para mí: suspira, ríe y reza.

Cristiano y amoroso caballero
parla como un arroyo cristalino.         10
¡Así le admiro y quiero,

viendo cómo el destino
hace que regocije al mundo entero
la tristeza inmortal de ser divino!

# MARINA

Mar armonioso,
mar maravilloso,
tu salada fragancia,
tus colores y músicas sonoras
me dan la sensación divina de mi infancia,
en que suaves las horas
venían en un paso de danza reposada
a dejarme un ensueño o regalo de hada.

Mar armonioso,
mar maravilloso,
de arcadas de diamante que se rompen en vuelos
rítmicos que denuncian algún ímpetu oculto;
espejo de mis vagas ciudades de los cielos:
blanco y azul tumulto
de donde brota un canto
inextinguible;
mar paternal, mar santo,
mi alma siente la influencia de tu alma invisible.

Velas de los Colones
y velas de los Vascos*,
hostigadas por odios de ciclones
ante la hostilidad de los peñascos;
o galeras de oro,
velas purpúreas de bajeles
que saludaron el mugir del toro*
celeste, con Europa* sobre el lomo
que salpicaba la revuelta espuma.
Magnífico y sonoro
se oye en las aguas como
un tropel de tropeles,
¡tropel de los tropeles de tritones*!
Brazos salen de las ondas, suenan vagas canciones,
brillan piedras preciosas,
mientras en las revueltas extensiones
Venus* y el Sol hacen nacer mil rosas.

# MELANCOLÍA

Hermano, tú que tienes la luz, dime la mía.
Soy como un ciego. Voy sin rumbo y ando a tientas.
Voy, bajo tempestades y tormentas,
ciego de ensueño y loco de armonía.

Ese es mi mal. Soñar. La poesía                                    5
es la camisa férrea de mil puntas crüentas
que llevo sobre el alma. Las espinas sangrientas
dejan caer las gotas de mi melancolía.

Y así voy, ciego y loco, por este mundo amargo;
a veces me parece que el camino es muy largo,              10
y a veces que es muy corto ...

Y en este titubeo de aliento y agonía,
cargo lleno de penas lo que apenas soporto.
¿No oyes caer las gotas de mi melancolía?


# DE OTOÑO

Yo sé que hay quienes dicen: ¿Por qué no canta ahora
con aquella locura armoniosa de antaño?
Esos no ven la obra profunda de la hora,
la labor del minuto y el prodigio del año.

Yo, pobre árbol, produje al amor de la brisa,              5
cuando empecé a crecer, un vago y dulce son.
Pasó ya el tiempo de la juvenil sonrisa:
¡Dejad al huracán mover mi corazón!


# CARACOL

En la playa he encontrado un caracol de oro
macizo y recamado de las perlas más finas;

Europa\* le ha tocado con sus manos divinas
cuando cruzó las ondas sobre el celeste toro\*.

5 He llevado a mis labios el caracol sonoro
y he suscitado el eco de las dianas\* marinas;
lo acerqué a mis oídos, y las azules minas
me han contado en voz baja su secreto tesoro.

Así la sal me llega de los vientos amargos
10 que en sus hinchadas velas sintió la nave Argos\*
cuando amaron los astros el sueño de Jasón\*

y oigo un rumor de olas y un incógnito acento
y un profundo oleaje y un misterioso viento ...
(el caracol la forma tiene de un corazón).


# NOCTURNO (II)

Los que auscultasteis el corazón de la noche,
los que por el insomnio tenaz habéis oído
el cerrar de una puerta, el resonar de un coche
lejano, un eco vago, un ligero rüido ...

5 En los instantes del silencio misterioso,
cuando surgen de su prisión los olvidados,
en la hora de los muertos, en la hora del reposo,
¡sabréis leer estos versos de amargor impregnados! ...

Como en un vaso vierto en ellos mis dolores
10 de lejanos recuerdos y desgracias funestas,
y las tristes nostalgias de mi alma ebria de flores,
y el duelo de mi corazón, triste de fiestas.

Y el pesar de no ser lo que yo hubiera sido,
la pérdida del reino que estaba para mí,
15 el pensar que un instante pude no haber nacido,
y el sueño que es mi vida desde que yo nací.

Todo esto viene en medio del silencio profundo
en que la noche envuelve la terrena ilusión,
y siento como un eco del corazón del mundo
20 que penetra y conmueve mi propio corazón.

# LETANÍA DE NUESTRO SEÑOR DON QUIJOTE

Rey de los hidalgos, señor de los tristes,
que de fuerza alientas y de ensueños vistes,
coronado de áureo yelmo* de ilusión;
que nadie ha podido vencer todavía,
por la adarga al brazo, toda fantasía,          5
y la lanza en ristre, toda corazón.

Noble peregrino de los peregrinos,
que santificaste todos los caminos
con el paso augusto de tu heroicidad,
contra las certezas, contra las conciencias     10
y contra las leyes y contra las ciencias,
contra la mentira, contra la verdad...

Caballero errante de los caballeros,
barón de varones, príncipe de fieros,
par entre los pares, maestro, ¡salud!           15
¡Salud, porque juzgo que hoy muy poca tienes,
entre los aplausos o entre los desdenes,
y entre las coronas y los parabienes
y las tonterías de la multitud!

¡Tú, para quien pocas fueron las victorias      20
antiguas, y para quien clásicas glorias
serían apenas de ley y razón,
soportas elogios, memorias, discursos,
resistes certámenes, tarjetas, concursos,
y, teniendo a Orfeo*, tienes a orfeón!          25

Escucha, divino Rolando* del sueño,
a un enamorado de tu Clavileño*,
y cuyo Pegaso* relincha hacia ti;
escucha los versos de estas letanías,
hechas con las cosas de todos los días          30
y con otras que en lo misterioso vi.

¡Ruega por nosotros, hambrientos de vida,
con el alma a tientas, con la fe perdida,
llenos de congojas y faltos de sol,

por advenedizas almas de manga ancha
que ridiculizan el ser de la Mancha*,
el ser generoso y el ser español!

¡Ruega por nosotros, que necesitamos
las mágicas rosas, los sublimes ramos
del laurel! *Pro* nobis ora, gran señor.
(Tiembla la floresta del laurel del mundo,
y antes que tu hermano vago, Segismundo*,
el pálido Hamlet*, te ofrece una flor.)

¡Ruega generoso, piadoso, orgulloso;
ruega casto, puro, celeste, animoso;
por nos intercede, suplica por nos,
pues casi ya estamos sin savia, sin brote,
sin alma, sin vida, sin luz, sin Quijote,
sin pies y sin alas, sin Sancho* y sin Dios.

De tantas tristezas, de dolores tantos,
de los superhombres de Nietzsche*, de cantos
áfonos, recetas que firma un doctor,
de las epidemias de horribles blasfemias
de las Academias,
¡líbranos señor!

De rudos malsines,
falsos paladines,
y espíritus finos y blandos y ruines,
del hampa que sacia
su canallocracia
con burlar la gloria, la vida, el honor,
del puñal con gracia,
¡líbranos, señor!

Noble peregrino de los peregrinos,
que santificaste todos los caminos
con el paso augusto de tu heroicidad,
contra las certezas, contra las conciencias
y contra las leyes y contra las ciencias,
contra la mentira, contra la verdad...

¡Ora por nosotros, señor de los tristes,
que de fuerza alientas y de ensueños vistes,
coronado de áureo yelmo de ilusión;

que nadie ha podido vencer todavía,
por la adarga al brazo, toda fantasía,
y la lanza en ristre, toda corazón! 75


## ALLÁ LEJOS

Buey que vi en mi niñez echando vaho un día
bajo el nicaragüense sol de encendidos oros,
en la hacienda fecunda, plena de la armonía
del trópico; paloma de los bosques sonoros
del viento, de las hachas, de pájaros y toros 5
salvajes, yo os saludo, pues sois la vida mía.

Pesado buey, tú evocas la dulce madrugada
que llamaba a la ordeña de la vaca lechera,
cuando era mi existencia toda blanca y rosada,
y tú, paloma arrulladora y montañera, 10
significas en mi primavera pasada
todo lo que hay en la divina Primavera.


## LO FATAL

Dichoso el árbol que es apenas sensitivo,
y más la piedra dura, porque ésa ya no siente,
pues no hay dolor más grande que el dolor de ser vivo,
ni mayor pesadumbre que la vida consciente.

Ser, y no saber nada, y ser sin rumbo cierto, 5
y el temor de haber sido y un futuro terror ...
y el espanto seguro de estar mañana muerto,
y sufrir por la vida y por la sombra y por

lo que no conocemos y apenas sospechamos,
y la carne que tienta con sus frescos racimos, 10
y la tumba que aguarda con sus fúnebres ramos,
y no saber adónde vamos,
¡ni de dónde venimos ...!

# MOMOTOMBO*

El tren iba rodando sobre sus rieles. Era
en los días de mi adorada primavera
y era mi Nicaragua natal.
De pronto, entre las copas de los árboles, vi
5  un cono gigantesco, « calvo y desnudo », y
lleno de antiguo orgullo triunfal.

Ya había yo leído a Hugo* y la leyenda
que Squire* le enseñó. Como una vasta tienda
vi aquel coloso negro ante el sol,
10  maravilloso de majestad. Padre viejo
que se duplica en el armonioso espejo
de un agua perla, esmeralda, col.

Agua de un vario verde y de un gris tan cambiante,
que discernir no deja su ópalo y su diamante,
15  a la vasta llama tropical.
¡Momotombo se alzaba lírico y soberano,
yo tenía quince años: una estrella en la mano!
Y era en mi Nicaragua natal.

Ya estaba yo nutrido de Oviedo* y de Gomara*,
20  y mi alma florida soñaba historia rara,
fábula, cuento, romance, amor
de conquistas, victorias de caballeros bravos,
incas* y sacerdotes, prisioneros y esclavos,
plumas y oro, audacia, esplendor.

25  Y llegué y vi en las nubes la prestigiosa testa
de aquel cono de siglos, de aquel volcán de gesta,
que era ante mí de revelación.
Señor de las alturas, emperador del agua,
a sus pies el divino lago de Managua*,
30  con islas todas luz y canción.

—¡Momotombo!—exclamé—, ¡oh nombre de epopeya!
Con razón Hugo, el grande en tu onomatopeya,
ritmo escuchó que es de eternidad.

Dijérase que fueses para las sombras dique,
desde que oyera el blanco la lengua del cacique                    35
en sus discursos de libertad.

Padre de fuego y piedra, yo te pedí ese día
tu secreto de llamas, tu arcano de armonía,
la iniciación que podías dar;
por ti pensé en lo inmenso de Osas* y Peliones*,                   40
en que arriba hay titanes en las constelaciones
y abajo, dentro la tierra y el mar.

¡Oh, Momotombo ronco y sonoro! Te amo
porque a tu evocación vienen a mí otra vez,
obedeciendo a un íntimo reclamo                                    45
perfumes de mi infancia, brisas de mi niñez.

¡Los estandartes de la tarde y de la aurora!
Nunca los vi más bellos que alzados sobre ti,
toda zafir la cúpula sonora
sobre los triunfos de oro, de esmeralda y rubí.                    50

Cuando las babilonias* del Poniente
en purpúreas catástrofes hacia la inmensidad
rodaban tras la augusta soberbia de tu frente,
eras tú como el símbolo de la Serenidad.

En tu incesante hornalla vi la perpetua guerra,                   55
en tu roca unidades que nunca acabarán.
Sentí en tus terremotos la brama de la tierra
y la inmortalidad de Pan*.

¡Con un alma volcánica entré en la dura vida,
Aquilón* y Huracán sufrió mi corazón,                             60
y de mi mente mueven la cimera encendida
Huracán y Aquilón!

Tu voz escuchó un día Cristóforo Colombo;
Hugo* cantó tu gesta legendaria. Los dos
fueron, como tú, enormes, Momotombo,                              65
montañas habitadas por el fuego de Dios.

¡Hacia el misterio caen poetas y montañas;
y romperáse el cielo de cristal
cuando luchen sonando de Pan* las siete cañas
y la trompeta del Juicio Final!                                   70

# SALUTACIÓN AL ÁGUILA

Bien vengas, mágica Aguila de alas enormes y fuertes,
a extender sobre el Sur tu gran sombra continental,
a traer en tus garras, anilladadas de rojos brillantes,
una palma de gloria, del color de la inmensa esperanza,
5  y en tu pico la oliva de una vasta y fecunda paz.

Bien vengas, oh mágica Aguila, que amara tanto
Walt Whitman*,
quien te hubiera cantado en esta olímpica gira,
Aguila que has llevado tu noble y magnífico símbolo
desde el trono de Júpiter* hasta el gran continente del Norte.

10  Ciertamente, has estado en las rudas conquistas del orbe.
Ciertamente, has tenido que llevar los antiguos rayos.
Si tus alas abiertas la visión de la paz perpetúan,
en tu pico y tus uñas está la necesaria guerra.

¡Precisión de la fuerza! ¡Majestad adquirida del trueno!
15  Necesidad de abrirle el gran vientre fecundo a la tierra
para que en ella brote la concreción de oro de la espiga,
y tenga el hombre el pan con que mueve su sangre.

No es humana la paz con que sueñan ilusos profetas,
la actividad eterna hace precisa la lucha,
20  y desde tu etérea altura tú contemplas, divina Aguila,
la agitación combativa de nuestro globo vibrante.

Es incidencia la historia. Nuestro destino supremo
está más allá del rumbo que marcan fugaces las épocas.
Y Palenque* y la Atlántida* no son más que momentos soberbios
25  con que puntúa Dios los versos de su augusto Poema.

Muy bien llegada seas a la tierra pujante y ubérrima,
sobre la cual la Cruz del Sur* está, que miró Dante*
cuando, siendo Mesías, impulsó en su intuición sus bajeles,
que antes que los del Sumo Cristóbal* supieron nuestro cielo.

30  ¡E pluribus unum*! ¡Gloria, victoria, trabajo!
Tráenos los secretos de las labores del Norte,
y que los hijos nuestros dejen de ser los retores* latinos,
y aprendan de los yanquis la constancia, el vigor, el carácter.

¡Dinos, Aguila ilustre, la manera de hacer multitudes
que hagan Romas y Grecias con el jugo del mundo presente,          35
y que, potentes y sobrias, extiendan su luz y su imperio,
y que, teniendo el Aguila y el Bisonte y el Hierro y el Oro,
tengan un áureo día para darle las gracias a Dios!

Aguila, existe el Cóndor. Es tu hermano en las grandes alturas.
Los Andes le conocen y saben, que cual tú, mira al Sol.          40
*May this grand Union have no end!*, dice el poeta*.
Puedan ambos juntarse, en plenitud, concordia y esfuerzo.

Aguila, que conoces desde Jove* hasta Zarathustra*
y que tienes en los Estados Unidos tu asiento,
que sea tu venida fecunda para estas naciones          45
que el pabellón admiran constelado de bandas y estrellas.

¡Aguila que estuviste en las horas sublimes de Pathmos*,
Aguila prodigiosa, que te nutres de luz y de azul,
como una Cruz viviente, vuela sobre estas naciones,
y comunica al globo la victoria feliz del futuro!          50

Por algo eres la antigua mensajera jupiterina,
por algo has presenciado cataclismos y luchas de razas,
por algo estás presente en los sueños del Apocalipsis,
por algo eres el ave que han buscado los fuertes imperios.

¡Salud, Aguila, extensa virtud a tus inmensos revuelos,          55
reina de los azures, ¡salud!, ¡gloria!, ¡victoria y encanto!
¡Que la Latina América reciba tu mágica influencia
y que renazca nuevo Olimpo, lleno de dioses y de héroes!

¡Adelante, siempre adelante! *¡Excelsior!* ¡Vida! ¡Lumbre!
¡Que se cumpla lo prometido en los destinos terrenos,          60
y que vuestra obra inmensa las aprobaciones recoja
del mirar de los astros, y de lo que hay más allá!


# REVELACIÓN

En el acantilado de una roca
que se alza sobre el mar, yo lancé un grito
que de viento y de sal llenó mi boca:

a la visión azul de lo infinito,
al poniente magnífico y sangriento,
al rojo sol todo milagro y mito.

Y sentí que sorbía en sal y viento
como una comunión de comuniones
que en mí hería sentido y pensamiento.

Vidas de palpitantes corazones,
luz que ciencia concreta en sus entrañas,
y prodigios de las constelaciones.

Y oí la voz del dios de las montañas
que anunciaba su vuelta en el concierto
maravilloso de sus siete cañas.

Y clamé y dijo mi palabra: « ¡Es cierto,
el gran dios de la fuerza y de la vida,
Pan*, el gran Pan de lo inmortal, no ha muerto! »

Volví la vista a la montaña erguida
como buscando la bicorne frente
que pone el sol en l'alma del panida*.

Y vi la singular doble serpiente
que enroscada al celeste caduceo*
pasó sobre las olas de repente

llevada por Mercurio*. Y mi deseo
tornó a Thalasa* maternal la vista,
pues todo* hallo en la mar cuando la veo.

Y vi azul y topacio y amatista,
oro y perla y argento y vïoleta
y de la hija de Electra* la conquista.

Y escuché el ronco ruido de trompeta
que del tritón* el caracol derrama,
y a la sirena, amada del poeta.

Y con la voz de quien aspira y ama,
clamé: « ¿Dónde está el dios que hace del lodo
con el hendido pie brotar el trigo,

que a la tribu ideal salva en su exodo? »
Y oí dentro de mí: « Yo estoy contigo,
y estoy en ti y por ti: yo soy el Todo. »

# VERSOS DE OTOÑO

Cuando mi pensamiento va hacia ti, se perfuma;
tu mirar es tan dulce, que se torna profundo.
Bajo tus pies desnudos aún hay blancor de espuma,
y en tus labios compendias la alegría del mundo.

El amor pasajero tiene el encanto breve,                    5
y ofrece un igual término para el gozo y la pena.
Hace una hora que un nombre grabé sobre la nieve;
hace un minuto dije mi amor sobre la arena.

Las hojas amarillas caen en la alameda,
en donde vagan tantas parejas amorosas.                    10
Y en la copa de Otoño un vago vino queda
en que han de deshojarse, Primavera, tus rosas.


# SUM ...

Yo soy en Dios lo que soy
y mi ser es voluntad
que, perseverando hoy,
existe en la eternidad.

Cuatro horizontes de abismo                    5
tiene mi razonamiento,
y el abismo que más siento
es el que siento en mí mismo.

Hay un punto alucinante
en mi villa de ilusión:                        10
La torre del elefante
junto al quiosco del pavón.

Aun lo humilde me subyuga
si lo dora mi deseo.
La concha de la tortuga                        15
me dice el dolor de Orfeo*.

Rosas buenas, lirios pulcros*,
loco de tanto ignorar,

voy a ponerme a gritar
al borde de los sepulcros;

¡Señor, que la fe se muere!
Señor, mira mi dolor.
¡*Miserere*! ¡*Miserere*!
Dame la mano, Señor...

## LA CANCIÓN DE LOS PINOS

¡Oh pinos, oh hermanos en tierra y ambiente,
yo os amo! Sois dulces, sois buenos, sois graves.
Diríase un árbol que piensa y que siente,
mimado de auroras, poetas y aves.

Tocó vuestra frente la alada* sandalia;
habéis sido mástil, proscenio, curul,
¡oh pinos solares, oh pinos de Italia,
bañados de gracia, de gloria, de azul!

Sombríos, sin oro del sol, taciturnos,
en medio de brumas glaciales y en
montañas de ensueños, ¡oh pinos nocturnos,
oh pinos del norte, sois bellos también!

Con gestos de estatuas, de mimos, de actores,
tendiendo a la dulce caricia del mar,
¡oh pinos de Nápoles, rodeados de flores,
oh pinos divinos, no os puedo olvidar!

Cuando en mis errantes pasos peregrinos
la Isla Dorada* me ha dado un rincón
do soñar mis sueños, encontré los pinos,
los pinos amados de mi corazón.

Amados por tristes, por blandos, por bellos.
Por su aroma, aroma de una inmensa flor,
por su aire de monjes, sus largos cabellos,
sus savias, rüidos y nidos de amor.

¡Oh pinos antiguos que agitara el viento
de las epopeyas, amados del sol!
¡Oh líricos pinos del Renacimiento,
y de los jardines del suelo español!

Los brazos eolios se mueven al paso
del aire violento que forma al pasar                           30
rüidos de pluma, rüidos de raso,
rüidos de agua y espumas de mar.

¡Oh noche en que trajo tu mano, Destino,
aquella amargura que aún hoy es dolor!
La luna argentaba lo negro de un pino,                         35
y fui consolado por un ruiseñor.

Románticos somos ... ¿Quién que Es, no es romántico?
Aquel que no sienta, ni amor ni dolor,
aquel que no sepa de beso y de cántico,
que se ahorque de un pino; será lo mejor ...                   40

Yo no. Yo persisto. Pretéritas normas
confirman mi anhelo, mi ser, mi existir.
¡Yo soy el amante de ensueños y formas
que viene de lejos y va al porvenir!


# ¡EHEU*!

Aquí, junto al mar latino,
digo la verdad:
Siento en roca, aceite y vino,
yo mi antigüedad.

¡Oh qué anciano soy, Dios santo;                               5
oh, qué anciano soy! ...
¿De dónde viene mi canto?
Y yo, ¿adónde voy?

El conocerme a mí mismo
ya me va costando                                              10
muchos momentos de abismos
y el cómo y el cuándo ...

Y esta claridad latina,
¿de qué me sirvió
a la entrada de la mina                                        15
del yo y el no yo ...?

Nefelibata contento,
creo interpretar

las confidencias del viento,
la tierra y el mar ...

Unas vagas confidencias
del ser y el no ser,
y fragmentos de conciencias
de ahora y ayer.

Como en medio de un desierto
me puse a clamar;
y miré el sol como muerto
y me eché a llorar.

## LA HEMBRA DEL PAVO REAL

En Echbatana* fue una vez ...
O más bien creo que en Bagdad* ...
Era una rara ciudad,
bien Samarcanda* o quizá Fez*.

La hembra del pavo real
estaba en el jardín desnuda;
mi alma amorosa estaba muda
y habló la fuente de cristal.

Habló con su trino y su alegro
y su *stacatto* y son sonoro,
y venían del bosque negro
voz de plata y llanto de oro.

La desnuda estaba divina,
salomónica y oriental:
era una joya diamantina
la hembra del pavo real.

Los brazos eran dos poemas
ilustrados de ricas gemas.
Y no hay un verso que concentre
el trigo y albor de palomas,
y lirios y perlas y aromas
que había en los senos y el vientre.

Era una voluptuosidad
que sabía a almendra y a nuez

y a vinos que gustó Simbad*...   25
En Echbatana fue una vez,
o más bien creo que en Bagdad.

En las gemas resplandecientes
de las colas de los pavones
caían gotas de las fuentes   30
de los Orientes de ilusiones.

La divina estaba desnuda.
Rosa y nardo dieron su olor...
Mi alma estaba extasiada y muda
y en el sexo ardía una flor.   35

En las terrazas decoradas
con un gesto extraño y fatal
fue desnuda ante mis miradas
la hembra del pavo real.


## HONDAS

Yo soñé que era un hondero
mallorquín.
Con las piedras que en la costa
recogí,
cazaba águilas al vuelo,   5
lobos, y
en la guerra iba a la guerra
contra mil.

Un guijarro de oro puro
fue al cenit,   10
una tarde en que, en la altura
azul, vi
un enorme gerifalte
perseguir
a una extraña ave radiante,   15
un rubí
que rayara el firmamento
de zafir.

No tornó mi piedra al mundo.
Pero sin   20

vacilar vino a mí el ave—
querubín.
« Partió herida—dijo—el alma
de Goliat*, y vengo a ti.
25   ¡Soy el alma luminosa
de David*! »

## NOCTURNO (III)

Silencio de la noche, doloroso silencio
nocturno ... ¿Por qué el alma tiembla de tal manera?
Oigo el zumbido de mi sangre,
dentro mi cráneo pasa una suave tormenta.
5   ¡Insomnio! No poder dormir y, sin embargo,
soñar. Ser la auto-pieza
de disección espiritual, ¡el auto-Hamlet*!
Dilüir mi tristeza
en un vino de noche,
10   en el maravilloso cristal de las tinieblas ...
Y me digo: ¿a qué hora vendrá el alba?
Se ha cerrado una puerta ...
Ha pasado un transeúnte ...
Ha dado el reloj tres horas ... ¡Si será Ella*! ...

## POEMA DEL OTOÑO

Tú que estás la barba en la mano
meditabundo,
¿has dejado pasar, hermano,
la flor del mundo?

5   Te lamentas de los ayeres
con quejas vanas:
¡aún hay promesa de placeres
en los mañanas!

Aún puedes casar la olorosa
10   rosa y el lis,
y hay mirtos para tu orgullosa
cabeza gris.

El alma ahita cruel inmola
lo que la alegra,
como Zingua, reina de Angola*,          15
lúbrica negra.

Tú has gozado de la hora amable,
y oyes depués
la imprecación del formidable
Eclesiastés*.          20

El domingo de amor te hechiza;
mas mira cómo
llega el miércoles de ceniza;
*Memento, homo*...

Por eso hacia el florido monte          25
las almas van,
y se explican Anacreonte*
y Omar Kayam*.

Huyendo del mal, de improviso
se entra en el mal          30
por la puerta del paraíso
artificial.

Y, no obstante, la vida es bella,
por poseer
la perla, la rosa, la estrella          35
y la mujer.

Lucifer* brilla. Canta el ronco
mar. Y se pierde
Silvano* oculto tras el tronco
del haya verde.          40

Y sentimos la vida pura,
clara, real,
cuando la envuelve la dulzura
primaveral.

¿Para qué las envidias viles          45
y las injurias,
cuando retuercen sus reptiles
pálidas furias?

Para qué los odios funestos
de los ingratos?          50

¿Para qué los lívidos gestos
de los Pilatos\*?

¡Si lo terreno acaba, en suma,
cielo e infierno,
55      y nuestras vidas son la espuma
de un mar eterno!

Lavemos bien de nuestra veste
la amarga prosa;
soñemos en una celeste,
60      mística rosa.

Cojamos la flor del instante;
¡la melodía
de la mágica alondra cante
la miel del día!

65      Amor a su fiesta convida
y nos corona.
Todos tenemos en la vida
nuestra Verona\*.

Aun en la hora crepuscular
70      canta una voz:
« Ruth\*, risueña, viene a espigar
para Booz\*! »

Mas coged la flor del instante,
cuando en Oriente
75      nace el alba para el fragante
adolescente.

¡Oh! Niño que con Eros\* juegas,
niños lozanos,
danzad como las ninfas griegas
80      y los silvanos\*.

El viejo tiempo todo roe
y va de prisa;
sabed vencerle, Cintia\*, Cloe\*,
y Cidalisa.

85      Trocad por rosas azahares,
que suena el son
de aquel *Cantar de los Cantares*
de Salomón\*.

Príapo\* vela en los jardines
que Cipris\* huella;                                    90
Hécate\* hace aullar los mastines;
mas Diana\* es bella,

y apenas envuelta en los velos
de la ilusión,
baja a los bosques de los cielos          95
por Endimión\*.

¡Adolescencia! Amor te dora
con su virtud;
goza del beso de la aurora,
¡oh, juventud!                                          100

¡Desventurado el que ha cogido
tarde la flor!
Y ¡ay de aquel que nunca ha sabido
lo que es amor!

Yo he visto en tierra tropical              105
la sangre arder,
como en un cáliz de cristal
en la mujer,

y en todas partes la que ama
y se consume                                           110
como una flor hecha de llama
y de perfume.

Abrasaos en esa llama
y respirad
ese perfume que embalsama              115
la Humanidad.

Gozad de la carne, ese bien
que hoy nos hechiza,
y después se tornará en
polvo y ceniza.                                         120

Gozad del sol, de la pagana
luz de sus fuegos;
gozad del sol, porque mañana
estaréis ciegos.

Gozad de la dulce armonía               125
que a Apolo invoca;

gozad del canto, porque un día
no tendréis boca.

Gozad de la tierra, que un
bien cierto encierra;
gozad, porque no estáis aún
bajo la tierra.

Apartad el temor que os hiela
y que os restringe;
la paloma de Venus* vuela
sobre la Esfinge*.

Aún vencen muerte, tiempo y hado
las amorosas;
en las tumbas se han encontrado
mirtos y rosas.

Aún Anadiómena* en sus lidias
no da su ayuda;
aún resurge en la obra de Fidias*
Friné* desnuda.

Vive el bíblico Adán robusto,
de sangre humana,
y aún siente nuestra lengua el gusto
de la manzana.

Y hace de este globo viviente
fuerza y acción
la universal y omnipotente
fecundación.

El corazón del cielo late
por la victoria
de este vivir, que es un combate
y es una gloria.

Pues aunque hay pena y nos agravia
el sino adverso,
en nosotros corre la savia
del universo.

Nuestro cráneo guarda el vibrar
de tierra y sol,
como el rüido de la mar
el caracol.

La sal del mar en nuestras venas          165
va a borbotones;
tenemos sangre de sirenas
y de tritones*.

A nosotros encinas, lauros,
frondas espesas;                          170
tenemos carne de centauros
y satiresas*.

En nosotros la Vida vierte
fuerza y calor.
¡Vamos al reino de la Muerte              175
por el camino del Amor!


# A MARGARITA DEBAYLE*

Margarita, está linda la mar,
y el viento
lleva esencia sutil de azahar;
yo siento
en el alma una alondra cantar:            5
tu acento.
Margarita, te voy a contar
un cuento.

Este era un rey que tenía
un palacio de diamantes,                  10
una tienda hecha del día
y un rebaño de elefantes.

Un quiosco de malaquita,
un gran manto de tisú,
y una gentil princesita,                  15
tan bonita,
Margarita,
tan bonita como tú.

Una tarde la princesa
vio una estrella aparecer;                20
la princesa era traviesa
y la quiso ir a coger.

La quería para hacerla
decorar un prendedor,
con un verso y una perla,
una pluma y una flor.

Las princesas primorosas
se parecen mucho a ti.
Cortan lirios, cortan rosas,
cortan astros. Son así.

Pues se fue la niña bella,
bajo el cielo y sobre el mar,
a cortar la blanca estrella
que la hacía suspirar.

Y siguió camino arriba,
por la luna y más allá;
mas lo malo es que ella iba
sin permiso del papá.

Cuando estuvo ya de vuelta
de los parques del Señor,
se miraba toda envuelta
en un dulce resplandor.

Y el rey dijo: « ¿Qué te has hecho?
Te he buscado y no te hallé;
y ¿qué tienes en el pecho
que encendido se te ve? »

La princesa no mentía.
Y así, dijo la verdad:
« Fui a cortar la estrella mía
a la azul inmensidad. »

Y el rey clama: « ¿No te he dicho
que el azul no hay que tocar?
¡Qué locura! ¡Qué capricho!
El Señor se va a enojar. »

Y dice ella: « No hubo intento;
yo me fui, no sé por qué,
por las olas y en el viento
fui a la estrella y la corté. »

Y el papá dice enojado:
« Un castigo has de tener:

vuelve al cielo, y lo robado
vas ahora a devolver. »

La princesa se entristece
por su dulce flor de luz,
cuando entonces aparece                              65
sonrïendo el Buen Jesús.

Y así dice: « En mis campiñas
esa rosa le ofrecí:
son mis flores de las niñas
que al soñar piensan en Mí. »                        70

Viste el rey ropas brillantes,
y luego hace desfilar
cuatrocientos elefantes
a la orilla de la mar.

La princesita está bella,                            75
pues ya tiene el prendedor
en que lucen, con la estrella,
verso, perla, pluma y flor.

Margarita, está linda la mar,
y el viento                                          80
lleva esencia sutil de azahar:
tu aliento.

Ya que lejos de mí vas a estar,
guarda, niña, un gentil pensamiento
al que un día te quiso contar                        85
un cuento.

# RICARDO JAIMES FREYRE

1868–1933

LAS EXIGENCIAS que le impusieron las diversas actividades a que se dedicó este poeta boliviano explican su reducida obra en versos. Las labores docentes y diplomáticas que absorbieron buena parte de la vida de Jaimes Freyre no menoscabaron, sin embargo, la calidad de los estudios históricos que hizo ni la de los versos que cultivó.

Con admirable sinceridad procuró introducir innovaciones métricas que llegó a sistematizar teóricamente y a poner en práctica en sus propias realizaciones poéticas. Su fidelidad a este afán de renovación formal, desde luego, le coloca en un sitio destacado del movimiento modernista.

Otro rasgo distintivo de la producción de este escritor es la vigorosa fantasía que posee para crear un mundo poético novedoso y sugerente. Su predilección no queda circunscrita a los asuntos mitológicos corrientes sino que penetra en los extraños contenidos de los fabulosos relatos nórdicos. La temática de Jaimes Freyre se aleja casi por completo de las preocupaciones que origina el contacto con los prosaísmos de la vida cotidiana. Busca, por otra parte, el esparcimiento siempre anhelado por el espíritu en tierras lejanas y en seres imaginarios, bárbaros pero grandes, tétricos en su fisonomía pero reveladores de otra realidad—por contraste—más consoladora.

En la elaboración de las vistosas y esmeradas formas que compuso este autor y en las fantasías ambientales creadas por su fina sensibilidad y sólida cultura literaria se ve cristalizada una de las facetas más brillantes de la poesía de la época.

OBRAS PRINCIPALES DEL AUTOR

*Castalia bárbara.* Buenos Aires, 1899.
*Leyes de la versificación castellana.* Buenos Aires, 1912.
*Los sueños son vida.* Buenos Aires, 1917.
*Poesías completas.* Compilación y prólogo por Eduardo Joubín Colombres. Buenos Aires, 1944.

ESTUDIOS

BARREDA, E. M. « Un maestro del simbolismo: Ricardo Jaimes Freyre », *Nosotros* (Buenos Aires), No. 287 (1933), págs. 285-290.
CARILLA, E. « Ricardo Jaimes Freyre y sus estudios sobre versificación », *Revista de Educación* (La Plata, Argentina), No. 8 (1956), págs. 418-424.
CARILLA, E. *Ricardo Jaimes Freyre.* Buenos Aires: Ministerio de Educación y Justicia, 1962.
CERRUTO, O. « Perduración de Ricardo Jaimes Freyre » en *Poesías completas.* Buenos Aires: Claridad, 1944.
DIEZ DE MEDINA, F. *Literatura boliviana.* Madrid: Aguilar, 1954.
DIEZ DE MEDINA, F. *El velero matinal.* La Paz, Editorial « América », 1935.
FINOT, E. *Historia de la literatura boliviana.* México: Porrúa, 1943.
GUZMÁN, A. « Ricardo Jaimes Freyre » en *Diccionario de la literatura latinoamericana—Bolivia.* Washington, D. C.: Unión Panamericana, 1958.
JAIMES FREYRE, R. *Anecdotario de Ricardo Jaimes Freyre.* Potosí: Editorial Potosí, 1953.
JOUBÍN COLOMBRES, E. « Estudio preliminar sobre la personalidad y la obra del autor » en *Poesías completas.* Buenos Aires: Claridad, 1944.
LUGONES, L. « Prólogo » en *Castalia bárbara—País de sueño—País de sombra.* La Paz: Editorial « Los Andes »—González y Medina, 1918 y en *Castalia bárbara y otros poemas,* México; 1920.
MONGUIÓ, L. « Recordatorio de Ricardo Jaimes Freyre », *Revista Iberoamericana* (México), No. 15 (1944), págs. 121-133.
OTERO, G. A. *Figuras de la cultura boliviana.* Quito: Casa de la Cultura Ecuatoriana, 1952.
TERÁN, J. B. « Ricardo Jaimes Freyre », *Nosotros* (Buenos Aires), No. 287 (1933), págs. 280-284.
TORRES-RIOSECO, A. *Ensayos de literatura latinoamericana.* Primera serie. México: Fondo de Cultura Económica, 1953.
VILLARROEL CLAURE, R. *Elogio de la crítica y otros ensayos.* La Paz: Editorial Sport, 1937.

## PEREGRINA PALOMA IMAGINARIA

Peregrina paloma imaginaria
que enardeces los últimos amores;
alma de luz, de música y de flores,
peregrina paloma imaginaria.

Vuela sobre la roca solitaria                    5
que baña el mar glacial de los dolores;
haya, a tu paso, un haz de resplandores
sobre la adusta roca solitaria.

Vuela sobre la roca solitaria,
peregrina paloma, ala de nieve                   10
como divina hostia, ala tan leve

como un copo de nieve; ala divina,
copo de nieve, lirio, hostia, neblina,
peregrina paloma imaginaria.


## EL CANTO DEL MAL

Canta Lok* en la oscura región desolada,
y hay vapores de sangre en el canto de Lok.
El Pastor apacienta su enorme rebaño de hielo,
que obedece,—gigantes que tiemblan,—la voz del Pastor.
Canta Lok a los vientos helados que pasan,        5
y hay vapores de sangre en el canto de Lok.

Densa bruma se cierne. Las olas se rompen
en las rocas abruptas, con sordo fragor.
En su dorso sombrío se mece la barca salvaje
del guerrero de rojos cabellos, huraño y feroz.   10

Canta Lok a las olas rugientes que pasan,
y hay vapores de sangre en el canto de Lok.

Cuando el himno del hierro se eleva al espacio
y a sus ecos responde siniestro clamor,
y en el foso, sagrado y profundo, la víctima busca,
con sus rígidos brazos tendidos, la sombra de Dios,
canta Lok a la pálida Muerte que pasa
y hay vapores de sangre en el canto de Lok.

<sub>15</sub>

## LOS HÉROES

Por sanguinario ardor estremecido,
hundiendo en su corcel el acicate,
lanza el Bárbaro en medio del combate
su pavoroso y lúgubre alarido.

Semidesnudo, sudoroso, herido,
de intenso gozo su cerebro late,
y con su escudo al enemigo abate,
ya del espanto y del dolor vencido.

Surge de pronto claridad extraña,
y el horizonte tenebroso baña
un mar de fuego de purpúreas ondas,

y se destacan entre lampos rojos,
los anchos pechos, los sangrientos ojos
y las hirsutas cabelleras blondas.

## LOS ELFOS*

Envuelta en sangre y polvo la jabalina,
en el tronco clavada de añosa encina,
a los vientos que pasan cede y se inclina,
envuelta en sangre y polvo la jabalina.

Los Elfos de la oscura selva vecina
buscan la venerable, sagrada encina.

Y juegan. Y a su peso cede y se inclina
envuelta en sangre y polvo la jabalina.

Con murmullos y gritos y carcajadas,
llena la alegre tropa las enramadas;                    10
y hay rumores de flores y hojas holladas,
y murmullos y gritos y carcajadas.

Se ocultan en los árboles sombras calladas,
en un rayo de luna pasan las hadas:
llena la alegre tropa las enramadas                     15
y hay rumores de flores y hojas holladas.

En las aguas tranquilas de la laguna,
más que en el vasto cielo, brilla la luna;
allí duermen los albos cisnes de Iduna*,
en la margen tranquila de la laguna.                    20

Cesa ya la fantástica ronda importuna,
su lumbre melancólica vierte la luna,
y los Elfos se acercan a la laguna
y a los albos, dormidos cisnes de Iduna.

Se agrupan silenciosos en el sendero,                   25
lanza la jabalina brazo certero;
de los dormidos cisnes hiere al primero,
y los Elfos lo espían desde el sendero.

Para oír el divino canto postrero
blandieron el venablo del caballero,                    30
y escuchan, agrupados en el sendero,
el moribundo, alado canto postrero.

## LA NOCHE

Agitadas por el viento se mecen las negras ramas;
el tronco, lleno de grietas, al rudo empuje vacila,
y entre el musgo donde vagan los rumores de la noche
rompen la tierra y se asoman las raíces de la encina.

Van las nubes por el cielo. Son Endriagos* y Quimeras*   5
y enigmáticas Esfinges* de la fiebre compañeras,

y Unicornios* espantables y Dragones, que persigue
la compacta muchedumbre de las venenosas Hidras*;
y sus miembros desgarrados en las luchas silenciosas
10 ocultan con velo denso la faz de la luna lívida.

Saltan sombras de las grietas del viejo tronco desnudo,
y hacia la selva en fantástica carrera se precipitan,
sobre el musgo donde vagan los rumores de la noche
y amenazantes se yerguen las raíces de la encina.

15 Extraños seres que visten singulares vestiduras,
y abandonan sus heladas, misteriosas sepulturas,
en el sueño pavoroso de una noche que no acaba ...
Mientras luchan en el cielo los Dragones y las Hidras,
y sus miembros desgarrados en los choques silenciosos,
20 ocultan con velo denso la faz de la luna lívida.


# EL ALBA

Las auroras pálidas,
que nacen entre penumbras misteriosas,
y enredados en las orlas de sus mantos
llevan jirones de sombra,
5 iluminan las montañas,
las crestas de las montañas rojas;
bañan las torres erguidas,
que saludan su aparición silenciosa,
con la voz de sus campanas
10 soñolienta y ronca;
ríen en las calles
dormidas de la ciudad populosa,
y se esparcen en los campos
donde el invierno respeta las amarillentas hojas.
15 Tienen perfumes de Oriente
las auroras;
los recogieron al paso, de las florestas ocultas
de una extraña Flora.

Tienen ritmos
y músicas armoniosas,                                                    20
porque oyeron los gorjeos y los trinos de las aves
exóticas.

   Su luz fría,
que conserva los jirones de la sombra,
enredóse, vacilante, de los lotos                                        25
en las anchas hojas.
Chispeó en las aguas dormidas,
las aguas del viejo Ganges*, dormidas y silenciosas;
y las tribus de los árabes desiertos,
saludaron con plegarias a las pálidas auroras.                           30
Los rostros de los errantes beduínos
se bañaron con arenas* ardorosas,
y murmuraron las suras del Profeta
voces roncas.

   Tendieron las suaves alas                                             35
sobre los mares de Jonia*,
y vieron surgir a Venus*
de las suspirantes olas.
En las cimas,
donde las tinieblas eternas sobre las nieves se posan     40
vieron monstruos espantables
entre las rocas,
y las crines de los búfalos que huían
por la selva tenebrosa.
Reflejaron en la espada                                                  45
simbólica,
que a la sombra de una encina
yacía olvidada y polvorosa.

   Hay ensueños,
hay ensueños en las pálidas auroras ...                                  50
Hay ensueños,
que se envuelven en sus jirones de sombra ...
Sorprenden los amorosos
secretos de las nupciales alcobas,
y ponen pálidos tintes en los labios                                     55
donde el beso dejó huellas voluptuosas ...

Y el Sol eleva su disco fulgurante
sobre la tierra, los aires y las suspirantes olas.


## AETERNUM VALE*

Un Dios misterioso y extraño visita la selva,
Es un Dios silencioso que tiene los brazos abiertos.
Cuando la hija de Thor* espoleaba su negro caballo,
le vio erguirse, de pronto, a la sombra de un añoso fresno*.
5    Y sintió que se helaba su sangre
ante el Dios silencioso que tiene los brazos abiertos.

De la fuente de Imer*, en los bordes sagrados, más tarde,
la Noche* a los Dioses absortos reveló el secreto;
el Aguila* negra y los Cuervos de Odín* escuchaban,
10    y los Cisnes* que esperan la hora del canto postrero;
y a los Dioses mordía el espanto
de ese Dios silencioso que tiene los brazos abiertos.

En la selva agitada se oían extrañas salmodias;
mecía la encina y el sauce quejumbroso viento;
15    el bisonte y el alce rompían las ramas espesas,
y a través de las ramas espesas huían mugiendo.
En la lengua sagrada de Orga*
despertaban del canto divino los divinos versos.

Thor, el rudo, terrible guerrero que blande la maza,
20    —en sus manos es arma la negra montaña de hierro,—
va a aplastar, en la selva, a la sombra del árbol sagrado,
a ese Dios silencioso que tiene los brazos abiertos.
Y los dioses contemplan la maza rugiente,
que gira en los aires y nubla la lumbre del cielo.

25    Ya en la selva sagrada no se oyen las viejas salmodias,
ni la voz amorosa de Freya* cantando a lo lejos;
agonizan los Dioses que pueblan la selva sagrada,
y en la lengua de Orga se extinguen los divinos versos.

Solo, erguido a la sombra de un árbol,
30    hay un Dios silencioso que tiene los brazos abiertos.

# MEDIODÍA

En ese bosquecillo, bajo la umbría
que forman los bambúes y las palmeras,
hablaremos, si os place señora mía,
de vuestras ilusiones y mis quimeras.

Mirad cómo los gajos de las magnolias          5
agitan dulcemente las brisas cálidas,
y a su soplo de fuego las centifolias*
pliegan, estremecidas, sus hojas pálidas.

Erguidas y soberbias sobre las ramas
fingen las amapolas rojos trofeos,           10
y tras de las espinas, alzan sus llamas
las rosas, encendidas como deseos.

Las albas azucenas doblan la frente,
como suaves y blandas reinas cautivas;
ondulan en sus tallos, pausadamente,        15
amarillas y tristes, las siemprevivas.

Se abre la azul hortensia sobre la grama,
y blanqueando los muros de los jardines,
en profusión alegre se desparrama
la nevada olorosa de los jazmines.          20

Semejan las orquídeas lluvia de estrellas
sobre los viejos troncos indiferentes;
las camelias se yerguen, frías y bellas,
detrás de los helechos arborescentes.

Juegan alegremente risas y amores           25
sobre el plinto que enlaza la verde yedra;
alza el busto soberbio bajo las flores,
una Venus* que adornan flores de piedra.

El sol de mediodía con sus reflejos
dora la faz de Juno*, severa y pura,        30
y Diana*, pensativa, mira a lo lejos,
el temblor de las hojas en la espesura.

Bajo la marquesina de la glorieta
tiende un cisne las alas de seda y nieve,
35     y busca, sobre el césped, su vista inquieta,
la huella fugitiva de un paso leve.

Junto a la clara fuente que el sol alegra,
chispeando en las aguas sus rayos rojos,
traza, en rápido vuelo, su sombra negra
40     un ave, perseguida por vuestros ojos.

Hay perfumes y cantos, luz y alegría
en el seno de todas las primaveras ...
No llevemos la nieve, señora mía,
de ilusiones perdidas y de quimeras.

## HOC SIGNUM

Secos sus ojos turbios el villano,
y con paso medroso y vacilante,
fue a postrarse ante un Cristo agonizante,
símbolo eterno del tormento humano.

5     —¡Piedad, Señor!—Su labio palpitante
por decir su dolor pugnaba en vano;
y extendió el Cristo su llagada mano
y brilló la piedad en el semblante.

—¡Señor, venganza!—En la profunda herida
10     abierta en un costado, una encendida
gota de sangre apareció ... El villano

sonrió entre las sombras ... En sus ojos
había extraños resplandores rojos
y una ancha daga en su crispada mano.

## LUSTRAL*

Llamé una vez a la visión
         y vino.

Y era pálida y triste, y sus pupilas
ardían como hogueras de martirios.
Y era su boca como un ave negra                    5
de negras alas.
            En sus largos rizos
había espinas. En su frente arrugas.
Tiritaba.
            Y me dijo:                             10
—¿Me amas aún?

            Sobre sus negros labios
posé los labios míos;
en sus ojos de fuego hundí mis ojos
y acaricié la zarza de sus rizos.                  15
Y uní mi pecho al suyo, y en su frente
apoyé mi cabeza.
            Y sentí el frío
que me llegaba al corazón. Y el fuego
en los ojos.,                                      20
            Entonces
se emblanqueció mi vida como un lirio.


## LAS VOCES TRISTES

Por las blancas estepas
se desliza el trineo;
los lejanos aullidos de los lobos
se unen al jadeante resoplar de los perros.

Nieva.                                              5
Parece que el espacio se envolviera en un velo,
tachonado de lirios
por las alas del cierzo.

El infinito blanco ...
sobre el vasto desierto                            10
flota una vaga sensación de angustia,
de supremo abandono, de profundo y sombrío desaliento.

Un pino solitario
dibújase a lo lejos,

en un fondo de brumas y de nieve,
como un largo esqueleto.

Entre los dos sudarios
de la tierra y el cielo,
avanza en el naciente,
el helado crepúsculo de invierno ...


## SIEMPRE

¡Tú no sabes cuánto sufro! ¡Tú, que has puesto más tinieblas
en mi noche, y amargura más profunda en mi dolor!
Tú has dejado, como el hierro que se deja en una herida,
en mi oído la caricia dolorosa de tu voz.

5 Palpitante como un beso; voluptuosa como un beso;
voz que halaga y que se queja; voz de ensueño y de dolor ...
Como sigue el ritmo oculto de los astros el oceano,
mi ser todo sigue el ritmo misterioso de tu voz.

¡Oh, me llamas y me hieres! Voy a ti como un sonámbulo,
10 con los brazos extendidos en la sombra y el dolor ...
Tú no sabes cuánto sufro; cómo aumenta mi martirio
temblorosa y desolada, la caricia de tu voz.

¡Oh, el olvido! ¡El fondo oscuro de la noche del olvido,
donde guardan los cipreses el sepulcro del Dolor!
15 Yo he buscado el fondo oscuro de la noche del olvido,
y la noche se poblaba con los ecos de tu voz.


## LAS CHARCAS

El golpe centelleante del castellano acero
extinguió en la cruz blanca su resplandor mortal,
y como un nido de águilas alzó el aventurero
la ciudad del reposo, hidalga y conventual.

5 La vio desde las cumbres el indio torvo y fiero;
vio su altar y su toga, su espada y su puñal,

y acaso, entre las sombras, el fulgurar postrero
del astro que alumbraba la fortuna imperial.

No dio la raza mártir su cuello a la cuchilla;
mil veces escucharon las huestes de Castilla                    10
el silbar de sus flechas y el rugir de su voz.

Y turbaron sus sueños en las noches de plata
el semblante de bronce, la diadema escarlata,
la mirada terrible y el ademán feroz.

## LO FUGAZ

La rosa temblorosa
se desprendió del tallo,
y la arrastró la brisa
sobre las aguas turbias del pantano.

Una onda fugitiva                                               5
le abrió su seno amargo,
y estrechando a la rosa temblorosa
la deshizo en sus brazos.

Flotaron sobre el agua
las hojas como miembros mutilados,                             10
y confundidas con el lodo negro,
negras, aun más que el lodo, se tornaron.

Pero en las noches puras y serenas
se sentía vagar en el espacio
un leve olor de rosa                                           15
sobre las aguas turbias del pantano.

## ENTRE LA FRONDA

Junto a la clara linfa, bajo la luz radiosa
del sol, como un prodigio de viviente escultura,
nieve y rosa su cuerpo, su rostro nieve y rosa
y sobre rosa y nieve su cabellera oscura.

No altera una sonrisa su majestad de diosa,
ni la mancha el deseo con su mirada impura;
en el lago profundo de sus ojos reposa
su espíritu que aguarda la dicha y la amargura.

¡Sueño del mármol! Sueño del arte excelso, digno
de Escopas* o de Fidias*, que sorprende en un signo,
una actitud, un gesto, la suprema hermosura.

Y la ve destacarse, soberbia y armoniosa,
junto a la clara linfa, bajo la luz radiosa
del sol, como un prodigio de viviente escultura.


## TIEMPOS IDOS

¿Por qué, cuando en ti pienso, mi fantasía
evoca los hechizos de aquellas fiestas
en que al amor llevaba la poesía
entre los dulces sones de las orquestas?

Yo te he visto en los lienzos encantadores
donde se inmortalizan fiestas mundanas;
en un parque poblado de aves y flores
de Venus* y de Junos* y de Dianas*.

Cuando hablaban las brisas entre las frondas
no sé qué de alegrías y de placeres,
irisando las quietas, azules ondas...
tal vez en el *Embarque para Citeres*...

En un banco de césped, bajo la umbría,
murmuraba un poeta sus epigramas,
y tu encendida boca se sonreía
y reían los pájaros entre las ramas.

Tu admirable belleza dominadora
encanto de los regios zagales fuera,
porque tras de tus pasos nace la Aurora
y brota en torno tuyo la Primavera.

# AMADO NERVO

1870–1919

COMO FÁCILMENTE puede observarse, las numerosas obras que dejó este popular poeta mexicano no se limitan a seguir las orientaciones modernistas de su tiempo. Las preocupaciones y menesteres que llenaron la vida de Nervo con frecuencia se reflejan en su variada producción por el inconfundible timbre que poseen. Predomina la nota de íntima sinceridad, expresada con personal sencillez, tanto en los momentos en que se siente asediado por las muchas facetas del amor, como en medio de la duda religiosa proveniente de extrañas oscilaciones espirituales.

No se esmeró Amado Nervo por deslumbrar con insistentes exterioridades formales, si bien éstas no le fueron del todo ajenas. El propósito de sus versos más bien se traduce en un anhelo constante de expresar las inquietudes y zozobras que consumen al ser, precisamente porque es humano, hasta conducirlo a la serena resignación y la tranquilidad final del espíritu, sea en la vida o en la muerte.

Contados son los poemas en que este poeta se aparta de la trayectoria que le trazan los asaltos a su sensibilidad, siempre estremecida ante los múltiples estímulos y espinas de la existencia.

La general aceptación alcanzada por Nervo descansa en la permanente conmoción interna que bulle en su alma y se refleja con obvias gradaciones hasta resolverse, a la larga, por vías y fórmulas que surgen con natural facilidad. Si este escritor no resiste a veces la severidad de los críticos o los embates del tiempo, en numerosas ocasiones se gana por entero al lector medio que busca algún especial estado de ánimo a modo de refugio y estrecha compañía.

OBRAS PRINCIPALES DEL AUTOR

*Perlas negras*. México, 1898.
*El éxodo y Las flores del camino*. México, 1902.
*Los jardines interiores*. México, 1905.
*En voz baja*. París, 1909.
*Serenidad*. Madrid, 1914.
*Elevación*. Madrid, 1914.
*Plenitud*. Madrid, 1918.
*El estanque de los lotos*. Buenos Aires, 1919.
*El arquero divino*. Buenos Aires, 1919.
*La amada inmóvil*. Buenos Aires, 1920.
*Obras completas*. Edición, estudios y notas de Francisco González Guerrero y Alfonso Méndez Plancarte. Tomos I y II. Madrid, 1955–1956.


ESTUDIOS

COESTER, A. *Amado Nervo y su obra*. Montevideo: Claudio García, 1922.
ESTRADA, G. *Bibliografía de Amado Nervo*. México: Secretaría de Relaciones Exteriores, 1925.
JIMÉNEZ, G. *Amado Nervo y la crítica literaria*. México: Botas, 1919.
LEAL, L. «La poesía de Amado Nervo: a cuarenta años de distancia», *Hispania* (U.S.A.), XLIII (1960), págs. 43–47.
MELÉNDEZ, CONCHA. *Amado Nervo*. New York: Instituto de las Españas, 1926.
MONTERDE, F. *Amado Nervo*. México, 1933.
MORGAN, P. «Amado Nervo, su vida y su obra», *Atenea* (Concepción, Chile), No. 359 (1955), págs. 196–225.
ORTIZ DE MONTELLANO, B. *Figura, amor y muerte de Amado Nervo*. México: Xochitl, 1943.
ORY, E. DE. *Amado Nervo, estudio crítico*. Cádiz: España y América, 1917?.
QUIJANO, A. *Amado Nervo, el hombre*. México: Antigua Imprenta de Murguia, 1919.
REYES, A. *Tránsito de Amado Nervo*. Santiago de Chile: Ercilla, 1937.
ROSALES, H. *Amado Nervo, la Peralta y Rosas*. México: Herrero Hermanos, 1926.
TÍNDARO, J. C. *Amado Nervo, acotaciones a su vida y obra*. Buenos Aires: Establecimiento Gráfico Oceana, 1919.

TORRE RUIZ, A. *La poesía de Amado Nervo*. Valladolid: Talleres Tipográficos Cuesta, 1924?.

UGARTE, M. *Escritores iberoamericanos de 1900*. Santiago de Chile: Orbe, 1943.

WELLMAN, E. T. *Amado Nervo—Mexico's Religious Poet*. New York: Instituto de las Españas, 1936.

# BELLAS MUJERES DE ARDIENTES OJOS

Bellas mujeres de ardientes ojos
de vivos labios, de tez rosada,
¡os aborrezco! ¡vuestros encantos
ni me seducen ni me arrebatan!

A mí me gustan las niñas tristes,                    5
a mí me gustan las niñas pálidas,
las de apacibles ojos oscuros
donde perenne misterio irradia,
las de miradas que me acarician
bajo el alero de las pestañas ...                    10

Más que las rosas amo los lirios
y las gardenias inmaculadas,
más que claveles de sangre y fuego
la sensitiva* mi vista encanta ...

Bellas mujeres de ardientes ojos,                    15
de vivos labios, de tez rosada,
pasad en ronda vertiginosa,
vuestros encantos no me arrebatan ...


# A FELIPE II*

Ignoro qué corriente de ascetismo,
qué relación, qué afinidad impura
enlazó tu tristura y mi tristura
y adunó tu idealismo y mi idealismo;

mas sé por intuición que un astro mismo              5
ha presidido nuestra noche oscura

y que en mí como en ti libra la altura
un combate fatal con el abismo.

    ¡Oh rey, eres mi rey! Hosco y sañudo
también soy; en un mar de arcano duelo
mi luminoso espíritu se pierde,

    y escondo como tú, soberbio y mudo,
bajo el negro jubón de terciopelo
el cáncer implacable que me muerde.


## A KEMPIS*


    Ha muchos años que busco el yermo,
ha muchos años que vivo triste,
ha muchos años que estoy enfermo,
¡y es por el libro que tú escribiste!

    ¡Oh Kempis! antes de leerte, amaba
la luz, las vegas, el mar Oceano:
mas tú dijiste que todo acaba,
¡que todo muere, que todo es vano!

    Antes, llevado de mis antojos,
besé los labios que al beso invitan,
las rubias trenzas, los grandes ojos,
¡sin acordarme que se marchitan!

    Mas como afirman doctores graves
que tú, maestro, citas y nombras
que el hombre pasa *como las naves,
como las nubes, como las sombras* ...

    huyo de todo terreno lazo,
ningún cariño mi mente alegra
y con tu libro bajo del brazo
voy recorriendo la noche negra ...

    ¡Oh Kempis, Kempis, asceta yermo,
pálido asceta, qué mal me hiciste!

Ha muchos años que estoy enfermo
¡y es por el libro que tú escribiste!

# EL VAPOR

El vapor es el alma del agua, hermano mío,
así como sonrisa del agua es el rocío,
y el lago sus miradas y su pensar la fuente;
sus lágrimas, la lluvia; su impaciencia, el torrente
y los ríos, sus brazos; su cuerpo, la llanada                5
sin coto de los mares, y las olas, sus senos;
su frente, las neveras de los montes serenos,
y sus cabellos de oro líquido, la cascada.

Yo soy alma del agua, y el alma siempre sube:
las transfiguraciones de esa alma son la nube,              10
su Tabor* es la tarde real que la empurpura:
como el agua fue buena, su Dios la transfigura...
Y ya es el albo copo que en el azul rïela,
ya la zona de fuego, que parece una estela,
ya el divino castillo de nácar, ya el plumaje              15
de un pavo hecho de piedras preciosas, ya el encaje
de un abanico inmenso, ya el cráter que fulgura...
Como el agua fue buena, su Dios la transfigura...

—¡Dios! Dios siempre en tus labios está como en un templo;
Dios, siempre Dios... ¡en cambio, yo nunca le contemplo!   20
¿Por qué si Dios existe no deja ver sus huellas,
por qué taimadamente se esconde a nuestro anhelo,
por qué no se halla escrito su nombre con estrellas
en medio del esmalte magnífico del cielo?

—Poeta, es que lo buscas con la ensoberbecida              25
ciencia, que exige pruebas y cifras al Abismo...
Asómate a las fuentes oscuras de tu vida,
y allí verás su rostro: tu Dios está en ti mismo.
Busca el silencio y ora: tu Dios execra el grito;

busca la sombra y oye; tu Dios habla en lo arcano;
depón tu gran penacho de orgullo y de delito...
—Ya está.
　　　—¿Qué ves ahora?
　　　　　　　—La faz del Infinito.
　—¿Y eres feliz?
　　　　　　—¡Loemos a Dios, Vapor hermano!

## HOMENAJE A RUBÉN DARÍO

Ha muerto Rubén Darío:
¡el de las piedras preciosas!

Hermano, ¡cuántas noches tu espíritu y el mío,
unidos para el vuelo cual dos alas ansiosas,
5　sondar quisieron ávidos el Enigma sombrío,
más allá de los astros y de las nebulosas!

Ha muerto Rubén Darío:
¡el de las piedras preciosas!

¡Cuántos años intensos junto al Sena* vivimos,
10　engarzando en el oro de un común ideal
los versos juveniles que, a veces, brotar vimos,
como brotan dos rosas a un tiempo, en un rosal!

Hoy, ya tu vida, inquieta cual torrente bravío,
en el Piélago arcano desembocó; ya posas
15　las plantas errabundas en el islote frío
que pintó Böcklin*... ¡ya sabes todas las cosas!

Ha muerto Rubén Darío:
¡el de las piedras preciosas!

Mis ondas, rezagadas van de las tuyas; pero
20　pronto, en ese insondable y eterno mar del Todo,
se saciará mi espíritu de lo que saber quiero;
del Cómo y del Porqué, de la Esencia y del Modo.

Y tú, cual en Lutecia* las tardes misteriosas
en que pensamos juntos, a la margen del río
25　lírico, habrás de guiarme... ¡Yo iré donde tú osas,

para robar entrambos al musical vacío
y al coro de los orbes sus claves portentosas!

Ha muerto Rubén Darío:
¡el de las piedras preciosas!

## VIEJO ESTRIBILLO

¿Quién es esa sirena de la voz tan doliente,
de las carnes tan blancas, de la trenza tan bruna?
—Es un rayo de luna que se baña en la fuente,
    es un rayo de luna ...

¿Quién gritando mi nombre la morada recorre?       5
¿Quién me llama en las noches con tan trémulo acento?
—Es un soplo de viento que solloza en la torre,
    es un soplo de viento ...

¿Di, quién eres, arcángel, cuyas alas se abrasan
en el fuego divino de la tarde, y que subes      10
por la gloria del éter?
      —Son las nubes que pasan;
    mira bien, son las nubes ...

¿Quién regó sus collares en el agua, Dios mío?
Lluvia son de diamantes en azul terciopelo.      15
—Es la imagen del cielo que palpita en el río,
    es la imagen del cielo ...

—¡Oh Señor! La belleza sólo es, pues, espejismo.
Nada más ... Tú eres cierto, sé Tú mi último Dueño.
¿Dónde hallarte, en el éter, en la tierra, en mí mismo?      20
—Un poquito de ensueño te guiará en cada abismo,
    un poquito de ensueño ...

## UNA FLOR DEL CAMINO

La muerta resucita cuando a tu amor me asomo;
la encuentro en tus miradas inmensas y tranquilas

y en toda tú ... Sois ambas tan parecidas como
tu rostro, que dos veces se copia en mis pupilas.

5    Es cierto: aquélla amaba la noche radiosa,
y tú siempre en las albas tu ensueño complaciste.
(Por eso era más lirio, por eso eres más rosa.)
Es cierto, aquélla hablaba: tú vives silenciosa.
Y aquélla era más pálida; pero tú eres más triste.


# DIAFANIDAD

Yo soy un alma pensativa. ¿Sabes
lo que es un alma pensativa? —Triste,
pero con esa fría
melancolía
5    de las süaves
diafanidades. Todo lo que existe,
cuando es diáfano, es sereno y triste.
—¡Sabino* peregrino
que contempla en las vivas
10    transparencias del agua vocinglera
todas las fugitivas
metamorfosis de su cabellera,
peregrino sabino!
—Nube gemela de su imagen, nube
15    que navega en las fuentes y que en el cielo sube.
Dios en hondo mutismo,
viéndose en el espejo de sí mismo.

La vida toca
como una loca
20    transnochadora:
« ¡Abridme, es hora! »
« Desplegad los oídos rimadores,
a todos los rüidos exteriores. »
« Despliega tus oídos
25    a todos los rüidos. »
Mi alma no escucha, duermen mis sentidos.

Mi espíritu y mi oreja están dormidos.
—El pecado del río es su corriente;
la quietud, alma mía,
es la sabiduría                                          30
de la fuente.
Los astros tienen miedo
de naufragar en el perenne enredo
del agua, que se riza en espirales;
cuando el agua está en éxtasis, bajan a sus cristales.   35

   Conciencia,
sé clara;
pero con esa rara
inconsistencia
de toda proyección en un espejo,                         40
devuelve a la importuna
vida, sólo un reflejo
de su paso furtivo ante tu luna.
Alma, tórnate onda
para que cada flor y cada fronda                         45
copien en ti su fugitiva huella;
para que cada estrella
y cada nube hirsuta
se equivoquen de ruta,
y en tu claro caudal encuentren una                     50
prolongación divina de su abismo:
que así, merced a singular fortuna,
el infinito y tú seréis lo mismo.


# EN BOHEMIA*

—Gitana, flor de Praga*, diez kreutzers* si me besas.
En tanto que a tu osezno fatiga el tamboril,
que esgrimen los kangiares* las manos juglaresas
y lloran guzla* y flauta, tus labios dame, fresas
          de abril.                                    5

   Apéate del asno gentil que encascabelas:
los niños atezados que tocan churumbelas,

harán al beso coro con risas de cristal.
Por Dios, deja tu rueca de cobre y a mi apremio,
responde. Si nos mira tu zíngaro* bohemio,
no temas: ¡en Dalmacia* forjaron mi puñal!

10

## MI VERSO

Querría que mi verso, de guijarro,
en gema se trocase y en joyero;
que fuera entre mis manos como el barro
en la mano genial del alfarero.

5

Que lo mismo que el barro, que a los fines
del artífice pliega sus arcillas,
fuese cáliz de amor en los festines
y lámpara de aceite en las capillas;

que, dócil a mi afán, tomase todas
las formas que mi numen ha soñado,
siendo alianza en el rito de las bodas,
pastoral en el índex del prelado;

10

lima noble que un grillo desmorona
o eslabón que remata una cadena,
crucifijo papal que nos perdona
o gran timbre de rey que nos condena;

15

que fingiese a mi antojo, con sus claras
facetas en que tiemblan los destellos,
florones para todas las tïaras
y broches para todos los cabellos;

20

emblemas para todos los amores,
espejos para todos los encantos
y corona de astrales resplandores
para todos los genios y los santos.

Yo trabajo, mi fe no se mitiga,
y, troquelando estrofas con mi sello,
un verso acuñaré del que se diga:

25

Tu verso es como el oro sin la liga:
radiante, dúctil, poliforme y bello.


## EL METRO DE DOCE

El metro de doce son cuatro donceles,
donceles latinos de rítmica tropa,
son cuatro hijosdalgo con cuatro corceles;
el metro de doce galopa, galopa ...

Eximia cuadriga de casco sonoro                      5
que arranca al guijarro sus chispas de oro,
caballos que en crines de seda se arropan
o al viento las tienden como pabellones,
pegasos* fantasmas, los cuatro bridones
galopan, galopan, galopan, galopan ...              10

¡Oh metro potente, doncel soberano
que montas nervioso bridón castellano
cubierto de espumas perladas y blancas,
apura la fiebre del viento en la copa
y luego galopa, galopa, galopa,                     15
llevando el Ensueño prendido a tus ancas!

El metro de doce son cuatro garzones,
garzones latinos de rítmica tropa,
son cuatro hijosdalgo con cuatro bridones,
el metro de doce, galopa, galopa ...                20


## TAN RUBIA ES LA NIÑA

¡Tan rubia es la niña, que
cuando hay sol no se la ve!

Parece que se difunde
en el rayo matinal,

que con la luz se confunde
su silueta de cristal
tinta en rosas y parece
que en la claridad del día
se desvanece
la niña mía.

Si se asoma mi Damiana*
a la ventana y colora
la aurora su tez lozana
de albérchigo y terciopelo,
no se sabe si la aurora
ha salido a la ventana
antes de salir al cielo.

Damiana en el arrebol
de la mañanita se
diluye, y si sale el sol
por rubia ... no se la ve.


# EL RETORNO

Vuelvo, pálida novia, que solías
mi retorno esperar tan de mañana,
con la misma canción que preferías
y la misma ternura de otros días
y el mismo amor de siempre, a tu ventana.

Y elijo para verte, en delicada
complicidad con la naturaleza,
una tarde como ésta, desmayada
en un lecho de lilas e impregnada
de cierta aristocrática tristeza.

Vuelvo a ti con mis dedos enlazados
en actitud de súplica y anhelo,
como siempre, y mis labios, no cansados
de alabarte y mis ojos obstinados
en ver los tuyos a través del cielo.

Recíbeme tranquila, sin encono,
mostrando el dejo suave de una hermana;

murmura un apacible: « Te perdono »,
y déjame dormir con abandono
en tu noble regazo hasta mañana ...                    20


# ¡SILENCIO! ...

Ufanía de mi hombro,
cabecita rubia, nido
de amor, rizado y sedeño:
¡Por Dios, a nadie digas que tanto te nombro,
por Dios, a nadie digas que nunca te olvido,              5
por Dios, a nadie digas que siempre te sueño!


# VIEJA LLAVE

Esta llave cincelada
que en un tiempo fue, colgada,
(del estrado a la cancela,
de la despensa al granero)
del llavero                                                5
de la abuela,
y en continuo repicar
inundaba de rumores
los vetustos corredores;
esta llave cincelada,                                     10
si no cierra ni abre nada
¿para qué la he de guardar?

Ya no existe el gran ropero,
la gran arca se vendió:
sólo en un baúl de cuero                                   15
desprendida del llavero
esta llave se quedó.
Herrumbrosa, orinecida,
como el metal de mi vida,
como el hierro de mi fe,                                   20
como mi querer de acero,

esta llave sin llavero
¡nada es ya de lo que fue!

Me parece un amuleto
sin virtud y sin respeto;
nada abre, no resuena...
¡me parece un alma en pena!

Pobre llave sin fortuna
... y sin dientes, como una
vieja boca, si en mi hogar
ya no cierras ni abres nada,
pobre llave desdentada,
¿para qué te he de guardar?

Sin embargo, tú sabías
de las glorias de otros días;
del mantón de seda fina
que nos trajo de la China
la gallarda, la ligera
española nao fiera.
Tú sabías de tibores
donde pájaros y flores
confundían sus colores;
tú, de lacas, de marfiles
y de perfumes sutiles
de otros tiempos; tu cautela
conservaba la canela,
el cacao, la vainilla,
la süave mantequilla,
los grandes quesos frescales
y la miel de los panales,
tentación de paladar;
mas si hoy, abandonada,
ya no cierras ni abres nada,
pobre llave desdentada,
¿para qué te he de guardar?

Tu torcida arquitectura
es la misma del portal
de mi antigua casa oscura,
(¡que en un día de premura
fue preciso vender mal!)

Es la misma de la ufana
y luminosa ventana
donde Inés, mi prima, y yo
nos dijimos tantas cosas,
en las tardes misteriosas                                    65
del buen tiempo que pasó ...

Me recuerdas mi morada,
me retratas mi solar,
mas si hoy, abandonada,
ya no cierras ni abres nada                                   70
pobre llave desdentada,
¿para qué te he de guardar?


# INMORTALIDAD


No, no fue tan efímera la historia
de nuestro amor: entre los folios tersos
del libro virginal de tu memoria,
como pétalo azul está la gloria
doliente, noble y casta de mis versos.                        5

No puedes olvidarme: te condeno
a un recuerdo tenaz. Mi amor ha sido
lo más alto en tu vida, lo más bueno;
y sólo entre los légamos y el cieno
surge el pálido loto del olvido.                              10

Me verás dondequiera: en el incierto
anochecer, en la alborada rubia;
y cuando hagas labor en el desierto
corredor, mientras tiemblan en tu huerto
los monótonos hilos de la lluvia.                             15

¡Y habrás de recordar! Esa es la herencia
que te da mi dolor, que nada ensalma.
¡Seré cumbre de luz en tu existencia,
y un reproche inefable en tu conciencia
y una estela inmortal dentro de tu alma!                      20

# A LEONOR

Tu cabellera es negra como el ala
del misterio; tan negra como un lóbrego
jamás, como un adiós, como un « ¡quién sabe! »
Pero hay algo más negro aun: ¡tus ojos!

5    Tus ojos son dos magos pensativos,
dos esfinges* que duermen en la sombra,
dos enigmas muy bellos ... Pero hay algo,
pero hay algo más bello aun: ¡tu boca!

   Tu boca, ¡oh, sí!; tu boca, hecha divina—
10    mente para el amor, para la cálida
comunión del amor, tu boca joven;
pero hay algo mejor aun: ¡tu alma!

   Tu alma recogida, silenciosa,
de piedades tan hondas como el piélago,
15    de ternuras tan hondas ...
                 Pero hay algo,
pero hay algo más hondo aun: ¡tu ensueño!


# ¡ESTÁ BIEN!

   Porque contemplo aún albas radiosas
en que tiembla el lucero de Belén*,
y hay rosas, muchas rosas, muchas rosas,
     gracias, ¡está bien!

5    Porque en las tardes, con sutil desmayo,
piadosamente besa el sol mi sien
y aún la transfigura con su rayo,
     gracias, ¡está bien!

   Porque en las noches, una voz me nombra,
10    (¡voz de quien yo me sé!) y hay un edén
escondido en los pliegues de mi sombra,
     gracias, ¡está bien!

Porque hasta el mal en mí es don del cielo,
pues que al mirarme va, con rudo celo,
desmoronando mi pasión también;                         15
porque se acerca ya mi primer vuelo,
gracias, ¡está bien!

## EPITALAMIO

### I

Señor\*, todos los cuentos cuya ingenua fragancia
perfumó los tranquilos senderos de mi infancia,
contaban de las bodas de un rey adolescente,
noble como una espada, como un Abril rïente,
con la bella Princesa de una isla lejana,                 5
cándida y rubia como la luz de la mañana.

Y estampas luminosas mostraban, ya a los dos
recibiendo en el templo la bendición de Dios,
ya, en una perspectiva de ensueño, a los fulgores
del sol, los milagrosos cortejos de colores:             10
Infantas de pureza lilial y ojos azules,
cubiertas de brocados, de joyas y de tules,
Abades, con su adusta comunidad, vestida
de blanco y negro (sombras y luz... ¡como la vida!)
Señores y Embajadas, radiantes de oro y plata,          15
morados Arzobispos o Nuncios escarlata.

Los cuentos terminaban con frases siempre iguales,
siempre de esta manera: «Y hubo fiestas reales;
vinieron muchos príncipes de países extraños,
trayendo cada uno magnífico presente,                    20
y la Princesa rubia y el Rey adolescente
vivieron muy felices y reinaron cien años.»

### II

Señor, Rey de una tierra de clásica hidalguía
en donde, en otros tiempos, el sol no se ponía:
Rey de esta madre Patria que mira como hijos            25
innumerables pueblos, los cuales tienen fijos
hoy en ella sus ojos oscuros, con amor;

descendiente de claros monarcas, oh Señor,
en vos miramos todos los hijos de la Grey
hispana al joven símbolo de la raza. Sois Rey
aún, en cierto modo, de América, como antes:
Rey, mientras que el idioma divino de Cervantes
melifique los labios y cante en las canciones
de diez y ocho Repúblicas y cincuenta millones
de seres; mientras rija las almas y la mano
el ideal austero del honor castellano.

Rey, mientras que las vírgenes de esa América mía
lleven en sus miradas el sol de Andalucía*;
Rey, mientras que una boca, con celeste reclamo,
pronuncie en nuestra lengua sin par un «¡Yo te amo!»
Rey, mientras de unos ojos o de unos labios brote
ya el llanto, ya la risa, leyendo a *Don Quijote*;

Rey, mientras que no olviden al palpitar las olas
el ritmo que mecía las naos españolas;
Rey, mientras haya un héroe que oponga el firme pecho
como un baluarte para defender el derecho;
Rey, como cuando el manto de torres y leones
cobijaba dos mundos como dos corazones;
Rey, en fin, en las vastas mitades del planeta
mientras haya un hidalgo y un santo y un poeta.

### III

Señor, aquesta rima que os trae mi labio ufano,
que siempre se gloría de hablar el Castellano,
es de mi bella patria la ofrenda perfumada,
el lírico homenaje de mi México amada,
de México, sirena que en dos mares se baña
y a quien nuestros abuelos llamaron «Nueva España»,
porque en ella encontraron la imagen de este suelo:
¡la misma tierra ardiente y el mismo azul del cielo!

### IV

Señor, como en los cuentos cuya ingenua fragancia
perfumó los tranquilos senderos de mi infancia,
celebráis vuestras bodas, vos, Rey adolescente,
noble como una espada, como un Abril ríente,
con la bella Princesa de una isla lejana,
cándida y rubia como la luz de la mañana.

¿Qué desear ahora para vuestro contento                65
sino que todo acabe también como en un cuento,
y pueda repetirse con las sacramentales
palabras de los cuentos:

«Y hubo fiestas reales;
vinieron muchos príncipes de países extraños,          70
trayendo cada uno magnífico presente,
y la Princesa Rubia y el Rey adolescente
vivieron muy felices y reinaron cien años?»

## AUTOBIOGRAFÍA

¿Versos autobiográficos? Ahí están mis canciones,
allí están mis poemas: yo, como las naciones,
venturosas y a ejemplo de la mujer honrada,
no tengo historias: nunca me ha sucedido nada,
¡oh, noble amiga ignota!, que pudiera contarte.        5

Allá en mis años mozos, adiviné del Arte
la armonía y el ritmo, caros al Musageta*,
y, pudiendo ser rico, preferí ser poeta.
—¿Y después?
            —He sufrido como todos y he amado.       10
—¿Mucho?
            —Lo suficiente para ser perdonado ...

## SOLIDARIDAD

Alondra, ¡vamos a cantar!
Cascada, ¡vamos a saltar!
Riachuelo, ¡vamos a correr!
Diamante, ¡vamos a brillar!
Aguila, ¡vamos a volar!                                5
Aurora, ¡vamos a nacer!
        ¡A cantar!
        ¡A saltar!
        ¡A correr!
        ¡A brillar!                                    10
        ¡A volar!
        ¡A nacer!

# OPTIMISMO

No sé si es bueno el mundo ... No sé si el mundo es malo;
pero sé que es la forma y expresión de Dios mismo.
Por eso, ya al influjo de azote o de regalo,
nada en el fondo extingue mi tenaz optimismo.

5 Santo es llorar ... y lloro si tengo alguna pena;
santo es reír ... y río si en mi espíritu hay luz;
mas mi frente se comba siempre limpia y serena,
ya brille al sol o ya sude hielo en la cruz.

# LA MONTAÑA

Desde que no persigo las dichas pasajeras,
muriendo van en mi alma temores y ansiedad;
la Vida se me muestra con amplias y severas
perspectivas y siento que estoy en las laderas
5 de la montaña augusta de la Serenidad ...

Comprendo al fin el vasto sentido de las cosas;
sé escuchar en silencio lo que en redor de mí
murmuran piedras, árboles, ondas, auras y rosas ...
Y advierto que me cercan mil formas misteriosas
10 que nunca presentí.

Distingo un santo sello sobre todas las frentes;
un divino *me fecit Deus*, por dondequier,
y noto que me hacen signos inteligentes
las estrellas, arcano de las noches fulgentes
15 y las flores, que ocultan enigmas de mujer.

La Esfinge*, ayer adusta, tiene hoy ojos serenos;
en su boca de piedra florece un sonreír
cordial y hay en la comba potente de sus senos
blanduras de almohada para mis miembros, llenos
20 a veces de la honda laxitud del vivir.

Mis labios, antes pródigos de versos y canciones,
ahora experimentan el deseo de dar

ánimo a quien desmaya, de verter bendiciones,
de ser caudal perenne de aquellas expresiones
que saben consolar ...                                              25

Finé mi humilde siembra; las mieses en las eras
empiezan a dar fruto de amor de caridad;
se cierne un gran sosiego sobre mis sementeras;
mi andar es firme ...
                            Y siento que estoy en las laderas         30
de la montaña augusta de la Serenidad.


# COBARDÍA

Pasó con su madre. ¡Qué rara belleza!
¡Qué rubios cabellos de trigo garzul!
¡Qué ritmo en el paso! ¡Qué innata realeza
de porte! ¡Qué formas bajo el fino tul! ...

Pasó con su madre. Volvió la cabeza:                                 5
¡me clavó muy hondo su mirada azul!
Quedé como en éxtasis ...
                            Con febril premura
—¡Síguela! —gritaron cuerpo y alma al par.

... Pero tuve miedo de amar con locura,                              10
de abrir mis heridas que suelen sangrar,
y, no obstante toda mi sed de ternura,
cerrando los ojos ¡la dejé pasar!


# PÁJARO MILAGROSO*

Pájaro milagroso, colosal ave blanca
que realizas el sueño de las generaciones;
tú que reconquistaste para el ángel caído
las alas que perdiera luchando con los dioses;
pájaro milagroso, colosal ave blanca,                               5
jamás mis ojos, hartos de avizorar el orbe,
se abrieron más que ahora para abarcar tu vuelo,
mojados por el llanto de las consolaciones.

 245

¡Por fin! ¡por fin! clamaba mi espíritu imperioso;
¡por fin! ¡por fin!, decía mi corazón indócil;
¡por fin!, cantaba el ritmo de la sangre en mis venas;
¡por fin tenemos alas los hijos de los hombres!

Padre que ansiabas esto, que moriste sin verlo,
poetas que por siglos soñasteis tales dones,
Icaros* lamentables que despertabais risas,
¡hoy, sobre vuestras tumbas, vuela zumbando, enorme,
el milagroso pájaro de las alas nevadas,
que cristaliza el sueño de las generaciones!
¡Y se abren para verle más aun vuestras cuencas,
y vuestros huesos áridos se coronan de flores!

¡Oh Dios, yo que cansado del trajín triste y frívolo
del mundo, muchas veces ansié la eterna noche,
hoy te digo: más vida, Señor, quiero más vida
para poder cernerme como un águila, sobre
todas las vanidades y todas las bellezas,
proyectando sobre ellas mi vasto vuelo prócer!
¡Ya tenemos de nuevo Pegaso* los poetas!
¡y qué Pegaso, amigos, nos restituye Jove*!

Exaltación divina llene nuestros espíritus,
un *Te Deum laudamus** de nuestros labios brote
y mueran sofocadas por las manos viriles
viejas melancolías, vagas preocupaciones.

¡A vivir! ¡A volar! ¡Borremos las fronteras!
Gobiernos, vanamente queréis hacer un óbice
de lo que es un gran signo de paz entre los pueblos.
¡No mancilléis al pájaro celeste con misiones
de guerra: él las rechaza; nació para el mensaje
cordial y siembra besos de paz entre los hombres!

## LA PREGUNTA

Y ¿qué quieres ser tú?—dijo el Destino.
Respondí: —Yo, ser santo;
y repuso el Destino:

« Habrá que contentarse
con menos … »                                    5
            Pesaroso,
aguardé en mi rincón una pregunta
nueva:

¿Qué quieres ser?—dijo el Destino
otra vez: —Yo, ser genio, respondíle;          10
y él irónico: « Habrá que contentarse
con menos … »
            Mudo y triste
en mi rincón de sombra, ya no espero
la pregunta postrer, a la que sólo             15
responderá mi trágico silencio …


## OFERTORIO

Dios mío yo te ofrezco mi dolor:
¡Es todo lo que puedo ya ofrecerte!
Tú me diste un amor, un solo amor,
¡un gran amor!

            Me lo robó la muerte              5
… y no me queda más que mi dolor.

            Acéptalo, Señor:
¡Es todo lo que puedo ya ofrecerte! …


## ¿LLORAR? ¡POR QUÉ!

Este es el libro de mi dolor:
lágrima a lágrima lo formé;
una vez hecho, te juro, por
Cristo, que nunca más lloraré.
¿Llorar? ¡Por qué!                             5

Serán mis rimas como el rielar
de una luz íntima, que dejaré

en cada verso; pero llorar,
¡eso ya nunca! ¿Por quién? ¿Por qué?

Serán un plácido florilegio
un haz de notas que regaré,
y habrá una risa por cada arpegio,
¿Pero una lágrima? ¡Qué sacrilegio!
Eso nunca, ¿Por quién? ¿Por qué?


## GRATIA PLENA

Todo en ella encantaba, todo en ella atraía:
su mirada, su gesto, su sonrisa, su andar ...
El ingenio de Francia de su boca fluía.
Era *llena de gracia*, como el Avemaría\*;
¡quien la vio no la pudo ya jamás olvidar!

Ingenua como el agua, diáfana como el día,
rubia y nevada como Margarita sin par,
al influjo de su alma celeste, amanecía ...
Era *llena de gracia* como el Avemaría;
¡quien la vio no la pudo ya jamás olvidar!

Cierta dulce y amable dignidad la investía
de no sé qué prestigio lejano y singular.
Más que muchas princesas, princesa parecía:
era *llena de gracia* como el Avemaría;
¡quien la vio no la pudo ya jamás olvidar!

Yo gocé el privilegio de encontrarla en mi vía
dolorosa: por ella tuvo fin mi anhelar,
y cadencias arcanas halló mi poesía.
Era *llena de gracia* como el Avemaría;
¡quien la vio no la pudo ya jamás olvidar!

¡Cuánto, cuánto la quise! Por diez años fue mía;
pero flores tan bellas nunca pueden durar.
Era *llena de gracia* como el Avemaría;
y a la Fuente de gracia, de donde procedía,
se volvió ... como gota que se vuelve a la mar.

## PUELLA MEA*

Muchachita mía,
gloria y ufanía
de mi atardecer,
yo sólo tenía
la santa alegría                                    5
de mi poesía
¡y de tu querer!

¿Por qué te partiste?
¿Por qué te me fuiste?
Mira qué estoy triste,                             10
triste, triste, triste,
con tristeza tal,
que mi cara mustia
deja ver mi angustia
¡como si fuera de cristal!                         15

Muchachita mía,
¡qué sola, qué fría
te fuiste aquel día! ...
¡En qué estrella estás!
¡En qué espacio vuclas!                            20
¡En qué mar rïelas!
¿Cuándo volverás?

—¡Nunca, nunca más!


## ME BESABA MUCHO

Me besaba mucho, como si temiera
irse muy temprano ... Su cariño era
inquieto, nervioso.
Yo no comprendía
tan febril premura. Mi intención grosera          5
nunca vio muy lejos ...
¡Ella presentía!

❦{ 249 }❧

Ella presentía que era corto el plazo,
que la vela herida por el latigazo
del viento, aguardaba ya..., y en su ansiedad
quería dejarme su alma en cada abrazo,
poner en sus besos una eternidad.

# HOY HE NACIDO

Cada día que pase, has de decirte:
« ¡Hoy he nacido!
El mundo es nuevo para mí; la luz
ésta que miro,
hiere sin duda por la vez primera
mis ojos límpidos;
¡la lluvia que hoy desfleca sus cristales
es mi bautismo!

« Vamos, pues, a vivir un vivir puro,
un vivir nítido.
Ayer, ya se perdió: ¿fui malo? ¿bueno?
... Venga el olvido,
y quede sólo de ese ayer, la esencia,
el oro íntimo
de lo que amé y sufrí mientras marchaba
por el camino...

« Hoy, cada instante, al bien y a la alegría
será propicio
y la esencial razón de mi existencia,
mi decidido
afán, volcar la dicha sobre el mundo,
verter el vino
de la bondad sobre las bocas ávidas
en redor mío...

« ¡Será mi sola paz la de los otros;
su regocijo
mi regocijo, su soñar mi ensueño;
mi cristalino
llanto el que tiemble en los ajenos párpados,
y mis latidos

los latidos de cuantos corazones
palpiten en los orbes infinitos! »

Cada día que pase, has de decirte:
« ¡Hoy he nacido! »


# EL DON

¡Oh vida!, ¿me reservas por ventura algún don?
(Atardece. En la torre suena ya la oración.)
¡Oh vida!, ¿me reservas por ventura algún don?

Plañe en las ramas secas el viento lastimero:
se desangra el crepúsculo en un vivo reguero;                    5
¡oh vida, dime cuál será ese don postrero!

¿Será un amor muy grande tu regalo mejor?
(¡Unos ojos azules, unos labios en flor!)
¡Oh qué dicha! ¡qué dicha si fuese un gran amor!

O será una gran paz: ¿ésa que necesita                           10
mi pobre alma, tras tanto peregrinar con cuita?
¡Sí, tal vez una paz ... una paz infinita!

... ¿O más bien el enigma del que camino en pos
se aclarará, encendiéndose como una estrella en los
hondos cielos, y entonces, ¡por fin! ¿hallaré a Dios?            15

¡Oh vida!, que devanas aún esta porción
de mis días oscuros, suena ya la oración;
cae la tarde ... ¡Apresúrate a traerme tu don!


# EN PAZ

Muy cerca de mi ocaso, yo te bendigo, Vida,
porque nunca me diste ni esperanza fallida
ni trabajos injustos, ni pena inmerecida;

porque veo al final de mi rudo camino
que yo fui el arquitecto de mi propio destino;                   5
que si extraje las mieles o la hiel de las cosas,

fue porque en ellas puse hiel o mieles sabrosas;
cuando planté rosales, coseché siempre rosas.

... Cierto, a mis lozanías va a seguir el invierno:
¡mas tú no me dijiste que mayo fuese eterno!
Hallé sin duda largas las noches de mis penas;
mas no me prometiste tú sólo noches buenas;
y en cambio tuve algunas santamente serenas ...

Amé, fui amado, el sol acarició mi faz.
¡Vida, nada me debes! ¡Vida, estamos en paz!


## EXPECTACIÓN

Siento que algo solemne va a llegar en mi vida.
¿Es acaso la muerte? ¿por ventura el amor?
Palidece mi rostro ... Mi alma está conmovida,
y sacude mis miembros un sagrado temblor.

Siento que algo sublime va a encarnar en mi barro,
en el mísero barro de mi pobre existir.
Una chispa celeste brotará del guijarro
y la púrpura augusta va el harapo a teñir.

Siento que algo solemne se aproxima, y me hallo
todo trémulo; mi alma de pavor llena está.
Que se cumpla el destino, que Dios dicte su fallo.
Mientras yo de rodillas, oro, espero y me callo,
para oír la palabra que el Abismo dirá ...


## EL CASTAÑO NO SABE

El castaño no sabe que se llama castaño:
mas, al aproximarse la madurez del año,
nos da su noble fruto de perfume otoñal;
y Canopo* no sabe que Canopo se llama;
pero su orbe coloso nos envía su llama,
y es de los universos el eje sideral.

Nadie mira la rosa que nació en el desierto;
mas ella, ufana, erguida, muestra el cáliz abierto;

cual si mandara un ósculo perenne a la extensión.
Nadie sembró la espiga del borde del camino,                    10
ni nadie la recoge; mas ella, con divino
silencio, dará granos al hambriento gorrión.

¡Cuántos versos, oh, cuántos, pensé que nunca he escrito,
llenos de ansias celestes y de amor infinito,
que carecen de nombre, que ninguno leerá;                       15
pero, que, como el árbol, la espiga, el sol, la rosa,
cumplieron ya, prestando su expresión armoniosa
a la Inefable Esencia, que es, ha sido y será!


## SI UNA ESPINA ME HIERE

¡Si una espina me hiere, me aparto de la espina
... pero no la aborrezco!

Cuando la mezquindad
envidiosa en mí clava los dardos de su inquina,
esquívase en silencio mi planta, y se encamina                  5
hacia más puro ambiente de amor y caridad.

¡Rencores! ¡De qué sirven! ¡Qué logran los rencores!
Ni restañan heridas, ni corrigen el mal.
Mi rosal tiene apenas tiempo para dar flores
y no prodiga savias en pinchos punzadores:                      10
si pasa mi enemigo cerca de mi rosal,

se llevará las rosas de más sutil esencia,
y si notase en ellas algún rojo vivaz,
¡será el de aquella sangre que su malevolencia
de ayer, vertió, al herirme con encono y violencia             15
y que el rosal devuelve, trocada en flor de paz.


## ÉXTASIS

Cada rosa gentil ayer nacida,
cada aurora que apunta entre sonrojos,
dejan mi alma en el éxtasis sumida ...
¡Nunca se cansan de mirar mis ojos
el perpetuo milagro de la vida!                                 5

Años ha que contemplo las estrellas
en las diáfanas noches españolas
y las encuentro cada vez más bellas.
¡Años ha que en el mar, conmigo a solas,
de las olas escucho las querellas,
y aún me pasma el prodigio de las olas!

Cada vez hallo la Naturaleza
más sobrenatural, más pura y santa.
Para mí, en rededor, todo es belleza;
y con la misma plenitud me encanta
la boca de la madre cuando reza
que la boca del niño cuando canta.

Quiero ser inmortal, con sed intensa,
porque es maravilloso el panorama
con que nos brinda la creación inmensa;
porque cada lucero me reclama,
diciéndome al brillar: «¡Aquí se piensa
también, aquí se lucha, aquí se ama!»


## CALLEMOS ...

¡Cuánto, cuánto se habla
sin ton ni son; qué declamar perpetuo
de retóricas nulas!
¿No es mejor por ventura el silencio?

Que el Espíritu selle nuestra boca
con sus siete sellos,
y florezcan en paz nuestros enigmas ...
¡Callemos, callemos!

¡Oh la estéril balumba! ... ¡Y ser la Vida
tan honda como es! ¡Ser el misterio
tan insondable!
Triste afán de ruido que mancilla lo Eterno
que palpita en nosotros ...
¡Callemos, callemos!

Los ángeles vendrán a reposarse
en las ramas del árbol mudo y quieto,
como divinos pájaros de nieve.
¡Hay tantas cosas que callar con ellos!

Debe callarse todo lo sublime,
todo lo excelso.                                                    20
Hasta los nombres que a las cosas damos
empañan el espejo
del ser, en que se mira
el Arquetipo, trémulo
de luz, de santidad y de pureza.                                   25
¡Callemos, callemos!

En el callar hay posibilidades
sin límite, hay portentos
celestes, hay estrellas, más estrellas
que en todo el firmamento.                                         30

El alma y Dios se besan, se confunden,
y son una sola alma en el inmenso
mar del éxtasis, manso, inalterable ...
¡Callemos, callemos!


# SICUT NAVES ...

*Ships that pass in the night . . .*
LONGFELLOW

Los hombres son cual naves que pasan en la noche ...
¿Adónde van, adónde?
                          ¡Qué negro está en redor
el mar! Chocan las olas en el casco, y producen
un plañido monótono ... Hace frío. Los astros            5
se recatan; el viento su látigo implacable
chasquea en las sombras.

El pobre nauta tiembla de miedo. Las heladas
garras de un gran enigma su corazón oprimen;
sus esperanzas gimen                                     10
solas y abandonadas,
uniendo a los plañidos del agua su reproche.
En redor ¡cuántas cosas hostiles e ignoradas!
Los hombres son cual naves que pasan en la noche ...

Pero de pronto el nauta mira al cielo: ¿es de un astro  15
ese rayito pálido que desgarró la nube?
¡Fue la visión tan breve! ... Mas un sutil instinto,
un no sé qué, en lo hondo del conturbado espíritu,

le dice: « No estás solo. La noche es un engaño.
Dios hizo las tinieblas para obligar al triste
a que cierre los ojos y mire en su interior
la verdad escondida.
Si los ojos abiertos son para ver la vida,
con los ojos cerrados es como ve el amor. »

La rosa del arcano tiene invisible broche;
pero tenaz perfume, que denuncia el camino.
Los hombres son cual naves que pasan en la noche
¡mas en el alma llevan un timonel divino!

## ME MARCHARÉ

Me marcharé, Señor, alegre o triste;
mas resignado, cuando al fin me hieras.
Si vine al mundo porque tú quisiste,
¿no he de partir sumiso cuando quieras?

... Un torcedor tan sólo me acongoja,
y es haber preguntado el pensamiento
sus porqués a la Vida... ¡Mas la hoja
quiere saber dónde la lleva el viento!

Hoy, empero, ya no pregunto nada;
cerré los ojos, y mientras el plazo
llega en que se termine la jornada,
mi inquietud se adormece en la almohada
de la resignación, ¡en tu regazo!

## SI TÚ ME DICES « ¡VEN! »

Si tú me dices: « ¡Ven! », lo dejo todo.
No volveré siquiera la mirada
para mirar a la mujer amada...
Pero dímelo fuerte, de tal modo,
que tu voz, como toque de llamada,
vibre hasta el más íntimo recodo
del ser, levante el alma de su lodo
y hiera el corazón como una espada.

Si tú me dices: « ¡Ven! », todo lo dejo.
Llegaré a tu santuario casi viejo,
y al fulgor de la luz crepuscular;
mas he de compensarte mi retardo,
difundiéndome, ¡oh Cristo!, como un nardo
de perfume sutil, ante tu altar.

## SI ERES BUENO

Si eres bueno, sabrás todas las cosas,
sin libros ... y no habrá para tu espíritu
nada ilógico, nada injusto, nada
negro, en la vastedad del universo.

El problema insoluble de los fines
y las causas primeras,
que ha fatigado a la Filosofía,
será para ti diáfano y sencillo.

El mundo adquirirá para tu mente
una divina transparencia, un claro
sentido, y todo tú serás envuelto
en una inmensa paz ...

## DIOS TE LIBRE, POETA

Dios te libre, poeta,
de verter en el cáliz de tu hermano
la más pequeña gota de amargura.
Dios te libre, poeta,
de interceptar siquiera con tu mano,
la luz que el sol regale a una criatura.

Dios te libre, poeta,
de escribir una estrofa que contriste;
de turbar con tu ceño
y tu lógica triste
la lógica divina de un ensueño;
de obstruir el sendero, la vereda
que recorra la más humilde planta;

de quebrantar la pobre hoja que rueda;
de entorpecer, ni con el más süave
de los pesos, el ímpetu de un ave
o de un bello ideal que se levanta.

Ten para todos júbilo, la santa
sonrisa acogedora que lo aprueba;
pon una nota nueva
en toda voz que canta
y resta, por lo menos,
un mínimo aguijón a cada prueba
que torture a los malos y a los buenos.

# DORMIR

Yo lo que tengo, amigo, es un profundo
deseo de dormir ...
           ¿Sabes?: el Sueño
es un estado de divinidad.
El que duerme es un Dios ...
                Yo lo que tengo,
amigo, es gran deseo de dormir.

El Sueño es en la vida el solo mundo
nuestro, pues la vigilia nos sumerge
en la ilusión común, en el oceano
de la llamada Realidad. Despiertos,
vemos todos lo mismo:
vemos la tierra, el agua, el aire, el fuego,
las criaturas efímeras ... Dormidos,
cada uno está en su mundo,
en su exclusivo mundo:
hermético, cerrado a ajenos ojos,
a ajenas almas; cada mente hila
su propio ensueño (o su verdad: ¡Quién sabe!)

Ni el ser más adorado
puede entrar con nosotros por la puerta
de nuestro sueño. Ni la esposa misma
que comparte tu lecho
y te oye dialogar con los fantasmas

que surcan por tu espíritu 25
mientras duermes, podría,
aun cuando lo ansïara,
traspasar los umbrales de ese mundo,
de tu Mundo mirífico de sombras.

¡Oh bienaventurados los que duermen! 30
Para ellos se extingue cada noche,
con todo su dolor, el universo
que diariamente crea nuestro espíritu.
Al apagar su luz se apaga el Cosmos.

El castigo mayor es la vigilia: 35
el insomnio es destierro
del mejor paraíso ...

Nadie, ni el más feliz, restar querría
horas al sueño para ser dichoso.
Ni la mujer amada 40
vale lo que un dormir manso y sereno
en los brazos de Aquél, que nos sugiere
santas inspiraciones ...
« El día es de los hombres; mas la noche,
de los dioses », decían los antiguos. 45

No turbes, pues, mi paz con tus discursos;
amigo: mucho sabes;
pero mi sueño sabe más ... ¡Aléjate!
No quiero gloria ni heredad ninguna:
yo lo que tengo, amigo, es un profundo 50
deseo de dormir ...


## LA SED

Inútil la fiebre que aviva tu paso;
no hay fuente que pueda saciar tu ansiedad,
por mucho que bebas ...
                    El alma es un vaso
que sólo se llena con eternidad. 5

¡Qué mísero eres! Basta un soplo frío
para helarte ... Cabes en un ataúd;

¡y en cambio a tus vuelos es corto el vacío,
y la luz muy tarda para tu inquietud!

10   ¿Quién pudo esconderte, misteriosa esencia,
entre las paredes de un vil cráneo? ¿Quién
es el carcelero que con la existencia
te cortó las alas? ¿Por qué tu conciencia,
si es luz de una hora, quiere el sumo Bien?

15   Displicente marchas del orto al ocaso;
no hay fuente que pueda saciar tu ansiedad
por mucho que bebas ... ¡El alma es un vaso
que sólo se llena con eternidad!


## LA NUBE

¡Qué de cuentos de hadas saldrían de esa nube
crepuscular, abismo celeste de colores!
¡Cuánta vela de barco, cuánta faz de querube,
cuánto fénix incólume, que entre las llamas sube,
5   cuánto dragón absurdo, cuántas divinas flores!

¡Cuánto plumón de cisne, cuánto sutil encaje,
cuánto pavón soberbio, de colas prodigiosas,
cuánto abanico espléndido, con áureo varillaje,
cuánto nimbo de virgen, cuánto imperial ropaje,
10   cuántas piedras preciosas!

Mas ella no lo sabe, y ensaya vestiduras
de luz y vierte pródiga sus oros y sus cobres,
para que la contemplen tan sólo tres criaturas:
¡un asno pensativo lleno de mataduras,
15   y dos poetas líricos, muy flacos y muy pobres!


## EL DÍA QUE ME QUIERAS

El día que me quieras tendrá más luz que junio;
la noche que me quieras será de plenilunio,
con notas de Beethoven* vibrando en cada rayo

sus inefables cosas,
y habrá juntas más rosas 5
que en todo el mes de mayo.

Las fuentes cristalinas
irán por las laderas
saltando cantarinas,
el día que me quieras. 10

El día que me quieras, los sotos escondidos
resonarán arpegios nunca jamás oídos,
Extasis de tus ojos, todas las primaveras
que hubo y habrá en el mundo, serán cuando me quieras.

Cogidas de la mano, cual rubias hermanitas, 15
luciendo golas cándidas, irán las margaritas
por montes y praderas
delante de tus pasos, el día que me quieras ...
Y si deshojas una, te dirá su inocente
postrer pétalo blanco: ¡Apasionadamente! 20

Al reventar el alba del día que me quieras,
tendrán todos los tréboles cuatro hojas agoreras,
y en el estanque, nido de gérmenes ignotos,
florecerán las místicas corolas de los lotos.

El día que me quieras será cada celaje 25
ala maravillosa, cada arrebol, miraje
de *Las mil y una noches*, cada brisa un cantar,
cada árbol una lira, cada monte un altar.

El día que me quieras, para nosotros dos
cabrá en un solo beso la beatitud de Dios. 30

## Y TÚ, ESPERANDO...

Pasan las hoscas noches cargadas de astros,
pasan los cegadores días bermejos,
pasa el gris de las lluvias, huyen las nubes,
... ¡y tú, esperando!

¡Tú esperando y las horas no tienen prisa! 5
¡Con qué pereza mueven las plantas torpes!

Las veinticuatro hermanas llevar parecen
zuecos de plomo.

10   Esa rosa encendida ya se presiente,
entre los gajos verdes de su justillo.
Entre los gajos verdes su carne santa
es un milagro.

¡Pero cuándo veremos la rosa abierta!
Dios eterno, tú nunca te precipitas;
15   mas el hombre se angustia porque es efímero.
¡Señor, cuándo veremos la rosa abierta!


# EL AMOR NUEVO

Todo amor nuevo que aparece,
nos ilumina la existencia,
nos la perfuma y enflorece.

En la más densa oscuridad
5   toda mujer es refulgencia
y todo amor es claridad.

Para curar la pertinaz
pena en las almas escondida,
un nuevo amor es eficaz;

10   porque se posa en nuestro mal
sin lastimar nunca la herida,
como un destello en un cristal.

Como un ensueño en una cuna,
como se posa en la encina
15   la piedad del rayo de luna.

Como un encanto en un hastío,
como en la punta de una espina
una gotita de rocío ...

¿Qué también sabe hacer sufrir?
20   ¿Qué también sabe hacer llorar?
¿Qué también sabe hacer morir?

—Es que tú no supiste amar ...

# ENRIQUE GONZÁLEZ MARTÍNEZ

## 1871–1952

L A PROLONGADA VIDA de este poeta mexicano corre a parejas con la abundante producción literaria que legó a la posteridad. En la variedad de su obra, como en el caso de Nervo y otros, no todo puede ser considerado estrictamente modernista. En efecto, los versos de González Martínez demuestran con toda claridad que el modernismo, al liquidarse, dio nacimiento a otras orientaciones que quizás no hubieran surgido sin mediar su potente vitalidad.

La moda modernista, convertida en meras exterioridades formales en manos de pésimos imitadores, no tardó en alentar en muchos espíritus selectos un indomable anhelo de seguir innovando por otros derroteros. González Martínez se hizo eco de algunas de estas aspiraciones al preconizar el alejamiento que ya se precisaba para huir de los meros símbolos engañosos y externos, por más pintorescos o seductores que parecieran. No pretendió este escritor prescindir por completo de los símbolos, pero sí insistió en que ellos debieran encerrar un contenido de sincera y profunda intimidad expresada con modalidades menos efectistas o deslumbradoras. Fruto de esta actitud poética contemplativa es el sereno y sencillo verso que observaremos en los mejores momentos de la obra de González Martínez.

La producción de este autor significa, por lo tanto, un firme cambio evolutivo—nunca revolucionario ni estridente—en el verso hispanoamericano. El tono de sus poemas podrá parecer carente de variedad y brillo, en tanto que los contenidos quizás revelen excesiva tendencia a abstraerse con el consiguiente alejamiento de lo concreto y tangible. No obstante, su propósito se comprenderá mejor al tener en cuenta que la preocupación central no es otra que la búsqueda incansable de lo esencial de la vida de las cosas y los recónditos tesoros del alma por el camino de la sencillez y la mesura.

## OBRAS PRINCIPALES DEL AUTOR

*Preludios.* Mazatlán, 1903.
*Lirismos.* Mocorito, 1907.
*Silenter.* Mocorito, 1909.
*Los senderos ocultos.* México, 1911.
*La muerte del cisne.* México, 1915.
*La hora inútil.* México, 1916.
*El libro de la fuerza, de la bondad y del ensueño.* México, 1917.
*Parábolas y otros poemas.* México, 1918.
*El romero alucinado.* Buenos Aires, 1923.
*Las señales furtivas.* Madrid, 1925.
*Ausencia y canto.* México, 1937.
*El diluvio de fuego.* México, 1938.
*Bajo el signo mortal.* México, 1942.
*Babel.* México, 1949.
*Poesía 1898–1938.* México, 1939–1940 (Tomos I, II, III).

## ESTUDIOS

BENGE, F. *La biografía lírica de Enrique González Martínez.* México, 1925.
CESTERO, M. F. « Enrique González Martínez », *Cuba Contemporánea* (La Habana), *XXXV* (1924), págs. 147–159.
CORTÉS, N. A. « Enrique González Martínez », *Hispania* (U.S.A.), *XI* (1928), págs. 205–210.
HENRÍQUEZ UREÑA, P. « La poesía de Enrique González Martínez », *Cuba Contemporánea* (La Habana), *VIII* (1915), págs. 164–171.
LUISI, L. *A través de libros y autores.* Buenos Aires: Nuestra América, 1925.
MANCISIDOR, J. *Perfil de González Martínez.* México, 1951.
SUÁREZ CALIMANO, E. *21 ensayos.* Buenos Aires: Edición de « Nosotros », 1926.
TOPETE, J. M. « Enrique González Martínez en su plenitud », *Revista Iberoamericana* (México), No. 4 (1940), págs. 383–387.

Topete, J. M. « González Martínez y la crítica », *Revista Iberoamericana* (México), No. 32 (1951), págs. 255–268.

Topete, J. M. « El ritmo poético de González Martínez », *Revista Iberoamericana* (México), No. 35 (1952), págs. 131–139.

Topete, J. M. « La muerte del cisne (?) », *Hispania* (U.S.A.), *XXXVI* (1953), págs. 273–277.

Toussaint, M. « Estudio » en *Los cien mejores poemas de Enrique González Martínez*. México: Tipografía Murguia, 1930.

## RÍE...

Suelta, divina rubia, la cascada
de tu risa de oro.
Brille el ígneo rubor de tus mejillas
y el destello satánico en tus ojos...

Mira, la espuma del champaña ríe,                    5
y hasta el eco sonoro
de la lejana orquesta, en argentina
carcajada de amor, llega a nosotros.

Tú no sabes de lágrimas; si lloras,
sufre una extraña confusión tu rostro;              10
mezclas risas con llanto,
y tu boca se ríe de tus ojos.

Tu corazón es urna en que la suerte
guardó los goces del amor tan sólo;
tu frente no conoce las espinas,                    15
nunca en tus plantas se clavó el abrojo.

¡Bebe!... La copa de cristal espera
con el filtro espumoso...
¡Cuán alegre el reír de las burbujas
y qué mundo de dichas en el fondo!                  20

¡Bebe!... ¡Y al roce de mis labios trémulos
sobre el cálido armiño de tus hombros,
brote, rubia gentil, tu carcajada
como lluvia de oro!


## SILENTER

En mármoles pentélicos, en bloques de obsidiana
o en bronces de Corinto* esculpe tu presea,

el orto de Afrodita\*, el triunfo de Frinea\*
o un lance cinegético de las ninfas de Diana\*.

5 No importa que ante el símbolo de tu visión pagana
se abata o regocije la turba que vocea;
dales forma a tus ansias, cristaliza tu idea
y aguarda altivamente una aurora lejana.

Que un sagrado silencio del bullicio te aparte;
10 enciérrate en los muros del recinto del arte
y tu idea repule titánico o pequeño;

sírvate la belleza de coraza y escudo,
y sordo ante el aplauso y ante la befa mudo,
envuélvete en la nube prestigiosa del sueño.

## COMO LA BARCA ES MÍA

Como la barca es mía, como navego solo,
frívolamente vago donde el azar me inclina,
lo mismo entre los rudos tifones de la China
que entre las moles álgidas del congelado polo.

5 Arrojo el ancla a veces, y mi pendón tremolo
albo como el plumaje de algún ave marina;
me halagan las sirenas con su canción divina,
Neptuno\* me adormece y me acaricia Eolo\*.

Tú que a lo lejos miras pasar mi carabela
10 y que de pie en la proa me ves que a toda vela
a cielo y mares lanzo mi loco desafío,

no mi bajel detengas. Tu timidez en vano
iza el pañuelo al viento con temblorosa mano ...
Yo gusto de ir a solas y mi velero es mío.

## IRÁS SOBRE LA VIDA DE LAS COSAS ...

Irás sobre la vida de las cosas
con noble lentitud; que todo lleve

a tu sensorio luz: blancor de nieve,
azul de linfas o rubor de rosas.

Que todo deje en ti como una huella          5
misteriosa grabada intensamente;
lo mismo el soliloquio de la fuente
que el flébil parpadeo de la estrella.

Que asciendas a las cumbres solitarias
y allí, como arpa eólica, te azoten          10
los borrascosos vientos, y que broten
de tus cuerdas rugidos y plegarias.

Que esquives lo que ofusca y lo que asombra
al humano redil que abajo queda,
y que afines tu alma hasta que pueda          15
escuchar el silencio y ver la sombra.

Que te ames en ti mismo, de tal modo
compendiando tu ser cielo y abismo,
que sin desviar los ojos de ti mismo
puedan tus ojos contemplarlo todo.          20

Y que llegues, por fin, a la escondida
playa con tu minúsculo universo,
y que logres oír tu propio verso
en que palpita el alma de la vida.


# EL ÉXTASIS DEL SILENCIO

Del viejo parque en el rincón lejano
hecho para el amor, tibio y discreto,
aspiraba el secreto
de la muda caricia de tu mano.
Todo callaba en torno. Solamente          5
en alas del ambiente
un concierto de aromas ascendía
alrededor de tu alma y de la mía...
Callaban brisas, pájaros y fuente.

Y no fueron entonces ni tus ojos          10
entornados de dicha, ni los rojos

claveles de tus labios en que abreva
mi inacabable sed que se renueva
a cada beso tuyo;
15    no tus senos en flor, no los hechizos
de la rubia cascada de tus rizos;
no tu carne gentil de adolescente
ni el rosa nacarado de tu frente,
la causa de aquel éxtasis profundo.
20    Fue tu silencio solo, compañero
de mi muda tristeza, mensajero
de una vaga ascensión fuera del mundo ...

Yo te invité a callar, con la mirada
suplicante de amor, Trémula, nada
25    me respondiste, y con el santo miedo
de romper el encanto,
sobre tus labios colocaste un dedo ...
La noche vino, desplegó su manto;
una calma triunfal, un gran reposo
30    cruzó por el recinto misterioso ...
¡Y no has sido jamás como aquel día
tan mía, tan intensamente mía!

## BUSCA EN TODAS LAS COSAS

Busca en todas las cosas un alma y un sentido
oculto; no te ciñas a la apariencia vana;
husmea, sigue el rastro de la verdad arcana,
escudriñante el ojo y aguzado el oído.

5    No seas como el necio que, al mirar la virgínea
imperfección del mármol que la arcilla aprisiona,
queda sordo a la entraña de la piedra que entona
en recóndito ritmo la canción de la línea.

Ama todo lo grácil de la vida, la calma
10    de la flor que se mece, el color, el paisaje;
ya sabrás poco a poco descifrar su lenguaje ...
¡Oh, divino coloquio de las cosas y el alma!

Hay en todos los seres una blanda sonrisa,
un dolor inefable o un misterio sombrío.
¿Sabes tú si son lágrimas las gotas de rocío?          15
¿Sabes tú qué secretos va contando la brisa?

Atan hebras sutiles a las cosas distantes;
al acento lejano corresponde otro acento ...
¿Sabes tú dónde lleva los suspiros el viento?
¿Sabes tú si son almas las estrellas errantes?          20

No desdeñes al pájaro de argentina garganta
que se queja en la tarde, que salmodia a la aurora;
es un alma que canta y es un alma que llora ...
¡Y sabrá por qué llora y sabrá por qué canta!

Busca en todas las cosas el oculto sentido;          25
lo hallarás cuando logres comprender su lenguaje;
cuando sientas el alma colosal del paisaje
y los ayes lanzados por el árbol herido ...


# PSALLE ET SILE *

No turbar el silencio de la vida,
ésa es la ley ... Y sosegadamente
llorar, si hay que llorar, como la fuente
escondida.

Quema a solas—(¡a solas!)—el incienso          5
de tu santa inquietud, y sueña, y sube
por la escala del ensueño ... Cada nube
fue desde el mar hasta el azul inmenso ...

Y guarda la mirada
que divisaste en tu sendero ... (una          10
a manera de ráfaga de luna
que filtraba el tamiz de la enramada):
el perfume sutil de un misterioso
atardecer, la voz cuyo sonido
te murmuró mil cosas al oído,          15
el rojo luminoso

de una cumbre lejana,
la campana
que daba al viento su gemido vago ...

20  La vida debe ser como un gran lago
cuajado al soplo de invernales brisas,
que lleva en su blancura sin rumores
las estelas de todas las sonrisas
y los surcos de todos los dolores.

25  Cada emoción sentida,
en lo más hondo de tu ser impresa
debe quedar, porque la ley es ésa:
no turbar el silencio de la vida,
y sosegadamente
30  llorar, si hay que llorar, como la fuente
escondida ...

## DOLOR, SI POR ACASO ...

Dolor, si por acaso a llamar a mi puerta
llegas, sé bienvenido; de par en par abierta
la dejé para que entres ... No turbarás la santa
placidez de mi espíritu ... Al contemplarte, apenas
5  el juvenil enjambre de mis dichas serenas
apartaráse un punto con temerosa planta ...

Entra, sé bienvenido ... Te sentaré en el viejo
sitial que ya otras veces ocupaste ... Un reflejo
de sol vendrá a bañarnos ... Y veremos la larga
10  y polvorosa ruta, la que tú conociste ...
Brotará de mi alma algún recuerdo triste ...
asomará a mis ojos una lágrima amarga ...

Luego, como al conjuro de algún viento de olvido,
la barbilla en tu báculo, te quedarás dormido.
15  Regresará la alegre falange bullidora
a revolar en torno y a ofrecerme mi parte
en su festín de risas ... Y entonces será hora
de posar en tus hombros mi mano y despertarte.

Y te veré cruzando la tediosa avenida
20  que allá de tarde en tarde te trae a mi guarida,

y te me irás perdiendo por la ruta lejana,
mientras bajo la hiedra que trepa en mi ventana
me envuelve la infinita claridad de la vida...


## ¿TE ACUERDAS DE LA TARDE?

¿Te acuerdas de la tarde en que vieron mis ojos
de la vida profunda el alma de cristal?
Yo amaba solamente los crepúsculos rojos,
las nubes y los campos, la ribera y el mar...

Mis ojos eran hechos para formas sensibles;       5
me embriagaba la línea, adorabe el color;
apartaba mi espíritu de sueños imposibles;
desdeñaba las sombras enemigas del sol.

Del jardín me atraían el jazmín y la rosa
(la sangre de la rosa, la nieve del jazmín),       10
sin saber que a mi lado pasaba temblorosa
hablándome en secreto el alma del jardín.

Halagaban mi oído las voces de las aves,
la balada del viento, el canto del pastor,
y yo formaba coro con las notas suaves,       15
y enmudecían ellas, y enmudecía yo...

Jamás seguir lograba el fugitivo rastro
de lo que ya no existe, de lo que ya se fue...
Al fenecer la nota, al apagarse el astro,
¡oh sombras, oh silencio, dormitabais también!       20

¿Te acuerdas de la tarde en que vieron mis ojos
de la vida profunda el alma de cristal?
Yo amaba solamente los crepúsculos rojos,
las nubes y los campos, la ribera y el mar...


## INTUS

Te engañas, no has vivido... No basta que tus ojos
se abran como dos fuentes de piedad, que tus manos

se posen sobre todos los colores humanos
ni que tus plantas crucen por todos los abrojos.

5     Te engañas, no has vivido mientras tu paso incierto
surque las lobregueces de tu interior a tientas;
mientras, en un impulso de sembrador, no sientas
fecundado tu espíritu, florecido tu huerto.

    Hay que labrar tu campo, divinizar la vida,
10   tener con mano firme la lámpara encendida
sobre la eterna sombra, sobre el eterno abismo ...

    Y callar, mas tan hondo, con tan profunda calma,
que absorto en la infinita soledad de ti mismo,
no escuches sino el vasto silencio de tu alma.

## TUÉRCELE EL CUELLO AL CISNE

    Tuércele el cuello al cisne de engañoso plumaje
que da su nota blanca al azul de la fuente;
él pasea su gracia no más, pero no siente
el alma de las cosas ni la voz del paisaje.

5     Huye de toda forma y de todo lenguaje
que no vayan acordes con el ritmo latente
de la vida profunda ... y adora intensamente
la vida, y que la vida comprenda tu homenaje.

    Mira al sapiente buho cómo tiende las alas
10   desde el Olimpo*, deja el regazo de Palas*
y posa en aquel árbol el vuelo taciturno ...

    El no tiene la gracia del cisne, mas su inquieta
pupila que se clava en la sombra, interpreta
el misterioso libro del silencio nocturno.

## COMO HERMANA Y HERMANO

    Como hermana y hermano
vamos los dos cogidos de la mano ...

En la quietud de la pradera hay una
blanca y radiosa claridad de luna,
y el paisaje nocturno es tan risueño                          5
que con ser realidad parece sueño.
De pronto, en un recodo del camino,
oímos un cantar ... Parece el trino
de un ave nunca oída,
un canto de otro mundo y de otra vida ...                   10
¿Oyes?—me dices—y a mi rostro juntas
tus pupilas preñadas de preguntas.
La dulce calma de la noche es tanta
que se escuchan latir los corazones.
Yo te digo: no temas, hay canciones                          15
que no sabremos nunca quién las canta ...

    Como hermana y hermano
vamos los dos cogidos de la mano ...

    Besado por el soplo de la brisa,
el estanque cercano se divisa ...                            20
Bañándose en las ondas hay un astro;
un cisne alarga el cuello lentamente
como blanca serpiente
que saliera de un huevo de alabastro ...
Mientras miras el agua silenciosa,                           25
como un vuelo fugaz de mariposa
sientes sobre la nuca el cosquilleo,
la pasajera onda de un deseo,
el espasmo sutil, el calofrío
de un beso ardiente cual si fuera mío ...                    30
Alzas a mí tu rostro amedrentado
y trémula murmuras: ¿me has besado? ...
Tu breve mano oprime
mi mano: y yo a tu oído: ¿Sabes? esos
besos nunca sabrás quién los imprime ...                     35
Acaso, ni siquiera si son besos ...

    Como hermana y hermano
vamos los dos cogidos de la mano ...

    En un desfalleciente desvarío,
tu rostro apoyas en el pecho mío,                            40

y sientes resbalar sobre tu frente
una lágrima ardiente ...
Me clavas tus pupilas soñadoras
y tiernamente me preguntas: ¿lloras?
45    Secos están mis ojos ... Hasta el fondo
puedes mirar en ellos ... Pero advierte
que hay lágrimas nocturnas—te respondo—
que no sabremos nunca quién las vierte ...

Como hermana y hermano
50    vamos los dos cogidos de la mano ...


## LA CANCIÓN DE LAS SIRENAS

El golfo estaba quieto ... Sobre cubierta, a solas,
me invadía la calma solemne de las olas.

Me asaltaba el delirio de la leyenda ... Apenas
distante de mis ojos, un grupo de sirenas

5    surgió súbitamente ... Una cercana roca
lo sustentaba en lecho de musgos ... En mi boca

enmudeció el asombro ... Sobre las verdes lamas
vi plateadas colas de pulidas escamas;

y miré claros iris color de alga marina,
10    y gotas rutilantes sobre la blanca y fina

piel de desnudos torsos ... Un divino temblor
agitaba mis miembros, y miré en derredor

como buscando ayuda ... Mas no con manos cautas
rellené mis orejas como los viejos nautas,

15    ni en extraño consorcio de temor y deseo
usé de los ardides del prudente Odiseo*.

Iba a oír el divino canto de seducción ...
Las sirenas cantaban ... Y escuché la canción.

Del apacible golfo las vastas soledades
20    resonaron al canto de las yertas edades ...

Y oí ... ¡Los mismos temas ... la canción conocida,
cosas muy viejas, cosas del amor y la vida!


## MI AMIGO EL SILENCIO

Llegó una vez, al preludiar mi queja
bajo el amparo de la tarde amiga,
y posó su piedad en mi fatiga,
y desde aquel entonces no me deja.

Con blanda mano, de mi labio aleja          5
el decidor afán y lo mitiga,
y a la promesa del callar obliga
la fácil voz de la canción añeja.

Vamos por el huir de los senderos,
y nuestro mudo paso de viajeros          10
no despierta a los pájaros ... Pasamos

solos por la región desconocida;
y en la vasta quietud, no más la vida
sale a escuchar el verso que callamos.


## EL FORASTERO

Este otoño de grises cabellos,
de miradas hondas y de faz tranquila,
se llegó tan despacio a mi vera,
que no me di cuenta de que venía
con la frente preñada de ensueños,          5
con aquella su vaga sonrisa
llena de añoranzas
y melancolías.

Yo charlaba con la primavera,
con la primavera de boca encendida,          10

la que sabe a panales hibleos*,
a aromas de nardos y a mieles de guindas.
Tal vez de mi lado se alejó en silencio,
se alejó en silencio mientras que dormía.
Cuando abrí los ojos,
era ya partida.

Desde entonces, aquel forastero
de miradas hondas, me hace compañía.
¡Y qué viejas historias me cuenta,
olvidadas de puro sabidas!
¡Cómo sabe endulzar el relato
con néctares suaves de melancolías,
y qué paz austera
hay en sus pupilas!

Cómo me habla de cosas pequeñas,
de seres humildes que encontré en la vida,
de anhelos informes que no alcancé nunca,
de amores difuntos, de penas exiguas;
cómo va tendiendo sobre lo pasado
su misericordia como una caricia,
¡cuántas cosas sabe
que ya no sabía!

Qué bien que me trae del camino largo
los fugaces besos, las cosas perdidas,
los afanes rotos y la paz aquella
que me deja el alma sosegada y limpia.
Cómo lleva las manos cargadas
de mansos perdones para las insidias,
y de añejos odios
¡cómo están vacías!

Buen otoño de grises cabellos,
de miradas hondas y de faz tranquila,
que tan paso llegaste a mi vera
que no me di cuenta de que ya venías;
no me dejes solo, tiende en mi pasado
tu misericordia como una caricia,
y pon en mi alma
tu sabiduría.

# Y TÚ PORQUE ERAS BLANCA

Y tú porque eras blanca, y tú porque tenías
los labios incitantes como fresas maduras,
tú, Lydia, por tus ojos de pestañas oscuras,
y tú por tus ingenuas y francas alegrías.

Porque eras triste, Laura; Olga, porque sabías          5
endulzar con un canto todas las amarguras,
y tú por el delito de tus manos impuras,
Ninón, por docta en besos y por sabia en orgías ...

A todas os recuerdo mezcladas como aromas
que guarda un mismo vaso, y un tiempo fuisteis pomas    10
en donde hincaba el diente mi goloso empeño.

Ya supe que a despecho de mi fervor pagano,
erais la forma frágil de un ímpetu lejano,
y lo que amé en vosotras ... era mi propio sueño.


# MAÑANA LOS POETAS

Mañana los poetas cantarán en divino
verso que no logramos entonar los de hoy;
nuevas constelaciones darán otro destino
a sus almas inquietas con un nuevo temblor.

Mañana los poetas seguirán su camino               5
absortos en ignota y extraña floración,
y al oír nuestro canto, con desdén repentino
echarán a los vientos nuestra vieja ilusión.

Y todo será inútil, y todo será en vano;
será el afán de siempre y el idéntico arcano      10
y la misma tiniebla dentro del corazón.

Y ante la eterna sombra que surge y se retira,
recogerán del polvo la abandonada lira
y cantarán con ella nuestra misma canción.

# VIENTO SAGRADO

Sobre el ansia marchita,
sobre la indiferencia que dormita,
hay un sagrado viento que se agita;

un milagroso viento,
de fuertes alas y de firme acento,
que a cada corazón le infunde aliento.

Viene del mar lejano,
y en su bronco rugir hay un arcano
que flota en medio del silencio humano.

Viento de profecía,
que a las tinieblas del vivir envía
la evangélica luz de un nuevo día;

viento que en su carrera
sopla sobre el amor, y hace una hoguera
que enciende en caridad la vida entera;

viento que es una aurora
en la noche del mal, y da la hora
de la consolación para el que llora ...

Los ímpetus dormidos
despiertan al pasar, y en los oídos
hay una voz que turba los sentidos.

Irá desde el profundo
abismo hasta la altura, y su fecundo
soplo de redención llenará el mundo.

Producirá el espanto
en el pecho rebelde, y en el santo
un himno de piedad será su canto.

Vendrá como un divino
hálito de esperanza en el camino,
y marcará su rumbo al peregrino;

dejará en la conciencia
la flor azul de perdurable esencia
que disipa el dolor con la presencia.

Hará que los humanos,
en solemne perdón, unan las manos
y el hermano conozca a sus hermanos;

no cejará en su vuelo
hasta lograr unir, en un consuelo
inefable, la tierra con el cielo;

hasta que el hombre, en celestial arrobo,
hable a las aves y convenza al lobo;

hasta que deje impreso
en las llagas de Lázaro* su beso;

hasta que sepa darse, en ardorosas
ofrendas, a los hombres y a las cosas,
y en su lecho de espinas sienta rosas;

hasta que la escondida
entraña, vuelta manantial de vida,
sangre de caridad como una herida...

¡Ay de aquel que en la senda
cierre el oído ante la voz tremenda!
¡Ay del que oiga la voz y no comprenda!


## EL BOSQUE MUDO

Este bosque solemne da consejos
para vivir: es mudo, fuerte, grave.
Ni un frívolo rumor cruza la nave
de pinos altos y de troncos viejos.

Un sol crepuscular pone reflejos
de un verde misterioso: brisa suave
mece una nube cual si fuera un ave,
y hay un temblor de estrellas a lo lejos.

Precisa ley y máxima segura:
activa paz que nunca se apresura
y a trechos marca perdurable huella;

quietud fecunda que contempla arriba
el sueño de una nube fugitiva
y la misericordia de una estrella.

 281

## LA MUCHACHA QUE NO HA VISTO EL MAR

Rosa, la pobre Rosa, no ha visto nunca el mar.

Echa a volar sus sueños en el campo vecino,
a la alondra demanda el secreto del trino
cuando lanza a los vientos su canción matinal;
sabe de dónde nace la fuente rumorosa,
distingue con su nombre a cada mariposa
y oye correr el agua, y se pone a soñar...

Yo le pregunto: « Rosa,
¿no has visto nunca el mar? »

En infantil asombro menea dulcemente
la cabecita rubia; sobre la blanca frente,
cruza por vez primera una sombra fugaz,
y se sacian sus ojos en el breve horizonte
que a dos pasos limitan la verdura del monte,
el arroyo de plata y el tupido juncal.
Oye hablar a la selva, cuya voz escondida
guarda aún su misterio... ¡Es tan corta la vida
para saberlo todo! ... Siente la inmensidad
de lo breve y humilde en el ritmo diverso
que palpita en el alma de su pobre universo,
y ante lo ignoto siente un ansia de llorar.
Del instante que pasa, la virtud milagrosa
le revela el espíritu que vive en cada cosa,
y su blanca inocencia pugna por alcanzar
un recóndito enigma...

Y yo pienso que Rosa
no ha visto nunca el mar...


## PARÁBOLA DEL HUÉSPED SIN NOMBRE

Han llamado a mi puerta,
que siempre está de par en par abierta,
y que esta vez la ráfaga nocturna

cerró de un golpe ...
                        Sola y taciturna,                        5
en el umbral detiénese la extraña
silueta del viador. Lívida baña
su faz la luna; tiene el peregrino
sangre en los pies cansados del camino;
ojos en que retrátase y fulgura                                 10
una vasta visión que ha tiempo dura
en incesante asombro;
y con la gruesa alforja, la insegura
mano sustenta un báculo en el hombro.

   —¿Quién eres tú?, ¿de dónde                                  15
vienes y adónde vas? ...
                        Y me responde:

   —Nunca supe quién soy, y no sé nada
del principio y el fin de mi jornada.
Yo sólo sé que en la llanura incierta                           20
de mi peregrinar, llegué a tu puerta;
que mi cansancio pide tu hospedaje,
y que a la aurora seguiré mi viaje.
Destino, patria, nombre ...
¿No te basta saber que soy un hombre?                           25

   A sus palabras, pienso que mi vida
es como una pregunta suspendida
en el arcano mudo, y digo: —Pasa;
sea la paz contigo en esta casa.
Y entra el viador, y nos quedamos luego                         30
al amparo del fuego.
Nuestro mutismo sobrecoge y pasma,
y cual doble fantasma
que evocara un conjuro,
se alargan nuestras sombras en el muro ...                      35


# PARÁBOLA DE LA CARNE FIEL

Aquel que celebraba sus nupcias en la hora
de la otoñal cordura, ceñido de laurel,
bajó la vista al suelo ... La carne pecadora
se acurrucó a sus plantas como una bestia fiel.

Posó en ella los ojos y dijo: «Bienvenida,
¡oh, sangre de mi sangre! ... Yo te ofrezco un sitial
cerca del mío; siéntate, pobre carne dolida
que hueles a mi santa noche primaveral.

«Cuando mis sueños iban a la estelar techumbre
y en fuga aventurera se embriagaban de añil,
tú fijabas mis pasos a la tierra hecha lumbre,
pujante y lujuriosa bajo el soplo de abril.

«(¡Oh, fenecidas horas que vivís en presente!
¡Labios de miel y grana como fresco botón!
¡Senos de nardo y rosas en que posé la frente!
¡Brazos que erais guirnaldas para mi corazón!)

«Me diste el sabor íntegro de la virtud completa;
la dualidad que mira de frente al porvenir
fundiste en tus crisoles: al hombre y al poeta,
en un afán de canto y un ansia de vivir.

«Tú morirás un día, ¡oh, carne pecadora!,
cuando en silencio el alma no sepa ya cantar,
cuando la esfinge* muda, cogiendo la sonora
lira de nuestras manos, la precipite al mar.

«Mas hoy, ven a mi lado y goza de mi fiesta;
bebe en mi propio vaso la ola de carmín
en que fermenta el ósculo... ¡Acaso será ésta
la postrimera copa del último festín!»


## EL RETORNO IMPOSIBLE

Yo sueño con un viaje que nunca emprenderé,
un viaje de retorno, grave y reminiscente...

Atrás quedó la fuente
cantarina y jocunda, y aquella tarde fue
esquivo el torpe labio a la dulce corriente.
¡Ah, si tornar pudiera! Mas sé que inútilmente
sueño con ese viaje que nunca emprenderé.

Un pájaro en la fronda cantaba para mí...
Yo crucé por la senda de prisa, y no lo oí.
Un árbol me brindaba su paz... A la ventura,

pasé cabe la sombra sin probar su frescura.
Una piedra le dijo a mi dolor: —Descansa.
Y desdeñé las voces de aquella piedra mansa.
Un sol reverberante brillaba para mí;
pero bajé los ojos al suelo, y no lo vi.                                    15
En el follaje espeso
se insinuaba el convite de un ósculo divino ...
Yo seguí mi camino
y no recibí el beso.

   Hay una voz que dice: —Retorna, todavía                    20
el ocaso está lejos; vuelve tu rostro, guía
tus pasos al sendero que rememoras; tente
y refresca tus labios en la sagrada fuente;
ve, descansa al abrigo
de aquel follaje amigo;                                                     25
oye la serenata del ave melodiosa,
y en la piedra que alivia tus cansancios, reposa;
ve, que la noche tarda
y oculto entre las hojas hay un beso que aguarda ...

   Mas, ¿para qué, si al fin de la carrera,                    30
hay un beso más hondo que me espera,
y una fuente más pura,
y un ave más hermosa que canta en la espesura,
y otra piedra clemente
en que posar mañana la angustia de mi frente,                              35
y un nuevo sol que lanza
desde la altiva cumbre su rayo de esperanza?

   Y mi afán repentino
se para vacilante en mitad del camino,
y vuelvo atrás los ojos, y sin saber por qué                               40
entre lo que recuerdo y entre lo que adivino,
bajo el alucinante misterio vespertino,
sueño con ese viaje que nunca emprenderé.


## LA CIUDAD ABSORTA

Soplaba un manso viento de aquel lado del mar ...
La turba era una sola alma para escuchar.

Se concentraba todo en el vago sonido
que venía de lejos ... La tarde era tan pura
y la emoción tan honda, que el alma hubiera oído
el vuelo de un celaje cruzando por la altura,
el vuelo de un celaje
en la paz infinita de un misterioso viaje.

Sólo el mar prolongaba su angustioso tormento
mientras la turba oía la palabra del viento.

Ciudad que vi una tarde y cuyo nombre ignoro;
ciudad de vida unánime y silencios de oro;
ciudad absorta y muda, ciudad cuyo sentido
único es la insaciable codicia del oído;
ciudad a quien la llama de crepúsculos rojos
no despierta una sola inquietud en los ojos;
ciudad que nada mira, ciudad que a nada atiende
porque escucha y comprende ...

Urbe de cuyos hombres, al pasar a su lado,
no podré decir nunca que me hubiesen mirado;
vieja ciudad fantástica de quien decir no acierto
si la crucé dormido o la soñé despierto ...
¡He perdido tu rumbo! ¿Quién me dirá si existes,
obsesión de mis horas infecundas y tristes?

¡Quién sabe si entre sueños te volveré a escuchar,
oh viento que soplabas de aquel lado del mar! ...

## LAS TRES COSAS DEL ROMERO

Sólo tres cosas tenía
para su viaje el Romero:
los ojos abiertos a la lejanía,
atento el oído y el paso ligero.

Cuando la noche ponía
sus sombras en el sendero,
él miraba cosas que nadie veía,
y en su lejanía
brotaba un lucero.

De la soledad que huía 10
bajo el silencio agorero,
¡qué canción tan honda la canción que oía
y que repetía
temblando el viajero!

En la noche y el día, 15
por el llano y el otero,
aquel caminante no se detenía,
al aire la frente, y el ánimo entero
como el primer día...

Porque tres cosas tenía 20
para su viaje el Romero:
los ojos abiertos a la lejanía,
atento el oído y el paso ligero.

# UN FANTASMA

El hombre que volvía de la muerte
se llegó a mí, y el alma quedó fría,
trémula y muda... De la misma suerte
estaba mudo el hombre que volvía
de la muerte... 5

Era sin voz, como la piedra... Pero
había en su mirar ensimismado
el solemne pavor del que ha mirado
un gran enigma, y torna mensajero
del mensaje que aguarda el orbe entero... 10
El hombre mudo se posó a mi lado.

Y su faz y mi faz quedaron juntas,
y me subió del corazón un loco
afán de interrogar... Mas, poco a poco,
se helaron en mi boca las preguntas... 15

Se estremeció la tarde con un fuerte
gemido de huracán... Y, paso a paso,
perdióse en la penumbra del ocaso
el hombre que volvía de la muerte...

# EL RELOJ

(Tic-tac ...)

Cuco de madera
isócrono y tenaz
en el recuento de las horas
que no tornarán ...

(Tic-tac ...)

Maldito seas por el beso interrumpido
en el minuto fatal,
por el poema trunco
que tu voz no dejó terminar,
y por las noches de insomnio
y por los días de mal ...

(Tic-tac ...)

Cuco de madera,
tienes tus horas contadas ya ...
Te he dado cuerda por la vez última
y he arrojado la llave al mar,
y antes de poco quedarás mudo
por siempre jamás,
y serás el cadáver de un tirano
muerto por mis ansias de libertad ...

Lanzarás el postrer suspiro
en el último tic-tac,
y después seré libre como el viento,
y como el río y como el mar.

# MENSAJE ANDINO

Sobre la cordillera
pasa el temblor de una ala mensajera ...

Dentro del pecho sollozante dura
la materna visión que se depura;

el ansia crece y el amor se inflama,                                  5
y en el prócer milagro de la altura
el deseo se enciende voraz como una llama.

   Sobre la cordillera
el sol de mis montañas reverbera...

   Hay dos picos hermanos                                            10
en el azul enhiestos y lejanos,
allá en el valle en que dejé prendida
la mitad de mi ser con la partida...
Las andinas vislumbres
me parecen reflejos de aquellas nobles cumbres,                      15
y en la memoria santa
de familiares cimas, el alma vuela y canta.

   Sobre la cordillera
hay una resonancia lastimera...
                                                                     20
   Montañas que supisteis, en las trágicas horas,
como las cumbres mías, de sangrientas auroras;
que juntasteis en un proceloso destino
el giro de los cóndores con el vuelo aquilino,
¡erguíos y mostradme en los claros espejos                           25
de nieve de mis volcanes, que han quedado tan lejos!
Cámbiense vuestras frondas en piadoso ventalle
que me brinde perfumes de mis brisas del valle...

   O ved hacia mi costa, que dora el reverbero
del sol, la de crepúsculos de grana y amatista                       30
en que el maizal greñudo crece a la simple vista
mientras se orea el llanto del último aguacero;
la de los secos cauces cruzados a pie enjuto
y que la lluvia trueca en ríos bullidores
cuya corriente esparce repentinos frescores                          35
donde imperó el bochorno como rey absoluto...
¡Oh mis montes azules que divisan dos mares!
¡Oh mis tardes costeñas y mis viejos palmares!...

   Al formidable grito
del corazón responde un silencio infinito;                           40
mas en la cordillera
pasa el temblor de un ala mensajera.

# BALADA DE LA LOCA FORTUNA...

Con el sol, el mar, el viento y la luna
voy a amasar una loca fortuna.

Con el sol haré monedas de oro
(al reverso, manchas; al anverso, luz)
para jugarlas a cara o a cruz.

Cerraré en botellas las aguas del mar,
con lindos marbetes y expresivas notas,
y he de venderlas con un cuentagotas
a todo el que quiera llorar.

Robador del viento, domaré sus giros,
y en las noches calladas y quietas,
para los amantes venderé suspiros,
y bellas canciones para los poetas...

En cuanto a la luna,
la guardo, por una
sabia precaución,
en la caja fuerte de mi corazón...

Con el sol, la luna, el viento y el mar,
¡qué loca fortuna voy a improvisar!

# APUESTA

Corazón, ¿qué te apuestas que el mundo
y tú nunca se van a entender?
Tu tic-tac le suena lo mismo
que el tic-tac de un reloj de pared...

El quiere *jazz-band* con serrucho,
y tango, y *shimmy*, y *one-step*...
¡Y tú cantando a la sordina!
¡Qué le vamos a hacer! ...

Corazón, ¿qué te apuestas que el mundo
y tú nunca os vais a entender?

¿Qué apuestas a que un día te mueres
y nadie va a saber de qué? ...

## LA PERSECUCIÓN

Cómplice mía, nos persiguen;
arroja tu espejo, y se formará un mar ...
Si lo cruzan, echa tu peine de oro
y sobre la arena crecerá un breñal ...
Si el breñal trasponen, suspira tres veces          5
y una niebla los cegará ...

Si a pesar de la niebla siguen
y sus pasos se oyen detrás,
juntemos nuestras manos trémulas
y sentémonos a esperar ...                          10

## LA NOVIA DEL VIENTO

Amé el augurio de sus ojos,
hondo cristal de lago quieto;
pero sus ojos no miraban
sino fantasmas de allá lejos ...
Porque era la novia del viento.                     5

Quise embriagarme en su divina
voz inefable, mas su acento
era tan sólo un simulacro
de canción, y el eco de un eco ...

Quise envolverme con el manto                       10
de su cabellera de fuego;
pero sus cabellos flotaban
inasibles en el misterio ...

Imploré el signo de sus manos,
nevada flor de finos pétalos;                       15
mas sus manos tejían hilos
entre las mallas del invierno ...

Se fue, llamada por un grito
que provenía del desierto ...
20 Se fue ... Ya no ha de volver nunca,
porque era la novia del viento.


## ESCALA DE AUSENCIA

La vida me la dio; la misma vida
me la arrancó ... Bendigo aquella mano
propicia al don, y el insondable arcano
que me roba la dádiva ofrecida.

5 La vida me la dio ... Llegó vestida
de azul de luna a mi cubil profano;
trocó en plegaria mi lamento humano,
y en templo la humildad de mi guarida.

En el engaño de perenne aurora
10 y en plenitud de amor, sonó la hora
de volverla a su origen y a su esencia ...

Trazó al huir un signo de futuro,
y peldaño a peldaño el pie seguro
la sigue por la escala de la ausencia.


## LA CITA

La sentí llegar. Vi sus ojos
de un gris azul, entre humo y cielo;
su palidez era de luna
sobre la noche del desierto;
5 sus manos largas ascendían
por la escala de los cabellos
cual si ensayaran tenues ritmos
sobre las arpas del silencio ...
Poco después, posó en mis hombros
10 la crispatura de sus dedos,
y me miró, con las pupilas
vagas y absortas de los ciegos ...

No me habló; pero de sus labios
sin color, delgados y trémulos,
brotó un murmurio imperceptible,                    15
un misterioso llamamiento
como de voces irreales
que sólo oímos entre sueños,
como la palabra extinguida
de aquellas almas que se fueron                     20
sin dejar signo de su paso
en los arenales del tiempo...

   De sus labios y de sus ojos
fluía un mensaje secreto;
pero su mirar era sombra                            25
y su voz fantasma del viento.

   Me conturbaba y me atraía,
a la par memoria y deseo.
Quise apartarme de su lado
y me sentí su prisionero.                           30
La codiciaba y la temía;
quise besarla y tuve miedo
de atarme al nudo de sus brazos
y morir de su abrazo eterno...

   Se alejó de mí... Quedé solo;         35
mas yo supe que aquel encuentro
era anuncio de que vendría
pronto a visitarme de nuevo...
Y con un guiño silencioso,
bajo las antorchas del cielo,                       40
concertamos la cita próxima,
sin fijar el sitio ni el tiempo,
sin más aviso que sus pasos
entre los árboles del huerto,
en la claridad opalina                             45
de algún plenilunio de invierno.

# GUILLERMO VALENCIA

1873-1943

SI SE HACE un recuento numérico, la reducida obra de este singular poeta colombiano contrasta con la de algunos contemporáneos suyos. Aparte de la cantidad, será indispensable fijar la atención en la calidad y en el sello personal con que se destaca la producción de Valencia.

Se observa en las composiciones de este autor, sobre todo, el esmero formal con que las elaboró, sin llegar a extraviarse en osadas invenciones o novedosos moldes métricos. Prefiere ceñirse a lo ya clásicamente establecido y limitarse a modelar y cincelar el verso hasta conseguir transformarlo en una equilibrada realización escultórica.

La sólida formación religiosa de Valencia le permite expresarse por medio de tonos notablemente contenidos, pero no por ello menos variados, finos y originales. Su vasta cultura escolar y hogareña se refleja con frecuencia en los asuntos que le atraen y en los temas a que éstos dan lugar. La preferencia que se observará por lo antiguo—sea religioso, mitológico, histórico o de otra índole— no excluye por completo el interés que siente, como colombiano, por lo propio de su tierra y de sus compatriotas.

Bajo la aparente frialdad arquitectónica del arte de Valencia, hay que descubrir el calor humano que transmite a los contenidos que actualiza con repetida predilección.

El dominio con que este poeta maneja el sentido de las palabras, las acepciones que éstas poseen y los recónditos significados que a veces encierran, quizás dificulte la lectura rápida de algunas piezas. Por otra parte, no podrá pasar desapercibido el talento que, como artista, deja de relieve, Merced a él, Valencia se destaca entre los más castizos estilistas del idioma. Su producción, además, sobrepasa los límites de la creación poética personal y abarca áreas expresivas difíciles de dominar. En efecto, este culto y señorial caballero colombiano figura entre los más eximios traductores y entre los más sobresalientes oradores de su tiempo.

## OBRAS PRINCIPALES DEL AUTOR

*Poesías.* Bogotá, 1898.
*Ritos.* Bogotá, 1899; Londres, 1914.
*Catay.* Bogotá, 1929.
*Obras poéticas completas.* Prólogo de Baldomero Sanín Cano. Madrid, 1948.

## ESTUDIOS

GARCÍA PRADA, C. « El paisaje en la poesía de Guillermo Valencia », *Hispania* (U.S.A.), *XXIV* (1941), págs. 285–308.

GARCÍA PRADA, C. *Estudios hispanoamericanos.* México: El Colegio de México, 1945.

GARCÍA PRADA, C. « Guillermo Valencia » en *Diccionario de la literatura latinoamericana—Colombia.* Washington, D. C.: Pan American Union, 1959.

HOLGUÍN, A. *La poesía inconclusa y otros ensayos.* Bogotá: Editorial Centro—Instituto Gráfico Ltda., 1947.

KARSEN, S. *Guillermo Valencia—Colombian Poet.* New York: Hispanic Institute in the United States, 1951.

LOZANO Y LOZANO, J. *Ensayos críticos.* Bogotá: Editorial Santafé, 1934.

MAYA, R. *Alabanzas del hombre y de la tierra.* Bogotá: Casa Editorial Santafé, 1934.

NUGENT, R. « Guillermo Valencia and French Poetic Theory », *Hispania* (U.S.A.), *XLV* (1962), págs. 405–409.

RESTREPO, D. « San Antonio y el centauro », *Revista Javeriana* (Bogotá) *XXX* (1948), págs. 226–232.

SCHADE, G. « La mitología en la poesía de Guillermo Valencia », *Revista Iberoamericana* (México), No. 47 (1959), págs. 91–104.

SILVIO, J. *Escritores de Colombia y Venezuela.* Rio de Janeiro: Federação das Academias de Letras do Brasil, 1942.

## LEYENDO A SILVA

Vestía traje suelto de recamado viso
en voluptuosos pliegues de un color indeciso,

y en el diván tendida, de rojo terciopelo,
sus manos, como vivas parásitas de hielo,

sostenían un libro de corte fino y largo,                    5
un libro de poemas delicioso y amargo.

De aquellos dedos pálidos la tibia yema blanda
rozaba tenuemente con el papel de Holanda,

por cuyas blancas hojas vagaron los pinceles
de los más refinados discípulos de Apeles*:                  10

era un lindo manojo que en sus claros lucía
los sueños más audaces de la Crisografía*:

sus cuerpos de serpiente dilatan las mayúsculas
que desde el ancho margen acechan las minúsculas,

o trazan por los bordes caminos plateados                    15
los lentos caracoles, babosos y cansados.

Para el poema heroico se vía allí la espada
con un león por puño y contera labrada,

donde evocó las formas del ciclo legendario
con sus torres y grifos, un pincel lapidario.                20

Allí la dama gótica de rectilínea cara
partida por las rejas de la viñeta rara;

allí las hadas tristes de la pasión excelsa:
la férvida Eloísa*, la suspirada Elsa*.

Allí los metros raros de musicales timbres:                  25
ya móviles y largos como jugosos mimbres,

ya diáfanos, que visten la idea levemente
como las albas guijas un río transparente.

Allí la Vida llora y la Muerte sonríe
y el Tedio, como un ácido, corazones deslíe ...

Allí, cual casto grupo de núbiles Citeres*,
cruzaban en silencio figuras de mujeres

que vivieron sus vidas, invioladas y solas
como la espuma virgen que circunda las olas:

la rusa de ojos cálidos y de bruno cabello
pasó con sus pinceles de marta y de camello,

la que robó al piano en las veladas frías
parejas voladoras de blancas armonías

que fueron por los vientos perdiéndose una a una
mientras, envuelta en sombras, se atristaba la luna ...

Aquésa, el pie desnudo, gira como una sombra
que sin hacer ruïdo pisara por la alfombra

de un templo ... y como el ave que ciega el astro diurno,
con miradas nictálopes ilumina el *Nocturno*,

do al fatigado beso de las vibrantes clines
un aire triste y vago preludian dos violines ...

La luna, como un nimbo de Dios, desde el Oriente
dibuja, sobre el llano la forma evanescente

de un lánguido mancebo que el tardo paso guía,
como buscando un alma, por la pampa vacía.

Busca a su hermana*; un día la negra Segadora*
—sobre la mies que el beso primaveral enflora—

abatiendo sus alas, sus alas de murciélago,
hirió a la virgen pálida sobre el dorado piélago,

que cayó como un trigo ... Amiguitas llorosas
la vistieron de lirios, la ciñeron de rosas;

céfiro de las tumbas, un bardo* israelita
le cantó cantos tristes de la raza maldita

a ella, que en su lecho de gasas y de blondas,
se asemeja a Ofelia* mecida por las ondas;

por ella va buscando su hermano entre las brumas,
de unas alitas rotas las desprendidas plumas,

y por ella ... « Pasemos esta doliente hoja
que mi ser atormenta, que mi sueño acongoja »,

dijo entre sí la dama del recamado viso                                65
en voluptuosos pliegues de color indeciso,

y prosiguió del libro las hojas volteando,
que ensalza en áureas rimas de son calino y blando

los perfumes de Oriente, los vívidos rubíes
y los joyeles mórbidos de sedas carmesíes.                            70

Leyó versos que guardan como gastados ecos
de voces muertas; cantos a ramilletes secos

que hacen crujir, al tacto, cálices inodoros;
metros que reproducen los gemebundos coros

de las locas campanas que en *El día de difuntos*                    75
despiertan con sus voces los muertos cejijuntos,

lanzados en racimos entre las sepulturas
a beberse la sombra de sus noches oscuras ...

... Y en el diván tendida, de rojo terciopelo
sus manos, como vivas parásitas de hielo,                            80

doblaron lentamente la página postrera
que, en gris, mostraba un cuervo sobre una calavera ...

y se quedó pensando, pensando en la amargura
que acendran muchas almas; pensando en la figura

del bardo, que en la calma de una noche sombría,                     85
puso fin al poema de su melancolía:

¡exangüe como un mármol de la dorada Atenas*,
herido como un púgil de itálicas arenas,

unió la faz de un numen dulcemente atediado
a la ideal belleza del estigmatizado*! ...                           90

Ambicionar las túnicas que modelaba Grecia,
y los desnudos senos de la gentil Lutecia*;

pedir en copas de ónix el ático nepentes*;
querer ceñir en lauros las pensativas frentes;

95    ansiar para los triunfos el hacha de un Arminio\*;
buscar para los goces el oro del triclinio;

amando los detalles, odiar el Universo;
sacrificar un mundo para pulir un verso;

querer remos de águila y garras de leones
100    con que domar los vientos y herir los corazones;

para gustar lo exótico que el ánimo idolatra
esconder entre flores el áspid de Cleopatra\*;

seguir los ideales en pos de Don Quijote
que en el Azul divaga de su rocín al trote;

105    esperar en la noche las trémulas escalas
que arrebaten ligeras a las etéreas salas;

oír los mudos ecos que pueblan los santuarios,
amar las hostias blancas, amar los incensarios

(poetas que diluyen en el espacio inmenso
110    sus ritmos perfumados de vagoroso incienso);

sentir en el espíritu brisas primaverales
ante los viejos monjes y los rojos misales;

tener la frente en llamas y los pies entre el lodo;
querer sentirlo, verlo y adivinarlo todo:

115    eso fuiste, ¡oh, poeta! Los labios de tu herida
blasfeman de los hombres, blasfeman de la vida,

modulan el gemido de las desesperanzas,
¡oh místico sediento que en el raudal te lanzas!

¡Oh Señor Jesucristo! por tu herida del pecho
120    ¡perdónalo! ¡perdónalo! ¡desciende hasta su lecho

de piedra a despertarlo! Con tus manos divinas
enjuga de su sangre las ondas purpurinas ...

Pensó mucho: sus páginas suelen robar la calma;
sintió mucho: sus versos saben partir el alma;

125    ¡amó mucho! circulan ráfagas de misterio
entre los negros pinos del blanco cementerio ...

No manchará su lápida epitafio doliente:
tallad un verso en ella, pagano y decadente,

digno del fresco Adonis* en muerte de Afrodita*
un verso como el hálito de una rosa marchita,                    130

que llore su caída, que cante su belleza,
que cifre sus ensueños, ¡que diga su tristeza! ...

«¡Amor!», dice la dama del recamado viso
en voluptuosos pliegues de color indeciso.

«¡Dolor!», dijo el poeta. Los labios de su herida      135
blasfeman de los hombres, blasfeman de la vida,

modulan el gemido de la desesperanza;
fue el místico sediento que en el raudal se lanza.

Su muerte fue la muerte de una lánguida anémona,
se evaporó su vida como la de Desdémona*;             140

ebrio del vino amargo con que el dolor embriaga
y a los fulgores trémulos de un cirio que se apaga ...

¡Así rindió su aliento, bajo un sitial de seda,
el último nacido del viejo Cisne y Leda*! ...


## LOS CAMELLOS

Dos lánguidos camellos, de elásticas cervices,
de verdes ojos claros y piel sedosa y rubia,
los cuellos recogidos, hinchadas las narices,
a grandes pasos miden un arenal de Nubia*.

Alzaron la cabeza para orientarse, y luego       5
el soñoliento avance de sus vellosas piernas
—bajo el rojizo dombo de aquel cenit de fuego—
pararon, silenciosos, al pie de las cisternas ...

Un lustro apenas cargan bajo el azul magnífico,
y ya sus ojos quema la fiebre del tormento:        10
tal vez leyeron, sabios, borroso jeroglífico
perdido entre las ruinas de infausto monumento.

Vagando taciturnos por la dormida alfombra,
cuando cierra los ojos el moribundo día,
bajo la virgen negra que los llevó en la sombra,   15
copiaron el desfile de la Melancolía ...

Son hijos del Desierto: prestóles la palmera
un largo cuello móvil que sus vaivenes finge,
y en sus marchitos rostros que esculpe la Quimera*
20 ¡sopló cansancio eterno la boca de la Esfinge*!

Dijeron las Pirámides que el viejo sol rescalda:
«Amamos la fatiga con inquietud secreta ... »
y vieron desde entonces correr sobre una espalda,
tallada en carne viva su triangular silueta.

25 Los átomos de oro que el torbellino esparce
quisieron en sus giros ser grácil vestidura,
y unidos en collares por invisible engarce,
vistieron del giboso la escuálida figura.

Todo el fastidio, toda la fiebre, toda el hambre,
30 la sed sin agua, el yermo sin hembras, los despojos
de caravanas ... huesos en blanquecino enjambre ...
todo en el cerco bulle de sus dolientes ojos.

Ni las sutiles mirras, ni las leonadas pieles,
ni las volubles palmas que riegan sombra amiga,
35 ni el ruido sonoroso de claros cascabeles
alegran las miradas al rey de la fatiga.

¡Bebed dolor en ellas flautistas de Bizancio*
que amáis pulir el dáctilo al son de las cadenas;
sólo esos ojos pueden deciros el cansancio
40 de un mundo que agoniza sin sangre entre las venas!

¡Oh artistas! ¡Oh camellos de la llanura vasta
que vais llevando a cuestas el sacro Monolito!
¡Tristes de Esfinge*! ¡Novios de la Palmera casta!
¡Sólo calmáis vosotros la sed de lo infinito!

45 ¿Qué pueden los ceñudos? ¿Qué logran las melenas
de las zarpadas tribus cuando la sed oprime?
¡Sólo el poeta es lago sobre este mar de arenas,
sólo su arteria rota la Humanidad redime!

Se pierde ya a lo lejos la errante caravana
50 dejándome—camello que cabalgó el Excidio ... —
¡cómo buscar sus huellas al sol de la mañana,
entre las ondas grises de lóbrego fastidio!

¡No! Buscaré dos ojos que he visto, fuente pura
hoy a mi labio exhausta, y aguardaré paciente

hasta que suelta en hilos de mística dulzura,         55
refresque las entrañas del lírico doliente.

Y si a mi lado cruza la sorda muchedumbre
mientras el vago fondo de esas pupilas miro,
dirá que vio un camello con honda pesadumbre
mirando, silencioso, dos fuentes de zafiro ...      60

## NIHIL

Es ésta la doliente y escuálida figura
de un ser que hizo en treinta años mayores desatinos
que el mismo don Alonso Quijano*, sin molinos
de viento, ni batanes, ni bachiller, ni cura.

Que por huir del vulgo, corrió tras la aventura     5
del ideal, y avaro lector de pergaminos,
dedujo de lo estéril de todos los destinos
humanos, el horóscopo de su mala ventura.

Mezclando con sus sueños el rey de los metales,
halló combinaciones tristes, originales     10
—inútiles al sino del alma desolada—,

nauta de todo cielo, buzo de todo oceano,
como el fakir idiota de un oriente lejano,
sólo repite ahora una palabra: ¡Nada!

## EL TRIUNFO DE NERÓN*

Al jonio carro uncidos con áspera cadena
los férvidos corceles presienten la fatiga,
y el ojo atento al brazo del coronado auriga,
escarban el estadio, sacuden la melena.

De las broncíneas trompas por la candente arena     5
la voz el viento expande, que la inquietud mitiga;
y con los ojos fijos en la imperial cuadriga,
el pueblo de la Loba* los ámbitos atruena.

Sobre el marfil luciente de la carroza erguido,

10   Nerón la gloria ostenta de su oriental vestido.
Alzando el haz de bridas, con indignada mano

vibra la fusta. El grito de la victoria sube ...
y entre el dorado cerco de polvorosa nube
se borra el grupo móvil en el confín lejano.


## HOMERO*

Hasta el Olimpo* que la Tierra llora
subió de tu cantar la melodía,
volando en el crepúsculo del día
con voz que a Grecia de laurel decora.

5   Avido fuego que le mies devora,
sueltas de Aquiles* la pasión bravía,
y los ojos de Eurímaco* vidría
la saeta de Ulises* vengadora.

Es un invierno tu cabeza. Mancha
10   un piélago de sombras tu camino
que el ritmo puro de tu canto llena;

verde corona tu perfil ensancha,
y vas—manso cantor de lo divino—
asido al brazo mórbido de Helena* ...


## PALEMÓN* EL ESTILITA*

Palemón el Estilita, sucesor del viejo Antonio*,
que burló con tanto ingenio las astucias del demonio,
antiquísima columna de granito
se ha buscado en el desierto por mansión,
5   y en un pie sobre la *stela*
ha pasado muchos días
inspirando a sus oyentes
el horror a los judíos
y el horror a las judías

que endiosaron, ¡Dios del Cielo!,                                    10
que endiosaron a una hermosa
de la vida borrascosa,
que llamaban Herodías*.

Palemón el Estilita «era un Santo». Su retiro
circuían mercadantes de Licoples* y de Tiro*,              15
judaizantes de apartadas sinagogas
que anhelaban de sus labios escuchar
la palabra de consuelo,
la palabra de verdad
que nos salve del castigo                                            20
y de par en par el cielo
nos entregue: solo abrigo
contra el pérfido enemigo
que nos busca sin cesar
y nos tienta con el fuego de unos ojos                         25
que destellan bajo el lino de una toca,
con la púrpura de frescos labios rojos
y los pálidos marfiles de una boca.

Al redor de la columna que habitaba el Estilita,
como un mar efervescente, muchedumbre ingente agita      30
los turbantes, los bastones y los brazos,
y demandan su sermón al solitario,
cuya hueca voz de enfermo
fuerzas cobra ante la mies
que el Señor ha deparado                                            35
a su hoz, y cruza el yermo
que turbaron otros tiempos los timbales de Ramsés*.

Y les habla de las obras de piedad y sacrificio,
de las rudas tentaciones del Apóstol y del vicio
que llevamos en nosotros; del ayuno y el cilicio,            40
del vivir año tras año con las fieras
bajo rotos quitasoles de palmeras;
y les cuenta lo que es sed y lo que es hambre,
lo que son las noches cálidas de Libia*,
cuando bulle de planetas un enjambre,                          45
y susurra en los palmares la aura tibia,
que provocan en el ánimo cansado
de una vida muerta y loca
los recuerdos tormentosos

50 que en los días pesarosos,
que en los días soñolientos
de tristezas y de calma,
nos golpean en el alma
con sus mágicos acentos
55 cual la espuma débil
toca
la cabeza dura y fría
de la roca.

De la turba que le oía
60 una linda pecadora
destacóse: parecía
la primera luz del día,
y en lo negro de sus ojos
la mirada tentadora
65 era un áspid; amplia túnica de grana
dibujaba las esferas de su seno;
nunca vieron los jardines de Ecbatana*
otro talle más airoso, blanco y lleno;
bajo el arco victorioso de las cejas
70 era un triunfo la pupila quieta y brava,
y, cual conchas sonrosadas, las orejas
se escondían bajo un pelo que temblaba
como oro derretido;
de sus manos blancas, frescas,
75 el purísimo diseño
semejaba lotos vivos
de alabastro;
irradiaba toda ella
como un astro:
80 era un sueño
que vagaba
con la turba adormecida
y cruzaba
—la sandalia al pie ceñida—
85 cual la muda sombra errante
de una sílfide,
de una sílfide seguida
por su amante.

Y el buen monje
90 la miraba,

la miraba,
la miraba,
y, queriendo hablar, no hablaba,
y sentía su alma esclava
de la bella pecadora de mirada tentadora,                95
y un ardor nunca sentido
sus arterias encendía,
y un temblor desconocido
su figura
larga                                                    100
y flaca
y amarilla
sacudía:
¡era amor! El monje adusto
en esa hora sintió el gusto                              105
de los seres y la vida;
su guarida
de repente abandonaron
pensamientos tenebrosos
que en la mente                                          110
se asilaron
del proscrito,
que, dejando su columna
de granito,
y en coloquio con la bella                               115
cortesana,
se marchó por el desierto
despacito ...
a la vista de la muda,
¡a la vista de la absorta caravana! ...                  120


# CIGÜEÑAS BLANCAS

De cigüeñas la tímida bandada,
recogiendo las alas blandamente,
paró sobre la torre abandonada
a la luz del crepúsculo muriente;

hora en que el Mago de feliz paleta                       5
vierte bajo la cúpula radiante

pálidos tintes de fugaz violeta
que riza con su soplo el auro errante.

Esas aves me inquietan: en el alma
reconstruyen mis rotas alegrías;
evocan en mi espíritu la calma,
la augusta calma de mejores días.

Afrenta la negrura de sus ojos
al abenuz de tonos encendidos,
y van los picos de matices rojos
a sus gargantas de alabastro unidos.

Vago signo de mística tristeza
es el perfil de su sedoso flanco,
que evoca, cuando el sol se despereza,
las lentas agonías de lo Blanco.

Con la veste de mágica blancura,
con el talle de lánguido diseño,
semeja en el espacio su figura
el pálido estandarte del Ensueño.

A los fulgores de sidérea lumbre,
en el vaivén de su cansado vuelo,
fingen bajo la cóncava techumbre,
bacantes del azul ebrias de cielo.

Todo tiene sus aves: la floresta
de mirlos guarda deliciosos dúos;
el torreón de carcomida testa
oye la carcajada de los buhos;

la Gloria tiene el águila bravía;
albo coro de cisnes los Amores;
tienen los montes que la nieve enfría
la estirpe colosal de los condores;

y de lo viejo en el borroso escudo
—reliquia de volcado poderío—
su cuello erige en el espacio mudo
ella, ¡la novia lánguida del Frío!

La cigüeña es el alma del Pasado,
es la Piedad, es el Amor ya ido;
mas, su velo también está manchado
y el numen del candor, envejecido ...

Es la amiga discreta de Cupido*,                    45
que del astro nocturno a los fulgores,
oye del rapazuelo entretenido
historia de sus íntimos amores ...

Símbolo fiel de artísticas locuras,
arrastrarán mi sueño eternamente                    50
con sus remos que azotan las alturas
con sus ojos que buscan el Oriente.

Ellas, como la tribu desolada
que bogar hacia el país de la Quimera*,
atraviesan en mística bandada                       55
en busca de amorosa Primavera;

y no ven cual los pálidos cantores
—más allá de los agrios arenales—,
gélidos musgos en lugar de flores
y en vez de Abril, las noches invernales.           60

Encanecida raza de proscritos,
la sien quemada por divino sello;
náufragos que perecen dando gritos
entre faros de fúlgido destello.

Si pudiesen, asidos de tu manto,                    65
ir, en las torres a labrar su nido;
si curase la llaga de su canto
el pensamiento de futuro olvido;

¡ah! si supiesen que el soñado verso,
el verso de oro que les dé la palma                 70
y conquiste, vibrando, el universo,
¡oculto muere sin salir del alma!

Cantar, soñar ..., conmovedor delirio,
deleite para el vulgo, amargas penas

a que nadie responde; atroz martirio
de Petronio* cortándose las venas ...

¡Oh Poetas! Enfermos escultores
que hacen la forma con esmero pulcro
¡y consumen los prístinos albores
cincelando su lóbrego sepulcro!

Aves que arrebatáis mi pensamiento
al limbo de las formas; divo soplo
traiga desde vosotras manso viento
a consagrar los filos de mi escoplo ...

Dadme el verso pulido en alabastro,
que, rígido y exangüe, como el ciego
mire sin ojos para ver: un astro
de blanda luz cual cinerario fuego.

¡Busco las rimas en dorada lluvia;
chispa, fuentes, cascada, lagos, ola!
¡Quiero el soneto cual león de Nubia*:
de ancha cabeza y resonante cola!

De cigüeñas la tímida bandada,
desplegando las alas blandamente,
voló desde la torre abandonada
a la luz del crepúsculo naciente

y saludó con triste algarabía
el perezoso despertar del día;
y al esfumarse en el confín del cielo,
palideció la bóveda sombría
con la blanca fatiga de su vuelo ...


## ANARKOS*

En el umbral de la polvorosa puerta,
sucia la piel y el cuerpo entumecido,
he visto, al rayo de una luz incierta,

un perro melancólico, dormido.
¿En qué sueña? Tal vez árida fiebre　　　　　5
cual un espino sus entrañas hinca
o le finge los pasos de una liebre
que ante sus ojos descuidada brinca.
Y cuando el alba sobre el Orbe mudo
como un ave de luz se despereza,　　　　　10
ese perro nostálgico y lanudo
sacude soñoliento la cabeza
y se echa a andar por la fragosa vía,
con su ceño de inválido mendigo,
mientras mueren las ráfagas del día　　　　15
para tornar a su fangoso abrigo.
Hundido en la cloaca
la agita con sus manos temblorosas,
y de esa tumba miserable saca
tiras de piel, cadáveres de cosas.　　　　　20
Entre tanto, felices compañeros
sobre la falda azul de las princesas
y en las manos de nobles caballeros
comparten el deleite de las mesas;
ciñen collares de valioso broche,　　　　　25
y en las gélidas horas de la noche
tienen calor, en tanto que el proscrito
que va sin dueño entre el humano enjambre,
tropieza con el tósigo maldito
creyendo ahogar el hambre,　　　　　　　30
y en las hondas fatigas del veneno
echado sobre el polvo se estremece,
fatídico temblor le turba el seno,
y con el ojo tímido, saltado,
sobre la tierra sin piedad fallece.　　　　　35
Todos vuelven la faz, nadie le toca:
al bardo sólo que a su lado pasa,
atedia la frescura de su boca
« donde nítidos dientes
se enfilan como perlas refulgentes »...　　　40

　Mísero can, hermano
de los parias, tú inicias la cadena
de los que pisan el erial humano
roídos por el cáncer de su pena;

45  es su cansancio igual a tu fatiga,
    como tú se acurrucan en los quicios
    o piden paz, sin una mano amiga,
    al silencio de oscuros precipicios.
    Son los siervos del pan: fecunda horda
50  que llena el mundo de vencidos. Llama
    ávida de lamer. Tormenta sorda
    que sobre el Orbe enloquecido brama.
    Y son sus hijos pálidas legiones
    de espectros que en la noche de sus cuevas,
55  al ritmo de sus tristes corazones
    viven soñando con auroras nuevas
    de un sol de amor en mística alborada,
    y, sin que llegue la mentida crisis,
    en medio de su mísera nidada
60  ¡los degüellan las ráfagas de tisis!

    Los mudos socavones de las minas
    se tragan en falanges los obreros
    que, suspendidos sobre abismo loco,
    semejan golondrinas
65  posadas en fantásticos aleros.
    Con luz fosforescente de cocuyos
    trémula y amarilla,
    perfora oscuridad su lamparilla;
    sobre vertiginosos voladeros
70  acometen olímpicos trabajos,
    y en tintas de carbón ennegrecidos,
    se clavan en los fríos agujeros,
    como un pueblo infeliz de escarabajos
    a taladrar los árboles podridos.
75  Sus manos desgarradas
    vierten sangre; sarcástica retumba
    la voz en la recóndita huronera:
    allí fue su vivir; allí su tumba
    les abrirá la bárbara cantera
80  que inmóvil, dura, sus alientos gasta,
    o frenética y ciega y bruta y sorda
    con sus olas de piedra los aplasta.

    El minero jadeante
    mira saltar la chispa del diamante

que años después envidiará su hija,                         85
cuando triste, hambrienta y haraposa,
la mejilla más blanca que una rosa
blanca, y el ojo con azul ojera,
se pare a remirarla, codiciosa,
al través de una diáfana vidriera,                          90
do mágicos joyeles
en rubias sedas y olorosas pieles
fulgen: piedras de trémulos cambiantes,
ligadas por artistas
en cintillos: rubíes y amatistas,                           95
zafiros y brillantes,
la perla oscura y el topacio gualda,
y en su mórbido estuche
de rojizo peluche,
como vivo retoño, la esmeralda.                            100
La joven, pensativa,
sus ojos clava, de un azul intenso,
en las joyas, cautiva
de algo que duerme entre el tesoro inmenso;
no es la codicia sórdida que labra                         105
el pecho de los viles:
es que la dicen mística palabra
las gemas que tallaron los buriles:
ellas proclaman la fatiga ignota
de los mineros, acosada estirpe                            110
que sobre el recio pedernal se agota,
destrozada la faz, el alma rota,
sin un caudillo que su mal extirpe:

   El diamante es el lloro
de la raza minera                                          115
en los antros más hondos de la hullera:

   ¡loor a los valientes campeones
que vertieron sus lágrimas
entre los socavones!

   Es el rubí la sangre                                    120
de los héroes que, en épicas faenas,
tiñeron el filón con el desangre
que hurtó la vida a sus hinchadas venas:

¡loor a los valientes campeones
que perdieron sus vidas
entre los socavones!

El zafiro recuerda
a los trabajadores de las simas
el último jirón de cielo puro
que vieron al mecerse de la cuerda
que los bajaba al laberinto oscuro;

¡loor a los sepultos campeones
que no verán ya el cielo
entre los socavones!

Y el topacio de tinte amarillento
es recóndita ira
y concreciones de dolor; lamento
que entre el callado boquerón expira:

¡loor a los cautivos campeones
que como fieras rugen
entre los socavones!

La joven pordiosera
huyó ...

¿Qué formidable vocerío
pasa volando por la azul esfera,
con el lejano murmurar de un río?
Es una turba de profetas. Vienen
al aire desplegando los pendones
color de cielo; sus cabezas tienen
profusas cabelleras de leones.
En sus labios marchitos se adivina
el himno, la oración y la blasfemia;
llama febril sus ojos ilumina
de sacros resplandores;
pálidos como el rostro de la Anemia,
llegaron ya: son los Conquistadores
del Ideal: ¡Dad paso a la Bohemia!
Ebrios todos de un vino luminoso
que no beben los bárbaros, y envueltos
en andrajos, son almas de coloso,
que treparán a la impasible altura

donde afilan sus hojas los laureles
con que ciñes de olímpica verdura
en tu vasto proscenio
a los ungidos de tu Crisma, ¡oh Genio!          165
Aquél muestra su aljaba
de combate, repleta de pinceles;
el otro vibra, como ruda clava,
un cuadrado martillo y dos cinceles;
se interrogan, se dicen sus proyectos            170
de obras que dejarán eternos rasgos:
aunque sean insectos,
el mármol y el pincel los harán astros.
Un escultor ofrece
pulir la piedra como fino encaje                 175
para velar un seno que florece
bajo la tenue morbidez del traje;
aquése de fosfórica pupila
que las del gato iguala,
discurre solo en actitud tranquila               180
con el azul cuaderno bajo el ala;
y el bardo decadente,
el bardo mártir que suscita mofas,
levantará la frente,
alto nido de férvidas estrofas,                  185
y de sus labios, que el reír no alegra,
brotará el pensamiento
como un águila negra,
con las alas enormes
desplegadas al viento,                           190
para cantar la Venus* Victoriosa
cuya violenta juventud encarne
el espíritu alegre de la diosa
en las melancolías de la carne.

El músico, doblando la cabeza                    195
sobre la débil caja
de su violín sonoro,
dice la voz que de los cielos baja
como un perfume del jardín de oro,
y, agarrando del cuello enflaquecido             200
al tísico instrumento,
lo hace gritar con trágico alarido,

y con ahogados trémulos simula
el sollozo de un mártir que se queja
205 bajo el negro dogal que lo estrangula:
y sobre todos flota,
como un sueño de amor en noche larga,
la paz del arte que su duelo embota
y su llagado corazón embarga.

210 Desventurada tribu
de miserables, vuestro ensueño vano
vuela solo entre sombras como vuelan
las grullas en las noches de verano.
Esa lumbre asesina de los focos
215 que doran las soberbias capitales,
arderá vuestras frentes inmortales
y vuestras alas de zafir, oh, ¡Locos!
Sin pan, ni amor, ni gruta
donde dormir vuestras febriles horas,
220 sucumbís a la bárbara cadena,
sin más visión que la chafada ruta
que os empuja a los légamos del Sena*...
¡Canes, minero, artistas,
el árido recinto que os encierra
225 consume vuestros míseros despojos;
y en el agrio Sahara de la tierra
sólo hallasteis el agua... de los ojos!
Huid como una banda tenebrosa
de pájaros nocturnos que entre ramas
230 hienden la oscuridad sin voz ni huella;
morid: ¡Para vosotros
no se despierta el día
ni se columpia en el Zenit la estrella
que llamaron los hombres Alegría!
235 Cuán lejos de vosotros se levanta,
sobre columnas de marfil bruñido,
la ciudad de los Amos donde canta
su canto de ventura
el gozo entre las almas escondido.
240 Allí todos olvidan
vuestra angustia. Los árboles no dejan
—de silencio cargados y de flores—
llegar, de los vencidos que se quejan,

el treno funeral de sus dolores;
allí, cual un torrente 245
que dé sus ondas a dormidas charcas,
resbala fríamente
con rüido sonoro
el oro, a los abismos de las arcas.
Allí las sedas crujen 250
como crujen las carnes sacudidas
por las fieras: son fieras que no rugen
los seres sin piedad. Ved cómo pasa
sobre el marmóreo suelo,
con su capa de pieles la hembra dura 255
cual un oso gigante sobre hielo.
¿Por qué se abren sus ojos
desmesuradamente?
¡Ah!, si es que apunta con fulgores rojos
el astro de la sangre por Oriente. 260
Bajo el odio del viento y de la lluvia
por la frígida estepa se adelantan
los domadores de la bestia rubia:
ya los perros sarnosos
se tornaron chacales. De ira ciego 265
el minero de ayer se precipita
sobre los tronos. Un airado fuego
entre sus manos trémulas palpita,
y sorda a la niñez, al llanto, al ruego,
¡ruge la tempestad de dinamita! 270
¡Son los hijos de Anarkos! Su mirada,
con reverberaciones de locura,
evoca ruinas y predice males:
parecen tigres de la Selva oscura
con nostalgias de víctima y juncales. 275
El furioso caer de sus piquetas
en trizas torna la vetusta arcada
que erigieron al Bien nuestros mayores;
y por la red de las enormes grietas
va filtrando, con tintes de alborada, 280
un sol de juventud sus resplandores.

No puede ser que vivan en la arena
los hombres como púgiles: la vida

es una fuente para todos llena;
285 id a beber, esclavos sin cadena;
potentado, ¡tu siervo te convida!
¡Nada escuchan! Los pobres, a la jaula
de la miseria se resisten fieros,
y con brazo de adustos domadores
290 y el ojo sin ternura, ¡los enjaula
la codicia sin fin de los señores!

¿Quién los conciliará? Tibios reflejos
de una luz paternal y vespertina
visten de claridad el linde vago:
295 es que el Patriarca de los Ritos viejos,
de sapiencia cubierto, se avecina,
con la nerviosa palidez de un mago.
Es flaco y débil: su figura finge
lo espiritual; el cuerpo es una rama
300 donde canta su espíritu de Esfinge*;
y su sangre, la llama
que los miembros cansados transparenta;
de su nariz el lóbulo movible
aspira lo invisible,
305 con sus patricias manos una garra
febril y amarillenta:
es de los griegos la gentil cigarra
¡que con mirar el éter se alimenta!
Impalpable se irgue
310 —melancólico espectro—
y de la cuerda blanca
a su místico plectro
la melodía arranca.

Impalpable se irgue:
315 hay algo de felino
en su trémula marcha,
hay mucho de divino
en la nítida escarcha
que su cabeza orea.
320 Cruza sin otras galas
que la túnica nívea
que semeja las alas
rotas de un genio de celeste coro,

y sobre el pecho una
cruz de pálido oro.                                          325
Alza el brazo. La Europa
lo aguarda como a antiguo caballero,
debajo de una bóveda de acero;
calla sus labios la soberbia tropa
de esclavos y señores:                                       330
el Pontífice augusto
trae el bálsamo santo que redime,
y calma la batalla de panteras;
revalúa lo justo;
ya va a decir el símbolo sublime ...                         335
y de sus labios tiernos
salió, como relámpago imprevisto,
a impulso de los hálitos eternos,
esta sola palabra:
                        *Jesucristo*                         340


# SAN ANTONIO* Y EL CENTAURO*

Antonio* el Cenobiarca del silencioso Egipto,
para templar los duelos de su vivir—proscripto
en una helada cueva donde retoza el diablo—
marchóse en altas horas a visitar a Pablo,
el más viejo eremita. La paz reinaba en torno                5
en cálidos efluvios por sus bocas de horno
respiraba el Desierto. Ya no volaba una
sola pareja de ibis rojos. La luna,
abriéndose ancho paso tras cenicienta franja,
vertía sobre el polvo su amarillo naranja,                   10
seguida por un astro (dorada mariposa
que en derredor girase de una pálida rosa).

Súbitamente el monje, creyendo oír muy lejos
un rumor, se detuvo, y a los blancos reflejos
del astro melancólico vio la extraña figura                  15
de un monstruo que, a galope, cruzaba la llanura
y removiendo arenas se venía derecho
a él; su cuerpo flaco tembló como un helecho
que el aura mece; «acaso esa bruta carrera

fuese fuego diabólico; tal vez hambrienta fiera ...»
¡ya llega!, y frente a frente del vital esqueleto
del monje, un ser no visto, desmelenado, inquieto,
se para. El ermitaño y el monstruo se interrogan
y así, bajo la calma de la noche, dialogan:

### EL CENTAURO

25    Yo soy el hijo Hippofos: el último Centauro
que circundó sus sienes con el augusto lauro
crecido entre las grutas del sagrado archipiélago;
soy un hijo de Grecia, que, atravesando el piélago,
vino a buscar la sombra de bosques escondidos
30 para llorar la fuga de sus dioses vencidos.
Y soy la Fuerza alegre; mi brazo poderoso
sabe peinar la ninfa y estrangular el oso;
y en mi pecho, que tiene la aspereza del cardo,
se doblan las espadas y se despunta el dardo,
35 y, cual dorada piedra que va de tope en tope,
sobre las rocas duras revienta mi galope;
hasta los dioses tiemblan cuando la ceja enarco;
yo rompo dos encinas para forjarme un arco,
y cifro la alegría de vivir. Soy un hombre
40 que sueña, quiere y puede, y a la par lleva nombre
de monstruo; tengo mente y endurecido callo:
soy malo como el hombre y ágil como el caballo,
y velo extraño símbolo. Soñador y lascivo,
quien conozca mi esencia conoce un adjetivo,
45 comprende el adjetivo universal y humano
que entre su seno oculta la palabra ¡Pagano!
Tu nombre di, fantasma, que dialogas conmigo.

### SAN ANTONIO

   Yo soy Antonio, un siervo del Señor tu enemigo,
que atempera sus pasos a la celeste norma
50 de Jesús, y proscribe la diabólica forma
que corrompe los seres, arrebata la mente
y hace perder el alma del hombre eternamente ...
No soy púgil; mis brazos no soportan el peso
de un ánfora colmada; se diría de yeso
55 mi figura unas veces; en otras aparenta
los contornos de una raíz amarillenta.

Mi frente, que no ciñe fresco gajo, sin vello
finge tan sólo el árida rodilla del camello.
Soy un heraldo mudo de la roja victoria
sobre el Olimpo*. Digo la beldad y la gloria          60
de Cristo con los seres que son de Polo a Polo.

EL CENTAURO

No puede vuestro Cristo combatir con Apolo*,
con el hijo soberbio del Ceñudo* y Latona*,
que en los brazos de Dafnis*, al amor se abandona,
o lleva el ígneo carro que volcó Faetonte*            65
por los campos azules del abierto horizonte.
El olímpico auriga de la eterna carroza
donde Febo*, ceñido de laureles, retoza
con las Horas* desnudas, los sonoros tropeles
por el éter dirige de sus raudos corceles.            70
Van cayendo las sombras bajo el dardo certero
del Arquero divino; por el ancho sendero
que siguió la carroza, cruza el sol, pasa el día
y la luz va regando su dorada armonía.

Ese numen risueño que ignoró la tristeza             75
y ha rendido al Olvido su robusta cabeza,
es el padre del Verso: con su mano divina,
al pulsar los bordones del arpa elefantina,
vaga, dulce, amorosa y simbólicamente,
ha forjado una patria más hermosa que Oriente,        80
donde yerra el perfume que al dolor nos arranca
y a do vuela el suspiro de amor—alondra blanca
que sobre el pico lleva la miel de un beso rojo—.
De allí parten los yambos como flechas de enojo
del artista con celos que, siguiendo la huella        85
de Marsyas*, lo cautiva, lo vence, lo desuella.

Por la senda más agria del adusto Parnaso*,
con la crin en desorden, a la luz del ocaso
va subiendo Pegaso*, portador en sus ancas
del cantor Musageta* de las Vírgenes blancas.         90
Y en la fiesta del Mármol, sobre el bajorrelieve,
entre dioses risueños y Afroditas* de nieve,
cuyas bocas ensayan las sonrisas eternas,
se irgue Apolo: la carne de sus pálidas piernas;
el torso alabastrino donde la gracia ondula           95

en cadenciosos planos; la frente que simula
un ara donde ofician la Luz y la Alegría,
y de su cuerpo todo la vívida armonía,
parece que suspiren por el febril contacto
100 de efebos y ninfas de delicioso tacto.
¡Al Crinado* cantemos!

SAN ANTONIO

Es un ídolo yerto;
es un hombre, en el mundo del espíritu, muerto.

EL CENTAURO

Un dios más bello muestra que Apolo y Citerea*.

SAN ANTONIO

105 El triste, el dulce, el pálido Rabí de Galilea*.
Es el profeta joven: como dorada lluvia
tiembla su pelo dócil, fluye su barba rubia.
El sabe lo que dice la voz de las colmenas,
y ama los canes tristes como las azucenas;
110 y son sus ojos grandes, melancólicos, vagos,
y en su fondo reflejan, como místicos lagos,
el divino silencio de las noches tranquilas;
y, cual besos que miren, sus absortas pupilas
aprisionan la calma del azul horizonte;
115 son sus manos delgadas como lirios de monte;
por su voz habla el eco de un arrullo divino,
y en vez de lauros lleva la toca del rabino.

Es triste cuando vaga cual un pastor extraño,
en busca de la oveja perdida del rebaño,
120 y cuando gime a solas por el amigo muerto;
es triste cuando, extinta la luz en el desierto,
con la cabeza baja y los ojos cerrados,
medita entre una fila de camellos cansados.
Si entre las frondas negras del olivar espeso
125 el de Kerioth* le besa con su marchito beso,
sabiendo que su soplo sobre el Ungido vierte
la hez de la perfidia y el vaho de la muerte;
cuando la vieja mano de Dios le desasiste
en el postrer instante de su dolor: ¡es triste!

Y si a la tibia sombra de la copada higuera            130
sentado por las tardes, al pueblo que lo espera
le dice la parábola, y en delicioso abrigo
bajo la vid en fruto de Lázaro*, su amigo,
a María*—la tierna—y a Marta*—la sentida—
enseña a amar el Alma y a despreciar la vida;         135
cuando, caudillo inerme de la legión futura
de mártires, levanta la mística figura
sobre el paciente lomo de la borrica tarda,
y en medio de las voces del pueblo que le aguarda
entra a Salem*, de angustia y amor el alma llena;     140
cuando en las horas grises de la última Cena
no ya la Pecadora* su casto pie le enjuga,
y mientras Juan*—el virgen—comparte su lechuga,
el Rabí desolado por la melancolía,
¡es dulce, es dulce, es dulce!                         145

                       La blanca Eucaristía
palpita entre sus manos; con la mirada alumbra
los tintes nebulosos de tímida penumbra
que va llenando en olas aquel sereno asilo,
y, destrozado mártir al parecer tranquilo,            150
suscita sobre el terso cristal de su memoria
la pena sin orillas de su futura historia,
y oye vibrar el beso del hombre que le entrega
y la cobarde excusa de Kefas* que le niega,
y, como los retumbos de sorda catarata,              155
los bárbaros aullidos del pueblo que le mata,
mientras el ancho marco de la ventana hebrea
recorta azules franjas del éter de Judea*,
que está diciendo al mártir de faz entristecida:
¡*Cómo puede ser libre, fácil, sensual la vida!*     160

   Contéstame: ¿Qué trágico calzó mejor coturno
que aquel Crucificado de rostro taciturno
que, erguido sobre el Gólgota*, desde la cruz pasea
los ojos por su caro país de Galilea*
que no verá en el tiempo, y en lánguido desmayo       165
se va muriendo exangüe? Cuando vestía el sayo
de punzador ultraje, cuando cargó la carga
de su futura gloria, cuando probó la amarga
bebida el virgen labio dolorido y sangriento

170    y oyó que su lamento se perdía en el viento,
¡fue el trágico sublime! La flor de los dolores
regó desde ese instante sus cálidos olores,
y como banda nívea de cisnes familiares,
al arenal sin límites huyeron a millares
175    las vírgenes de Cristo, que en su mansión de palma
hallaron lo que Grecia no supo ver: ¡el alma!
Allí, más victorioso que el orcomenio* atleta,
con sus pasiones lucha vetusto anacoreta,
creador, en el silencio de abruptas soledades,
180    de goces no sentidos, de voluptuosidades
que acendra el abstenerse y oculta la tristeza;
allá desde las cruces levantan la cabeza
los mártires heridos—sedientos gladiadores
que secan con sus bocas el mar de los dolores—.
185    El impasible Kosmos* de vuestra fantasía
perdió tal vez su euritmia, su Olimpo, su alegría:
en cambio nuestras almas trocaron la Quimera*
por un país excelso donde el amor impera
y ...

190    Súbito el Centauro, doliente, silencioso,
se fue sobre la arena con paso perezoso,
alejando, alejando ... y entre la gris llanura
borró para los hombres su helénica figura,
mientras el viejo monje—con su báculo incierto—
195    con el signo de gracia borraba en el desierto
las huellas del Centauro ...

## A POPAYÁN*

Ni mármoles épicos, claros de lumbre y coronas,
ni muros invictos, que prósperos hierros defiendan,
y guarden leones de tranquila postura triunfal,
ni erectas pirámides—urnas al genio propicias—
5    magníficamente tu fama dilatan, sonora,
con voces eternas, ¡fecunda Ciudad maternal!

¡Extática, lúgubre, las procelosas cuadrigas
tu sueño sacuden, nostálgico pozo de olvido!

Abejas* de Jonia* melifican del árbol en flor
que nutres, y al águila, ebria de luz y viento,
las garras febriles y el pecho tremente de luchas,
aplacan tus gélidas aguas de amargo sabor.

Tú vives del silencio ... Cércante vigilantes colinas,
do el Monte puro bajo el azul destella.
Sofrenas tu río, alma viva del gesto fugaz,
y el ánfora esbelta, rica de sangre augusta,
perenne derramas, al brillo de estrellas insomnes ...
¡y brotan las bélicas palmas en lírico haz!

Tú vives del pasado. Púrpura de razas soberbias
en prófugo instante volaba quemando tus hombros,
y en púberes gajos te reían las pomas de miel ...
¡Levanta! ¡La túnica fulge de honor y heridas!
Acudan tus buenos, y el ostro marchito restauren,
¡y mullan tus sendas con hojas de nuevo laurel!

Y vives del futuro. Las árticas brumas del Tiempo
rasgas; con ojos sabios interrogas la Noche;
tus hijos epónimos magnifican el prístino azur
con trémulos halos, y miras tu raza ventura
feliz en la fuerza, feliz en sondar el Misterio
que puso en el éter el místico Signo del Sur* ...

Tú vives de tus glorias. En himno sin término vuelan
tu soberbia esperanza con alas de Victoria,
tus bruñidos escudos, tu gladio de fosco metal.
Con numeroso verbo tus triunfos el ágora* enalba,
y, castálida* fuente, sólo por ti murmulla
del héroe aquilino la pródiga voz de cristal.

Y vives de tus dones. Tu mísera gente africana
por* ti las manos muestra, sin hierros, a la Vida,
y, en férvido ahinco, monumentos de forma sin fin
erige con el bronce vivo de sus progenies
que en móviles grupos, de toscas o nobles figuras,
relievan tu hazaña—¡del uno hasta el otro confín! ...

Y vives de imposibles. Al óptimo, audaz Caballero,
Señor de la Mancha, de escuálida, triste figura,
sepulcro le diste, bajo un roble de añosa virtud.

¡Patético hidalgo!, de prez tus armas brillan:
dos veces tus pares probaron al orbe su temple:
en trágico golfo, tu yelmo; tu lanza, en Cuaspud*.

50
Tú vives del martirio. Monótono arroyo de sangre
afluye de tu pecho al ávido mar sin orillas ...
¡Del Orto al Poniente glorifica tu sino—la cruz!
Al ara fatídica llevan, cual eterno holocausto,
su genio, tu prócer*: el mútilo torso, Camilo*;
tu víctima sacra*, sus púdicos lirios de luz ...

55
Y vives del orgullo. Colérica tribu de azores
tus marchas preside. Las víboras mudas se tuercen
al golpe moroso de tu cetro de insigne marfil.
A ti los relámpagos ciñen radial corona;
a ti las tempestades rinden sus espadas de oro;
60
conquistas evoca tu rostro de fiero perfil.

Y vives con tu cielo, libélula errante, cogida
entre las redes que urde la luz de monte a monte*.
La tarde se mustia ... Figuras ceñidas de tul
agrúpanse pávidas ... Arde implacable hoguera;
65
el cóncavo cruzan torbellinos de nácares y oro,
y el Rey* degollado mil veces purpura el Azul ...

En lóbregas simas tu savia la plebe concentra
como el carbón sepulto, la chispa milenaria.
Tus bíblicas madres, cual espigas al beso de abril,
70
inclínanse grávidas ... ¡Fluyan eternamente,
como las aguas mudas entre las selvas mudas,
tus próceres gérmenes de fausto vigor juvenil!

Ni mármoles épicos, claros de lumbre y coronas,
ni muros invictos, que prósperos hierros defiendan,
75
y guarden leones de tranquila postura triunfal,
ni erectas pirámides—urnas al genio propicias—
magníficamente tu fama dilatan, sonora,
con voces eternas, ¡fecunda Ciudad maternal!

Extática, lúgubre, las procelosas cuadrigas
80
tu sueño sacuden, nostálgico pozo de olvido ...
Abejas de Jonia melifican del árbol en flor
que nutres, y al águila, ebria de luz y viento,

las garras febriles y el pecho tremente de luchas,
aplacan tus gélidas aguas de amargo sabor.


# LAS DOS CABEZAS

## *Judith\* y Holofernes\**

(TESIS)

Blancos senos, redondos y desnudos, que al paso
de la hebrea se mueven bajo el ritmo sonoro
de las ajorcas rubias y los cintillos de oro,
vivaces como estrellas sobre la tez de raso.

Su boca, dos jacintos en indecible vaso,          5
de la sutil esencia de la voz. Un tesoro
de miel hincha la pulpa de sus carnes. El lloro
no dio nunca a esa faz languideces de ocaso.

Yacente sobre un lecho de sándalo, el Asirio\*
reposa fatigado; melancólico cirio          10
los objetos alarga y proyecta en la alfombra...

Y ella, mientras reposa la bélica falange,
muda, impasible, sola, y escondido el alfanje,
para el trágico golpe se recata en la sombra.

Y ágil tigre que salta de tupida maleza,          15
se lanzó la israelita sobre el héroe dormido,
y de doble mandoble, sin robarle un gemido,
del atlético tronco desgajó la cabeza.

Como de ánforas rotas, con ungida presteza,
desbordó en oleadas el carmín encendido,          20
y de un lago de púrpura y de sueño y de olvido,
recogió la homicida la pujante cabeza.

En el ojo apagado, las mejillas y el cuello,
de la barba, en sortijas, al ungido cabello,
se apiñaban las sombras en siniestro derroche          25

sobre el lívido tajo de color de granada...
y fingía la negra cabeza destroncada
una lúbrica rosa del jardín de la noche.

## Salomé* y Joakanann*

### (ANTÍTESIS)

Con un aire maligno de mujer y serpiente,
30   cruza en rápidos giros Salomé la gitana
al compás de los crótalos. De su carne lozana
vuela equívoco aroma que satura el ambiente.

Danza todas las danzas que ha tejido el Oriente:
las que prenden hogueras en la sangre liviana
35   y a las plantas deshojan de la déspota humana
o la flor de la vida, o la flor de la muerte.

Inyectados los ojos, con la faz amarilla,
el caduco Tetrarca* se lanzó de su silla
tras la hermosa, gimiendo con febril arrebato:

40   « Por la miel de tus besos te daré Tiberíades* »
y ella dícele: « En cambio de tus muertas ciudades,
dame a ver la cabeza del Esenio* en un plato. »

Como viento que cierra con raquítico arbusto,
en el viejo magnate la pasión se desata,
45   y al guiñar de los ojos, el esclavo que mata
apercibe el acero con su brazo robusto.

Y hubo un grave silencio cuando el cuello del Justo*,
suelto en cálido arroyo de fugaz escarlata,
ofrecieron a Antipas* en un plato de plata
50   que él tendió a la sirena con medroso disgusto.

Una lumbre que viene de lejano infinito
da a las sienes del mártir y a su labio marchito
la blancura llorosa de cansado lucero.

Y—del mar de la muerte melancólica espuma—
55   la cabeza sin sangre del Esenio se esfuma
en las nubes de mirra de sutil pebetero.

## La Palabra de Dios

### (síntesis)

Cuando vio mi poema Jonatás* el Rabino
(el espíritu y carne de la bíblica ciencia)
con la risa en los labios me explicó la sentencia
que soltó la Paloma sobre el Texto divino.    60

« Nunca pruebes—me dijo—, el licor femenino,
que es licor de mandrágoras y destila demencia:
si lo bebes, al punto morirá tu conciencia,
volarán tus canciones, errarás el camino. »

Y agregó: « Lo que vas a oír no te asombre:    65
la mujer es el viejo enemigo del hombre;
sus cabellos de llama son cometas de espanto.

Ella libra la tierra del amante vicioso,
y ella calma la angustia de su sed de reposo
con el jugo que vierten las heridas del santo. »    70


# HAY UN INSTANTE ...

Hay un instante del crepúsculo
en que las cosas brillan más,
fugaz momento palpitante
de una amorosa intensidad.

Se aterciopelan los ramajes,    5
pulen las torres su perfil,
burila un ave su silueta
sobre el plafondo de zafir.

Muda la tarde, se concentra
para el olvido de la luz,    10
y la penetra un don süave
de melancólica quietud.

Como si el orbe recogiera
todo su bien y su beldad,

toda su fe, toda su gracia,
contra la sombra que vendrá ...

Mi ser florece en esa hora
de misterioso florecer;
llevo un crepúsculo en el alma,
de ensoñadora placidez;

en él revientan los renuevos
de la ilusión primaveral,
y en él me embriago con aromas
de algún jardín que hay ¡*más allá!*

# LEOPOLDO LUGONES

## 1874-1938

L A OBRA de este discutido escritor argentino constituye uno de los mayores estímulos con que ha contado la literatura contemporánea de América. La posición ideológica cambiante que dejó ver en el curso de su vida lo convirtió en blanco de aceradas acusaciones o en tema de panegíricas defensas que, a la postre unas y otras, terminaron por realzar el sitio que hoy ocupa en el desarrollo del pensamiento argentino.

Los variados versos de Lugones revelan también una evolución positivamente alentadora. En el apogeo del modernismo comparte con los poetas de dicho periodo los anhelos de superación que acariciaban y perseguían con Rubén. Es así que Lugones pronto se convierte en uno de los grandes maestros del movimiento y, sin vacilar, pone su prodigioso talento al servicio del nuevo esteticismo. Los frutos no pudieron ser sino los que se esperaban.

A la moda modernista Lugones pronto añade renovados intentos destinados a introducir notas algo insólitas en la trayectoria del verso americano del siglo XX. Su obra se torna algo más difícil de apreciar con gusto por los caprichos de forma y contenido que parece interponer el poeta entre sus composiciones y el lector. Las atrevidas ironías de su expresión insinúan asuntos y temas desconcertantes por su falta de explicitez.

De ese estilo equívocamente extravagante, pero admirable, Lugones pasa a otros más asequibles para el lector medio. El paisaje local entra a desempeñar una función decisiva en la elección de los motivos poéticos y sirve de antesala a los temas nacionales, ante los cuales el poeta se rendirá a corto plazo. La simplificación formal resulta evidente, pero nunca cede hasta dejar el camino expedito a la sencillez completa.

La ágil personalidad de Lugones jamás desaparece del arte que cultiva, por más que éste varíe a tono con la diversidad estética del momento. Lo admirable de este célebre poeta argentino estriba en que nunca se rinde al dictamen de ningún maestro ni degenera, ante el tratamiento de los motivos criollos, en la prosaica tendencia descriptiva de los poetas menores. Para mantener en alto el nivel artístico posee el talento de manejar el verso a su antojo y la destreza necesaria para doblegarlo ante los propósitos perseguidos.

## OBRAS PRINCIPALES DEL AUTOR

*Las montañas del oro.* Buenos Aires, 1897.
*Los crepúsculos del jardín.* Buenos Aires, 1905.
*Lunario sentimental.* Buenos Aires, 1909.
*Odas seculares.* Buenos Aires, 1910.
*El libro fiel.* París, 1912.
*El libro de los paisajes.* Buenos Aires, 1917.
*Las horas doradas.* Buenos Aires, 1922.
*Romancero.* Buenos Aires, 1924.
*Poemas solariegos.* Buenos Aires, 1928.
*Romances del Rioseco.* Buenos Aires, 1938.
*Obras poéticas completas.* Prólogo de Pedro Miguel Obligado. Madrid, 1959.

## ESTUDIOS

ARA, G. *Leopoldo Lugones.* Buenos Aires: La Mandrágora, 1958.
ASHHURST, A. W. «El simbolismo en *Las montañas del oro*», *Revista Iberoamericana* (México), No. 57 (1964), págs. 93–104.
BORGES, J. L. *Leopoldo Lugones.* Buenos Aires: Troquel, 1956.
CAMBOURS OCAMPO, A. *Lugones. El escritor y su lenguaje.* Buenos Aires: Ediciones Theoria, 1957.
CARILLA, E. «Sobre la elaboración poética en Lugones», *Humanitas* (Tucumán, Argentina), No. 5 (1954), págs. 167–184.
GHIANO, J. C. *Lugones escritor—Notas para un análisis crítico.* Buenos Aires: Raigal, 1955.
JITRIK, N. *Leopoldo Lugones; mito nacional.* Buenos Aires: Editorial Palestra, 1960.

LUGONES, L. (hijo) *Mi padre, biografía de Leopoldo Lugones.* Buenos Aires: Centurión, 1949.

MAGIS, C. H. «Del ‹Lunario sentimental›, de Leopoldo Lugones, al ultraísmo», *Cuadernos Hispanoamericanos* (Madrid), No. 135 (1961), págs. 336–351.

MARTÍNEZ ESTRADA, E. «Leopoldo Lugones (1874–1938). Retrato sin retocar», *Cuadernos Americanos* (México), No. 1 (1959), págs. 211–223.

MAS Y PI, J. *Leopoldo Lugones y su obra.* Buenos Aires: Renacimiento, 1911.

MCMAHON, D. «Leopoldo Lugones: A Man in Search of Roots», *Modern Philology* (U.S.A.), *LI* (1954), págs. 196–203.

MONGES, C. H. *La poesía de Leopoldo Lugones.* México: Ateneo, 1960.

MONTENEGRO, A. R. «Lugones y el modernismo hispanoamericano», *Revista de Humanidades* (Córdoba, Argentina), *II* (1959), págs. 3–20.

NAVARRO, C. «La visión del mundo en el *Lunario sentimental*», *Revista Iberoamericana* (México), No. 57 (1964), págs. 133–152.

NOSOTROS (Buenos Aires). *Número extraordinario dedicado a Leopoldo Lugones.* Mayo–julio de 1938. Segunda época—Año II, Tomo VI—Núm. 26–28. (Contiene varios artículos e incluye los que se refieren al pleito Lugones—Herrera y Reissig).

NÚÑEZ, J. A. *Leopoldo Lugones.* Córdoba, Argentina: Universidad Córdoba, 1957.

OLIVARI, M. *Leopoldo Lugones.* Buenos Aires: Saeta, 1940.

PULTERA, R. *Lugones; elementos cardinales destinados a determinar una biografía.* Buenos Aires, 1956.

ROGGIANO, A. «Bibliografía de y sobre Leopoldo Lugones», *Revista Iberoamericana* (México), No. 53 (1962), págs. 155–213.

SCARI, R. M. «*Los crepúsculos del jardín* de Leopoldo Lugones», *Revista Iberoamericana* (México), No. 57 (1964), págs. 105–121.

TORRE, G. DE. «Estudio preliminar» a *Poesías completas* (Julio Herrera y Reissig). Buenos Aires: Losada, 1945 (2a. ed.).

UGARTE, M. *Escritores iberoamericanos de 1900.* Santiago de Chile: Orbe, 1943.

VIDAL PEÑAS, L. *El drama intelectual de Lugones.* Buenos Aires: Editorial «La Facultad», 1938.

# PREFACIO

Lector, este ramillete
que mi candor te destina,
con permiso de tu usina
y perdón de tu bufete,

no significa en ninguna                               5
forma, un anárquico juego,
o un desordenado apego
por las cosas de la luna.

Pasatiempo singular
tal vez, aunque harto inocente,                       10
como escupir desde un puente,
o hacerse crucificar;

epopeya baladí
que, por lógico resorte,
quizá sirva a tu consorte                             15
para su *five o'clock tea.*

Perdóname las cadenas
de amor, que me llagan vivo;
nadie disputa al cautivo
la libertad de sus penas.                             20

Mi flaqueza vencedora
lleva consigo el desquite,
si al mismo mar se le admite
el sonrojo de la aurora.

Mas yo sudé mi sudor                                  25
en mi parte de labranza.
Y el verde de mi esperanza,
es primicia de labor.

Obrero cuya tarea
va sin grimas ni resabios
mientras a flor de sus labios
un aria vagabundea.

## LA VEJEZ DE ANACREONTE*

La tarde coronábalo de rosas;
sus dulces versos, en divino coro,
iban flotando como polen de oro
sobre alas de invisibles mariposas.

Componían los mimos suaves glosas.
Mugía blandamente el mar sonoro,
como si fuera un descornado toro
uncido a la cuadriga de las diosas.

Y más rosas llovieron; y la frente
del poeta inclinóse dulcemente,
y un calor juvenil flotó en sus venas.

Sintió llenos de flores los cabellos.
Las temblorosas manos hundió en ellos ...,
y en vez de rosas encontró azucenas.

## CONJUNCIÓN

Sahumáronte los pétalos de acacia
que para adorno de tu frente arranco,
y tu nervioso zapatito blanco
llenó toda la tarde con su gracia.

Abrióse con erótica eficacia
tu enagua de surah, y el viejo banco
sintió gemir sobre tu activo flanco
el vigor de mi torva aristocracia.

Una resurrección de primaveras
llenó la tarde gris, y tus ojeras,
que avivó la caricia fatigada,

me fantasearon en penumbra fina
las alas de una leve golondrina
suspensa en la ilusión de tu mirada.


## DELECTACIÓN MOROSA

La tarde, con ligera pincelada
que iluminó la paz de nuestro asilo,
apuntó en su matiz crisoberilo
una sutil decoración morada.

Surgió enorme la luna en la enramada;          5
las hojas agravaban su sigilo,
y una araña en la punta de su hilo
tejía sobre el astro hipnotizada.

Poblóse de murciélagos el combo
cielo, a manera de chinesco biombo;          10
tus rodillas exangües sobre el plinto

manifestaban la delicia inerte,
y a nuestros pies un río de jacinto
corría sin rumor hacia la muerte.


## OCEÁNIDA*

El mar, lleno de urgencias masculinas,
bramaba alrededor de tu cintura,
y como brazo colosal, la oscura
ribera te amparaba. En tus retinas,

y en tus cabellos, y en tu astral blancura,          5
rieló con decadencias opalinas,
esa luz de las tardes mortecinas
que en el agua pacífica perdura.

Palpitando a los ritmos de tu seno,
hinchóse en una ola el mar sereno;          10
para hundirte en sus vértigos felinos

su voz te dijo una caricia vaga,
y al penetrar entre los muslos finos,
la onda se aguzó como una daga.


## HOLOCAUSTO

Llenábanse de noche las montañas,
y a la vera del bosque aparecía
la estridente carreta que volvía
de un viaje espectral por las campañas.

5    Compungíase el viento entre las cañas,
y asumiendo la astral melancolía,
las horas prolongaban su agonía
paso a paso a través de tus pestañas.

La sombra pecadora a cuyo intenso
10    influjo, arde tu amor como el incienso
en apacible combustión de aromas,

miró desde los sauces lastimeros,
en mi alma un extravío de corderos
y en tu seno un degüello de palomas.


## EL SOLTERÓN

### I

Largas brumas violetas
flotan sobre el río gris,
y allá en las dársenas quietas
sueñan oscuras goletas
5    con un lejano país.

El arrabal solitario
tiene la noche a sus pies,
y tiembla su campanario
en el vapor visionario
10    de ese paisaje holandés.

El crepúsculo perplejo
entra a una alcoba glacial,
en cuyo empañado espejo
con soslayado reflejo
turba el agua del cristal. 15

El lecho blanco se hiela
junto al siniestro baúl,
y en su herrumbrada tachuela
envejece una acuarela
cuadrada de felpa azul. 20

En la percha del testero,
el crucificado frac
exhala un fenol severo,
y sobre el vasto tintero
piensa un busto de Balzac*. 25

La brisa de las campañas,
con su aliento de clavel,
agita las telarañas,
que son inmensas pestañas
del desusado cancel. 30

Allá por las nubes rosas,
las golondrinas, en pos
de invisibles mariposas,
trazan letras misteriosas
como escribiendo un adiós. 35

En la alcoba solitaria,
sobre un raído sofá
de cretona centenaria,
junto a su estufa precaria,
meditando un hombre está. 40

Tendido en postura inerte
masca su pipa de boj,
y en aquella calma advierte
¡qué cercana está la muerte
del silencio del reloj! 45

En su garganta reseca
gruñe una biliosa hez,
y bajo su frente hueca

la verdinegra jaqueca
50 maniobra un largo ajedrez.

¡Ni un gorjeo de alegrías!
¡Ni un clamor de tempestad!
Como en las cuevas sombrías,
en el fondo de sus días,
55 bosteza la soledad.

Y con vértigos extraños,
en su confusa visión
de insípidos desengaños,
ve llegar los grandes años
60 con sus cargas de algodón.

## II

A inverosímil distancia
se acongoja un vïolín,
resucitando en la estancia
como una ancestral fragancia
65 del humo de aquel esplín.

Y el hombre piensa. Su vista
recuerda las rosas té
de un sombrero de modista ...
El pañuelo de batista ...
70 Las peinetas ... el corsé ...

Y el duelo en la playa sola:
Uno ... dos ... tres ... Y el lucir
de la montada pistola ...
y el son grave de la ola
75 convidando a bien morir.

Y al dar a la niña inquieta
la reconquistada flor
en la persiana discreta,
sintióse héroe y poeta
80 por la gracia del amor.

Epitalamios de flores
la dicha escribió a sus pies,
y las tardes de colores
supieron de esos amores
85 celestiales ... Y después ...

Ahora, una vaga espina
le punza en el corazón,
si su coqueta vecina
saca la breve botina
por los hierros del balcón;                    90

y si con voz pura y tersa,
la niña del arrabal,
en su malicia perversa,
temas picantes conversa
con el canario jovial;                         95

surge aquel triste percance
de tragedia baladí:
la novia..., la flor..., el lance...
Veinte años cuenta el romance.
Turguenef* tiene uno así.                      100

¡Cuán triste era su mirada,
cuán luminosa su fe
y cuán leve su pisada!
¿Por qué la dejó olvidada?
¡Si ya no sabe por qué!                        105

### III

En el desolado río
se agrisa el tono punzó
del crepúsculo sombrío,
como un imperial hastío
sobre un otoño de gro.                         110

Y el hombre medita. Es ella
la visión triste que en un
remoto nimbo descuella:
es una ajada doncella
que le está aguardando aún.                    115

Vago pavor le amilana,
y va a escribirle por fin
desde su informe nirvana...
La carta saldrá mañana
y en la carta irá un jazmín.                   120

La pluma en sus dedos juega;
ya el pliego tiene el doblez

y su alma en lo azul navega.
A los veinte años de brega
va a decir « tuyo » otra vez.

No será trunca ni ambigua
su confidencia de amor
sobre la vitela exigua.
¡Si esa carta es muy antigua! ...
Ya está turbio el borrador.

Tendrá su deleite loco,
blancas sedas de amistad
para esconder su ígneo foco.
La gente reirá un poco
de esos novios de otra edad.

Ella, la anciana, en su leve
candor de virgen senil,
será un alabastro breve.
Su aristocracia de nieve
nevará un tardío abril.

Sus canas, en paz suprema,
a la alcoba sororal
darán olor de alhucema,
y estará en la suave yema
del fino dedo el dedal.

Cuchicheará a ras del suelo
su enagua un vago fru-frú
¡y con qué afable consuelo
acogerá el terciopelo
su elegancia de bambú!

Así está el hombre soñando
en el aposento aquel,
y su sueño es dulce y blando;
mas la noche va llegando
y aún está blanco el papel.

Sobre su visión de aurora,
un tenebroso crespón
los contornos descolora,
pues la noche vencedora
se le ha entrado al corazón.

Y como enturbiada espuma,
una idea triste va
emergiendo de su bruma:
¡Qué mohosa está la pluma!
¡La pluma no escribe ya!

## LA COQUETA

Bajo los fluidos bucles en que flota
su fina cabeza, de rubia beldad,
recluye en el ámbito de la ancha capota
con mimo adorable su puerilidad.

En el breve seno, denunciado apenas,
la esfumada línea de una vena azul,
limita un sucinto prado de azucenas
que crepusculiza la bruma del tul.

A la frágil gracia de su figulina,
une, casi auténtico, un aire de esplín;
y con incentivo carmín ilumina
la falacia irónica que huye en su mohín.

Su ojo, un poco fatuo, se abate a la sombra
de la ojera, en leves insomnios de té;
ajando el discreto matiz de la alfombra,
petulante arquea su menudo pie.

Transparenta lirios la calada media...
Y con su abanico lánguido y burlón,
sobre el especioso secuaz que la asedia
pulveriza un poco de su corazón.

## EL PAÑUELO

Poco a poco, adquiriendo otra hermosura,
aquel cielo infantil de primavera
se puso negro, cual si lo invadiera
una sugestión lánguida y oscura.

Tenía algo de parque la espesura
del bosque, y en la pálida ribera

padecía la tarde cual si fuera
algún ser fraternal en desventura.

Como las alas de un alción herido,
los remos de la barca, sin consuelo,
azotaron el piélago dormido.

Cayó la noche, y entre el mar y el cielo
quedó por mucho tiempo suspendido
el silencioso adiós de tu pañuelo.

## EMOCIÓN ALDEANA

Nunca gocé ternura más extraña,
que una tarde entre las manos prolijas
del barbero de campaña—
furtivo carbonario que tenía dos hijas.
Yo venía de la montaña
en mi claudicante jardinera,
con timidez urbana y ebrio de primavera.

Aristas de mis parvas,
tupían la fortaleza silvestre
de mi semestre
de barbas;
recliné la cabeza
sobre la fatigada almohadilla,
con una plenitud sencilla
de docilidad y de limpieza;
y en ademán cristiano presenté la mejilla...

El desconchado espejo
protegido por marchitos tules,
absorbiendo el paisaje en su reflejo,
era un óleo enorme de sol bermejo,
praderas pálidas y cielos azules.
Y ante el mórbido gozo
de la tarde vibraba en pastorelas,
flameaba como un soberbio trozo
que glorificara un orgullo de escuelas.

La brocha, en tanto,
nevaba su sedosa espuma

con el encanto
de una caricia de pluma.
De algún redil cabrío, que en tibiezas amigas,                    30
aprontaba al rebaño su familiar sosiego,
exhalaban un perfume labriego
de polen almizclado las boñigas.

Con sonora mordedura
raía mi fértil mejilla la navaja,                                 35
mientras sonriendo anécdotas en voz baja,
el liberal barbero me hablaba mal del cura.
A la plática ajeno,
preguntábale yo, superior y sereno
(bien que con cierta inquietud de celibato),                     40
por sus dos hijas, Filiberta y Antonia;
cuando de pronto deleitó mi olfato
una ráfaga de agua de colonia.

Era la primogénita, doncella preclara,
chisporroteaba en pecas bajo rulos de cobre.                     45
Mas en ese momento, con presteza avara,
rociábame el maestro su vinagre a la cara,
en insípido aroma de pradera pobre.

Harto esponjada en sus percales,
la joven apareció, un tanto incierta,                            50
a pesar de las lisonjas locales.
Por la puerta,
asomaron racimos de glicinas,
y llegó de la huerta
un maternal escándalo de gallinas.                               55

Cuando, con fútil prisa,
hacia la bella volví mi faz más grata,
su púdico saludo respondió a mi sonrisa,
y ante el sufragio de mi amor pirata,
y la flamante lozanía de mis carrillos,                          60
vi abrirse enormemente sus ojos de gata,
fritos en rubor como dos huevecillos.

Sobre el espejo, la tarde lila
improvisaba un lánguido miraje
en un ligero vértigo de agua tranquila.                          65
Y aquella joven con su blanco traje,
al borde de esa visionaria cuenca,

daba al fugaz paisaje
un aire de antigua ingenuidad flamenca.


# DIVAGACIÓN LUNAR

Si tengo la fortuna
de que con tu alma mi dolor se integre,
te diré entre melancólico y alegre
las singulares cosas de la luna.

5 Mientras el menguante exiguo
a cuyo noble encanto ayer amaste,
aumenta su desgaste
de cequín antiguo,
quiero mezclar a tu champaña
10 como un buen astrónomo teórico,
su luz, en sensación extraña
de jarabe hidroclórico.
Y cuando te envenene
la pálida mixtura,
15 como a cualquier romántica Eloísa* o Irene*,
tu espíritu de amable criatura
buscará una secreta higiene
en la pureza de mi desventura.

Amarilla y flacucha.
20 la luna cruza el azul pleno,
como una trucha
por un estanque sereno,
y su luz ligera,
indefiniendo asaz tristes arcanos,
25 pone una mortuoria translucidez de cera
en la gemela nieve de tus manos.

Cuando aún no estaba la luna, y afuera
como un corazón poético y sombrío
palpitaba el cielo de primavera,
30 la noche, sin ti, no era
más que un oscuro frío.
Perdida toda forma, entre tanta

oscuridad, eras sólo un aroma;
y el arrullo amoroso ponía en tu garganta
una ronca dulzura de paloma.                                    35
En una puerilidad de tactos quedos,
la mirada perdida en una estrella,
me extravié en el roce de tus dedos.
Tu virtud fulminaba como una centella...
Mas el conjuro de los ruegos vanos                              40
te llevó al lance dulcemente inicuo,
y el coraje se te fue por las manos
como un poco de agua por un mármol oblicuo.

La luna fraternal, con su secreta
intimidad de encanto femenino,                                  45
al definirte hermosa te ha vuelto coqueta.
Sutiliza tus maneras un complicado tino;
en la lunar presencia,
no hay ya ósculo que el labio al labio suelde;
y sólo tu seno de audaz incipiencia,                            50
con generosidad rebelde,
continúa el ritmo de la dulce violencia.

Entre un recuerdo de Suiza
y la anécdota de un oportuno primo
tu crueldad virginal se sutiliza;                               55
y con sumisión postiza
te acurrucas en pérfido mimo,
como un gato que se hace una bola
en la cabal redondez de su cola.

Es tu ilusión suprema                                           60
de joven soñadora,
ser la joven mora
de un antiguo poema.
La joven cautiva que llora
llena de luna, de amor y de sistema.                            65

La luna enemiga
que te sugiere tanta mala cosa,
y de mi brazo cordial te desliga,
pone un detalle trágico en tu intriga
de pequeño mamífero rosa.                                       70
Mas, al amoroso reclamo

de la tentación, en tu jardín alerta,
tu grácil juventud despierta
golosa de caricia y de *Yoteamo*.
75 En el albaricoque
un tanto marchito de tu mejilla,
pone el amor un leve toque
de carmín, como una lucecilla.
Lucecilla que, a medias con la luna,
80 tu rostro excava en escultura inerte,
y con sugestión oportuna
de pronto nos advierte
no sé qué próximo estrago,
como el rizo anacrónico de un lago
85 anuncia a veces el soplo de la muerte ...


## A LOS GAUCHOS

Raza valerosa y dura
que con pujanza silvestre
dio a la patria en garbo ecuestre
su primitiva escultura.
5 Una terrible ventura
va a su sacrificio unida,
como despliega la herida
que al toro desfonda el cuello,
en el raudal del degüello
10 la bandera de la vida.

Es que la fiel voluntad
que al torvo destino alegra,
funde en vino la uva negra
de la dura adversidad.
15 Y en punto de libertad
no hay satisfacción más neta,
que medírsela completa
entre riesgo y corazón,
con tres cuartas de facón
20 y cuatro pies de cuarteta.

En la hora del gran dolor
que a la historia nos paría,

así como el bien del día
trova el pájaro cantor,
la copla del payador                                          25
anunció al amanecer,
y en el fresco rosicler
que pintaba el primer rayo,
el lindo gaucho de Mayo
partió para no volver.                                        30

Así salió a rodar tierra
contra el viejo vilipendio,
enarbolando el incendio
como estandarte de guerra.
Mar y cielo, pampa y sierra                                   35
su galope al sueño arranca,
y bien sentada en el anca
que por las cuestas se empina,
le sonríe su Argentina
linda y fresca, azul y blanca.                                40

Desde Suipacha* a Ayacucho*
se agotó en el gran trabajo,
como el agua cuesta abajo
por haber corrido mucho;
más siempre garboso y ducho                                   45
aligeró todo mal,
con la gracia natural
que en la más negra injusticia
salpicaba su malicia
clara y fácil como un real.                                   50

Luego al amor del caudillo
siguió, muriendo admirable,
con el patriótico sable
ya rebajado a cuchillo;
pensando alegre y sencillo,                                   55
que en cualesquiera ocasión,
desde que cae al montón
hasta el día en que se acaba,
pinta el culo* de la taba
la existencia del varón.                                      60

Su poesía es la temprana
gloria del verdor campero

donde un relincho ligero
regocija la mañana.
Y la morocha lozana
de sediciosa cadera,
en cuya humilde pollera,
primicias de juventud
nos insinuó la inquietud
de la loca primavera.

Su recuerdo, vago lloro
de guitarra sorda y vieja,
a la patria no apareja
preocupación ni desdoro.
De lo bien que guarda el oro,
el guijarro es argumento;
y desde que el pavimento
con su nivel sobrepasa,
va sepultando la casa
las piedras de su cimiento.

## LA BLANCA SOLEDAD

Bajo la calma del sueño,
calma lunar de luminosa seda,
la noche,
como si fuera
el blanco cuerpo del silencio,
dulcemente en la inmensidad se acuesta.
Y desata
su cabellera,
en prodigioso follaje
de alamedas.

Nada vive sino el ojo
del reloj en la torre tétrica,
profundizando inútilmente el infinito
como un agujero abierto en la arena.
El infinito,
rodado por las ruedas
de los relojes,
como un carro que nunca llega.

La luna cava un blanco abismo
de quietud, en cuya cuenca                                    20
las cosas son cadáveres
y las sombras viven como ideas.
Y uno se pasma de lo próxima
que está la muerte en la blancura aquella.
De lo bello que es el mundo                                   25
poseído por la antigüedad de la luna llena.
Y el ansia tristísima de ser amado,
en el corazón doloroso tiembla.

Hay una ciudad en el aire,
una ciudad casi invisible suspensa,                           30
cuyos vagos perfiles
sobre la clara noche transparentan,
como las rayas de agua en un plïego,
su cristalización poliédrica.
Una ciudad tan lejana,                                        35
que angustia con su absurda presencia.

¿Es una ciudad o un buque
en el que fuésemos abandonando la tierra,
callados y felices,
y con tal pureza,                                             40
que sólo nuestras almas
en la blancura plenilunar vivieran? ...

Y de pronto cruza un vago
estremecimiento por la luz serena.
Las líneas se desvanecen,                                     45
la inmensidad cámbiase en blanca piedra,
y sólo permanece en la noche aciaga
la certidumbre de tu ausencia.


# HISTORIA DE MI MUERTE

Soñé la muerte y era muy sencillo:
una hebra de seda me envolvía,
y cada beso tuyo
con una vuelta menos me ceñía.
Y cada beso tuyo                                               5

era un día;
y el tiempo que mediaba entre dos besos,
una noche. La muerte era muy sencilla.

Y poco a poco fue desenvolviéndose
la hebra fatal. Ya no la retenía
sino por sólo un cabo entre los dedos ...
Cuando de pronto te pusiste fría,
y ya no me besaste ...
Y solté el cabo y se me fue la vida.

# LAS CIGARRAS

## I

Con la aurora estival rompe su coro.
La seda azul del sueño hacen harnero.
Cascabeles del sol cuyo pandero
las despilfarra en cáscaras de oro.

Asolando las mentas y las malvas,
el creciente calor flagra su dardo,
y cada una, así herida, es un petardo
con que gasta el amor pólvora en salvas.

Bajo la paz del campo que se dora
como el pan, al rescoldo de la siesta,
parece que el estío en ellas tuesta
sus gárrulas castañas a deshora.

Dando al clásico ripio el « vano alarde »
de habernos aturdido todo el día
en su ya fatigado son chirría
la lejana carreta de la tarde.

Cuando en quietud de especular laguna
el plenilunio cálido alucina,
entorchan su bordón de plata fina
para el laúd ebúrneo de la luna.

Y todavía en obstinado roce,
la más ronca y urgente del enjambre,
finge con su timbal cascado alambre
de péndola que está por dar las doce.

## II

Ya el tordo ministril canta en las vides;                25
pulsan en el estanque claras glotis,
y las dulces pupilas de misotis
dicen con su celeste « no me olvides ».

La blonda madurez de la algarroba
peina bucles de sol; se almizcla el chivo;              30
y como joven cabra, en su aire esquivo,
seduce la que fue zagala boba.

El almíbar frutal bulle en la paila;
guiña mil ojos el racimo negro;
y al ritmo de su más inflado alegro,                    35
borracho el Carnaval insulta y baila.

Todo eso está en el coro paladino
que con ardor viril al sol saluda
(porque madama la cigarra es muda
a pesar de su sexo femenino).                           40

Así el buen cigarrón templa su solo
—feliz marido, como dice Lope—,
con él acendra el mosto y el arrope,
y aspira a una hoja de laurel de Apolo*.

Por esto, en la guirnalda que les trenza,               45
confunde el arte eglógico sus ramos,
Anacreonte* da rosas de Samos*,
Y Mistral* mejorana de Provenza*.

## III

Fútil cantora, sonora cigarra,
en la alegría de tu aire pueril,                        50
crispa su prima sutil mi guitarra,
bate su parche mi azul tamboril.


## ENCANTO

No turba la tarde un vuelo.
Un noble zafiro oscuro

es el mar; y de tan puro,
luz azul se ha vuelto el cielo.

5      Azul es también la duna.
Y en esa uniforme tela,
no hay más que una blanca vela
que sale como la luna.

Tan honda es nuestra ventura,
10    que algo en ella va a llorar.
Y lento solloza el mar
su constancia y su amargura.


## SOPLO PRIMAVERAL

Sobre los campos yermos, una temperie leda,
dilata ya un perfume vago de vieja seda.

Los durazneros donde tiritan aún las rachas,
adoptan el sencillo rosa de las muchachas.

5    En los cardos tenaces pone el rocío perlas,
y vale ya la pena tratar de recogerlas.

Cobra de nuevo un claro sentido la laguna,
y en su plata sin cuño se amoneda la luna.

Conmueven ya la quinta misteriosos engendros,
10    y, de blanco, parecen ángeles los almendros.


## EL NIDO AUSENTE

Sólo ha quedado en la rama
un poco de paja mustia,
y en la arboleda la angustia
de un pájaro fiel que llama.

5    Cielo arriba y senda abajo
no halla tregua a su dolor,
y se para en cada gajo
preguntando por su amor.

Ya remonta con su queja,
ya pía por el camino,                                    10
donde deja en el espino
su blanda lana la oveja.

Pobre pájaro afligido
que sólo sabe cantar,
y cantando llora el nido                                 15
que ya nunca ha de encontrar.


# SALMO PLUVIAL

### TORMENTA

Erase una caverna de agua sombría el cielo;
el trueno, a la distancia, rodaba su peñón;
y una remota brisa de conturbado vuelo,
se acidulaba en tenue frescura de limón.

Como caliente polen exhaló el campo seco             5
un relente de trébol lo que empezó a llover.
Bajo la lenta sombra, colgada en denso fleco,
se vio el cardal con vívidos azules florecer.

Una fulmínea verga rompió el aire al soslayo;
sobre la tierra atónita cruzó un pavor mortal;       10
y el firmamento entero se derrumbó en un rayo,
como un inmenso techo de hierro y de cristal.


### LLUVIA

Y un mimbreral vibrante fue el chubasco resuelto
que plantaba sus líquidas varillas al trasluz,
o en pajonales de agua se espesaba revuelto,
descerrajando al paso su pródigo arcabuz.            15

Saltó la alegre lluvia por taludes y cauces;
descolgó del tejado sonoro caracol;
y luego, allá a lo lejos, se desnudó en los sauces,
transparente y dorada bajo un rayo de sol.           20


### CALMA

Delicia de los árboles que abrevó el aguacero.
Delicia de los gárrulos raudales en desliz.

Cristalina delicia del trino del jilguero.
Delicia serenísima de la tarde feliz.

PLENITUD

25    El cerro azul estaba fragante de romero,
y en los profundos campos silbaba la perdiz.

# EL CARPINTERO

El maestro carpintero
de la boina colorada,
va desde la madrugada
taladrando su madero.

5     No corre en el bosque un soplo.
Todo es silencio y aroma.
Sólo él monda la carcoma
con su revibrante escoplo.

Y a ratos, con brusco ardor,
10    bajo la honda paz celeste,
lanza intrépido y agreste
el canto de su labor.

# EL JILGUERO

En la llama del verano,
que ondula con los trigales,
sus regocijos triunfales
canta el jilguerillo ufano.

5     Canta, y al son peregrino
de su garganta amarilla,
trigo nuevo de la trilla
tritura el vidrio del trino.

Y con repentino vuelo
10    que lo arrebata, canoro,

como una pavesa de oro
cruza la gloria del cielo.


## EL VIEJO SAUCE

Viejo sauce pensativo,
que viendo el agua correr,
tras un beso siempre esquivo
se empeña en reverdecer.

Constancia que el tiempo pierde          5
sin cansarse de esperar,
al temblor del hilo verde
que en vano le echa al pasar.

Vean qué herida lo ha abierto
cual si fuese un ataúd,                   10
y ya alegra al bosque muerto
su verdor de juventud.

No le impiden sus agobios
a la vida sonreír.
Viejo sauce de los novios                 15
que pronto van a venir.

Más doblado sobre el cauce,
peligras y amas mejor.
Viejo sauce, viejo sauce,
preferido de mi amor.                     20


## ÚLTIMAS ROSAS

Yo quisiera morir como las rosas
en la blandura del deshojamiento.
Irme suave y cordial, callado y lento
en la quietud conforme de las cosas.

Prolongar por las calles arenosas         5
del jardín familiar, ya macilento,

la blandura de mi deshojamiento
en la melancolía de las rosas ...

## ALMA VENTUROSA

Al promediar la tarde de aquel día,
cuando iba mi habitual adiós a darte,
fue una vaga congoja de dejarte
lo que me hizo saber que te quería.

5 Tu alma, sin comprenderlo, ya sabía ...
Con tu rubor me iluminó al hablarte,
y al separarnos te pusiste aparte
del grupo, amedrentada todavía.

Fue silencio y temblor nuestra sorpresa;
10 mas ya la plenitud de la promesa
nos infundía un júbilo tan blando,

que nuestros labios suspiraron quedos,
y tu alma estremecíase en tus dedos
como si se estuviera deshojando.

## LA ESTRELLA Y EL CIPRÉS

I

Honda y nocturnamente azul la calma,
en el ciprés delgado transfigura
la esbeltez melancólica de un alma.

Tras el árbol palpita en la blancura
5 de su inocente desnudez la estrella.
Y en él es más sombría la hermosura,
cuando más celestial se aclara en ella.

II

La estrella sube, y de la negra punta
se desprende, cual llama que no pudo
10 al cirio inerte conservarse junta.

El árbol, hasta entonces quieto y mudo,
tiembla un poco y parece, lo que gime,

que hacia ella se alargara más agudo,
en suspiro de amor grave y sublime.

III

Yo soy como el ciprés del canto mío,       15
que por lejana estrella suspirando,
se vuelve más delgado y más sombrío.

Y así, cuando la noche llega, y cuando
a través del ciprés la estrella asoma,
penetra mi alma un hálito tan blando,      20
que te revela en mí como un aroma.


## TONADA

Las tres hermanas de mi alma
novio salen a buscar.
La mayor dice:—Yo quiero,
quiero un rey para reinar.
Esa fue la favorita,                       5
favorita del sultán.

La segunda dice:—Yo
quiero un sabio de verdad,
que en juventud y hermosura
me sepa inmortalizar.                      10
Esa casó con el mago
de la ínsula de cristal.

La pequeña nada dice,
sólo acierta a suspirar.
Ella es de las tres hermanas
la única que sabe amar.                    15
No busca más que el amor,
y no lo puede encontrar.


## ADORACIÓN

En lo infinito al brillar
tan pura, lejana y bella,

¿acaso sabe la estrella
cuándo la refleja el mar?

Pero, al mirarla tan bella,
lejana y pura brillar,
sólo está tranquilo el mar
cuando refleja la estrella.

En su hermosura escondida,
como un alma, ¿acaso sabe
la perla nítida y suave,
que es engendro de la herida?

Mas, de la dicha escondida,
sólo es digno aquel que sabe
engendrar, nítida y suave,
una perla de su herida.

Por eso, en penas de amor,
van buscando, siempre así,
su estrella y su perla en ti
mi inquietud y mi dolor.


## LA PALMERA

Al llegar la hora esperada
en que de amarla me muera,
que dejen una palmera
sobre mi tumba plantada.

Así, cuando todo calle,
en el olvido disuelto,
recordará el tronco esbelto
la elegancia de su talle.

En la copa, que su alteza
doble con melancolía,
se abatirá la sombría
dulzura de su cabeza.

Entregará con ternura
la flor, al viento sonoro,

el mismo reguero de oro                               15
que dejaba su hermosura.

Y sobre el páramo yerto,
parecerá que su aroma
la planta florida toma
para aliviar al desierto.                             20

Y que con deleite blando,
hasta el nómade versátil
va en la dulzura del dátil
sus dedos de ámbar besando.

Como un suspiro al pasar,                             25
palpitando entre las hojas,
murmurará mis congojas
la brisa crepuscular.

Y mi recuerdo ha de ser,
en su angustia sin reposo,                            30
el pájaro misterioso
que vuelve al anochecer.


# ELEGÍA CREPUSCULAR

Desamparo remoto de la estrella,
hermano del amor sin esperanza,
cuando el herido corazón no alcanza
sino el consuelo de morir por ella.

Destino a la vez fútil y tremendo                      5
de sentir que con gracia dolorosa
en la fragilidad de cada rosa
hay algo nuestro que se está muriendo.

Ilusión de alcanzar, franca o esquiva,
la compasión que agonizando implora,               10
en una dicha tan desgarradora
que nos debe matar por excesiva.

Eco de aquella anónima tonada
cuya dulzura sin querer nos hizo

15  con la propia delicia de su hechizo
un mal tan hondo al alma enajenada.

Tristeza llena de fatal encanto,
en el que ya incapaz de gloria o de arte,
sólo acierto, temblando, a preguntarte
20  ¡qué culpa tengo de quererte tanto! ...

Heroísmo de amar hasta la muerte,
que el corazón rendido te inmolara,
con una noble sencillez tan clara
como el gozo que en lágrimas se vierte.

25  Y en lenguaje a la vez vulgar y blando,
al ponerlo en tus manos te diría:
no sé cómo no entiendes, alma mía,
que de tanto adorar se está matando.

Cómo puedes dudar, si en el exceso
30  de esta pasión, yo mismo me lo hiriera,
sólo porque a la herida se viniera
toda mi sangre desbordada en beso.

Pero ya el día, irremediablemente,
se va a morir más lúgubre en su calma;
35  y más hundida en soledad mi alma,
te llora tan cercana y tan ausente.

Trágico paso el aposento mide ...
Y allá al final de la alameda oscura,
parece que algo tuyo se despide
40  en la desolación de mi ternura.

Glorioso en mi martirio, sólo espero
la perfección de padecer por ti.
Y es tan hondo el dolor con que te quiero,
que tengo miedo de quererte así.

# JULIO HERRERA Y REISSIG

1875–1910

L A GENIAL personalidad poética de este escritor uruguayo se destaca inconfundible en el primer decenio del siglo XX y abre una huella imborrable en los años siguientes. La abigarrada obra que dejó dispersa refleja la indomable rebeldía espiritual que, con el correr del tiempo, consumió su vida en el aislamiento y le condujo fatalmente a un temprano desenlace.

Herrera y Reissig se aventuró desafiante en el mundo de las innovaciones formales creando un lenguaje original y propio, pero extraño para quienes no compartían su formación cultural o el hermetismo que en él se encerraba. A la caprichosa creación de numerosos vocablos, especialmente verbales, se une la fogosa fantasía del poeta que elabora imágenes, figuras y símbolos literarios insólitos y vanguardistas.

Los estados de ánimo en que descansa la inspiración poética de este autor son variados, si se tiene en cuenta su procedencia. Llamará la atención que no escasean en sus versos los mundos imaginarios, lejanos y fabulosos, pero ellos alternan con los ambientes locales, criollos y hasta regionales que también deleitan al artista con su color y vida. En ambos casos, sin embargo, juegan con facilidad la potente imaginación y la mente de un poeta que, a todas luces, se despeña hacia el abismo de una enfermiza decadencia.

Los inesperados tonos musicales que crea Herrera y Reissig, unidos a un ritmo a menudo desconcertante, no brotan siempre con la natural espontaneidad a que está acostumbrado el lector. Ello obedece en su producción a una voluntad inquebrantable de realizar una trabajada obra de lima cuyas aristas en todo momento originen intensas reacciones.

El ideal efectista de este poeta, sin dudas, es de buena ley y ejerció una benéfica influencia en el curso que tomó el modernismo en sus años de apogeo, como también en el periodo ultraísta que le sigue.

## OBRAS PRINCIPALES DEL AUTOR

*Las pascuas del tiempo.* 1900.
*Los maitines de la noche.* 1902.
*Los éxtasis de la montaña.* 1904.
*Poemas violetas—Sonetos vascos.* 1906.
*Los parques abandonados.* 1908.
*Los peregrinos de piedra.* 1909.
*Los éxtasis de la montaña* (2a. serie). 1910.
*Los pianos crepusculares.* 1910.
*Clépsidras.* 1910.
*Poesías completas.* Buenos Aires, 1942; 1945 (2a. edición).

## ESTUDIOS

BORGES, J. L. *Inquisiciones.* Buenos Aires: Editorial Proa, 1925.

BULA PÍRIZ, R. « Herrera y Reissig », *Revista Hispánica Moderna* (U.S.A.), Nos. 1 and 2 (1951), págs. 1–93.

COLQUHOUN, E. « Notes on French Influences in the Work of Julio Herrera y Reissig », *Bulletin of Spanish Studies* (Liverpool), *XXI* (1944), págs. 145–158.

CORREA, G. « The Poetry of Julio Herrera y Reissig and French Symbolism » *PMLA* (U.S.A.), *LXVIII* (1953), págs. 935–942.

FLORES MORA, M. *Julio Herrera y Reissig, estudio biográfico.* Montevideo: Editorial Letras, 1947.

GICOVATE, B. *Julio Herrera y Reissig and the Symbolists.* Berkeley and Los Angeles, Calif.: University of California Press, 1957.

GONZÁLEZ, J. A. *Dos figuras cumbres del Uruguay: Florencio Sánchez en el teatro y Julio Herrera y Reissig en la poesía.* Colonia, Uruguay: El Liberal, 1944.

GRECIA, P. DE. *Prosas.* Montevideo: Barreiro, 1918.

HERRERA Y REISSIG, H. *Vida íntima de Julio Herrera y Reissig.* Montevideo: Amerindia, 1943.

HERRERA Y REISSIG, H. *Julio Herrera y Reissig—Grandeza en el infortunio.* Prólogo de Raúl Montero Bustamante. Montevideo: República Oriental del Uruguay—Talleres Gráficos « 33 », S. A., 1949.

MAS Y PI, J. « Estudio preliminar » en *Páginas escogidas* (de Herrera y Reissig). Barcelona: Maucci, 1914.

*Nosotros* (Buenos Aires). *Número extraordinario dedicado a Leopoldo Lugones.* Mayo–julio de 1938. Segunda época—Año II, Tomo VI—Núm. 26–28. (Contiene varios artículos que se refieren al pleito Lugones-Herrera y Reissig).

ORIBE, E. « Notas sobre Herrera y Reissig—Lugones », *Hiperion* (Montevideo), No. 73 (1942), págs. 17–20.

PHILLIPS, A. W. « La metáfora en la obra de Julio Herrera y Reissig », *Revista Iberoamericana* (México), No. 31 (1950), págs. 31–48.

PINILLA, N. *Cinco poetas.* Santiago de Chile: Editorial Manuel Barros Borgoño, 1937.

PINO SAAVEDRA, Y. *La poesía de Julio Herrera y Reissig. Sus temas y su estilo.* Santiago de Chile: Prensas de la Universidad de Chile, 1932.

SCHADE, G. D. « Mythology in the Poetry of Julio Herrera y Reissig », *Hispania* (U.S.A.), *XLII* (1959), págs. 46–49.

TORRE, G. DE. « Estudio preliminar » en *Poesías completas* (de Julio Herrera y Reissig). Buenos Aires: Losada, 1945.

TORRES-RIOSECO, A. *Ensayos sobre literatura latinoamericana.* Segunda serie. México: Fondo de Cultura Económica, 1958.

WALSH, T. « Julio Herrera y Reissig, a Disciple of E. A. Poe », *Poet Lore* (U.S.A.), *XXXIII* (1922), págs. 601–607.

# RECEPCIÓN INSTRUMENTAL DEL GRAN
## POLÍGLOTA ORFEO*

Entra el viejo Orfeo. Mil notas auroran
el aire de ruidos, mil notas confusas:
suspiran las Musas, las Sirenas lloran;
las Sirenas lloran, suspiran las Musas.

Misteriosas flautas, que modulan gritos                    5
de bacantes ebrias, de hetaíras locas,
cantan las canciones de los tristes mitos,
de los besos muertos en las regias bocas.

Finas violas trinan los rondeles breves
que en la danza regia dicen los encajes,                   10
las suaves y amables carcajadas leves
de las suaves sedas de los leves trajes.

Sistros marfilados hablan de las lidias
de los viejos reyes; de su real decoro;
de Judit* y Ester* cuentan las perfidias,                  15
los asesinatos de sus besos de oro.

Címbalos de plata cuentan las historias
de reinas de Saba*; de sangrientas misas,
y cascabelean las divinas glorias
de los viejos bardos y las pitonisas.                      20

Suaves mandolinas desabrochan llantos
de Mignones* ebrias y Lilis divinas,
y hacen las historias de crueles encantos
y dulces venenos de las Florentinas.

Cuernos y zampoñas, cobres y trompetas                     25
(que tienen el triunfo dorado del Sol),
aúllan y ladran y rugen y gritan,

los himnos más rojos en tono i bemol,
hablando de guerras, de sangre, de atletas,
30      ¡de incendios, de muertes y cosas que excitan!

Organos tronantes murmuran canciones
de mística, vaga, celeste armonía,
que hacen de las barbas de Jehová* vellones
para ornar la mesa de la eucaristía.

35      Discretos violines hacen historietas
de pies diminutos, escotes y talles;
de anillos traidores, de las Antonietas*;
de los galanteos del regio Versalles*.

Narran mil alegros, de collares ricos,
40      de aleves conquistas, de alcobas doradas,
las conspiraciones de los abanicos
y las aventuras de las estocadas.

Timbales y oboes, panderos y gaitas
son gitanas tristes, ebrias bayaderas*
45      que dan el almíbar de las chirigaitas,
sangre de cicutas, celos de panteras,
que sugieren dramas de placer y llanto,
risas y suspiros de Selikas* locas,
sollozos de Aída*, ramos de amaranto,
50      orgías de vasos, puñales y bocas.

Graves clavicordios, tristes violoncelos,
susurran amores de duques suicidas,
y hablan, en la lengua de los terciopelos,
del vino que usaban las reinas queridas.

55      Guitarros sensibles, en raudos alegros,
hablan de toreros, chulos y manolas;
fingen las tormentas de los ojos negros
y hablan de los celos de las reinas Lolas.

Ríen con la risa del castañeteo,
60      vuelan con el vuelo de la seguidilla,
y hablan del hechizo que en el culebreo
ponen las sultanas de la manzanilla.

Surgieron de pronto caderas ariscas,
gestos que provocan, y ligas que atan;

¡toros de lujurias, besos de odaliscas,
canelas, mantillas y piernas que matan! ...


# DESOLACIÓN ABSURDA

*Je\* serai ton cercueil,*
*aimable pestilence! ...*

Noche de tenues suspiros
platónicamente ilesos:
vuelan bandadas de besos                5
y parejas de suspiros;
ebrios de amor, los céfiros
hinchan su leve plumón,
y los sauces en montón
obseden los camalotes                    10
como torvos hugonotes
de una muda emigración.

Es la divina hora azul
en que cruza el meteoro,
como metáfora de oro                     15
por un gran cerebro azul.
Una encantada Estambul\*
surge de tu guardapelo
y llevan su desconsuelo
hacia vagos ostracismos                  20
floridos sonambulismos
y adioses de terciopelo.

En este instante de esplín,
mi cerebro es como un piano
donde un aire wagneriano                 25
toca el loco del esplín.
En el lírico festín
de la ontológica altura,
muestra la luna su dura
calavera torva y seca                    30
y hace una rígida mueca
con su mandíbula oscura.

El mar, como gran anciano,
lleno de arrugas y canas,
junto a las playas lejanas
tiene rezongos de anciano.
Hay en acecho una mano
dentro del tembladeral;
y la supersustancial
vía láctea se me finge
la osamenta de una Esfinge*
dispersada en un erial.

Cantando la tartamuda
frase de oro de una flauta,
recorre el eco su pauta
de música tartamuda.
El entrecejo de Buda*
hinca el barranco sombrío,
abre un bostezo de hastío
la perezosa campaña,
y el molino es una araña
que se agita en el vacío.

¡Deja que incline mi frente
en tu frente subjetiva,
en la enferma, sensitiva
media luna de tu frente,
que en la copa decadente
de tu pupila profunda
beba el alma vagabunda
que me da ciencias astrales
en las horas espectrales
de mi vida moribunda!

¡Deja que rime unos sueños
en tu rostro de gardenia,
Hada de la neurastenia,
trágica luz de mis sueños!
Mercadera de beleños
llévame al mundo que encanta;
¡soy el genio de Atalanta*
que en sus delirios evoca
el ecuador de tu boca
y el polo de tu garganta!

Con el alma hecha pedazos,
tengo un Calvario* en el mundo;
amo y soy un moribundo,                          75
tengo el alma hecha pedazos:
¡cruz me deparan tus brazos,
hiel tus lágrimas salinas,
tus diestras uñas espinas
y dos clavos luminosos                           80
los aleonados y briosos
ojos con que me fascinas!

¡Oh mariposa nocturna
de mi lámpara suicida,
alma caduca y torcida,                           85
evanescencia nocturna;
linfática taciturna
de mi Nirvana* opioso,
en tu mirar sigiloso
me espeluzna tu erotismo                         90
que es la pasión del abismo
por el Angel Tenebroso!

(Es media noche.) Las ranas
torturan en su acordeón
un «piano» de Mendelssohn*                       95
que es un gemido de ranas;
habla de cosas lejanas
un clamoreo sutil;
y con aire acrobatil,
bajo la inquieta laguna,                         100
hace piruetas la luna
sobre una red de marfil.

Juega el viento perfumado,
con los pétalos que arranca,
una partida muy blanca                           105
de un ajedrez perfumado;
pliega el arroyo en el prado
su abanico de cristal,
y genialmente anormal
finge el monte a la distancia                    110
una gran protuberancia
del cerebro universal.

¡Vengo a ti, serpiente de ojos
que hunden crímenes amenos,
115 la de los siete venenos
en el iris de sus ojos;
beberán tus llantos rojos
mis estertores acerbos,
mientras los fúnebres cuervos,
120 reyes de las sepulturas,
velan como almas oscuras
de atormentados protervos!

¡Tú eres póstuma y marchita
misteriosa flor erótica,
125 miliunanochesca, hipnótica,
flor de Estigia* ocre y marchita;
tú eres absurda y maldita,
desterrada del Placer,
la paradoja del ser
130 en el borrón de la Nada,
una hurí desesperada
del harem de Baudelaire*!

¡Ven, reclina tu cabeza
de honda noche delincuente
135 sobre mi tétrica frente,
sobre mi aciaga cabeza;
deje su indócil rareza
tu numen desolador,
que en el drama inmolador
140 de nuestros mudos abrazos
yo te abriré con mis brazos
un paréntesis de amor!

## ALBA TRISTE

*Gris en el cielo y en el alma gris;*
*rojo en Oriente y en el alma rojo.*

Todo fue así. Preocupaciones lilas
turbaban la ilusión de la mañana
5 y una garza pueril su absurda plana
paloteaba en las ondas intranquilas.

Un estremecimiento de Sibilas*
epilepsiaba a ratos la ventana,
cuando de pronto un mito tarambana
rodó en la oscuridad de mis pupilas.                    10

« ¡Adiós, adiós! » grité y hasta los cielos
el gris sarcasmo de su fino guante
ascendió con el rojo de mis celos.

Wagneriaba en el aire una corneja,
y la selva sintió en aquel instante                     15
una infinita colisión compleja.


# JULIO

*¡Frío, frío, frío!*
*Pieles, nostalgias y dolores mudos.*

Flota sobre el esplín de la campaña
una jaqueca sudorosa y fría,
y las ranas celebran en la umbría                        5
una función de ventriloquía extraña.

La Neurastenia gris de la montaña
piensa, por singular telepatía,
con la adusta y claustral monomanía
del convento senil de la Bretaña*.                       10

Resolviendo una suma de ilusiones,
como un Jordán* de cándidos vellones
la majada eucarística se integra;

y a lo lejos el cuervo pensativo
sueña acaso en un Cosmos abstractivo                     15
como una luna pavorosa y negra.


# EL DESPERTAR

Alisa y Cloris abren de par en par la puerta
y torpes, con el dorso de la mano haragana,

restréganse los húmedos ojos de lumbre incierta,
por donde huyen los últimos sueños de la mañana ...

5     La inocencia del día se lava en la fontana,
el arado en el surco vagoroso despierta,
y en torno de la casa rectoral, la sotana
del cura se pasea gravemente en la huerta ...

     Todo suspira y ríe. La placidez remota
10    de la montaña sueña celestiales rutinas.
El esquilón repite siempre su misma nota

     de grillo de las cándidas églogas matutinas.
Y hacia la aurora sesgan agudas golondrinas
como flechas perdidas de la noche en derrota.

## EL REGRESO

     La tierra ofrece el ósculo de un saludo paterno ...
Pasta un mulo la hierba mísera del camino
y la montaña luce, al tardo sol de invierno,
como una vieja aldeana, su delantal de lino.

5     Un cielo bondadoso y un cefirillo tierno ...
La zagala descansa de codos bajo el pino,
y densos los ganados, con paso paulatino,
acuden a la música sacerdotal del cuerno.

     Trayendo sobre el hombro leño para la cena,
10    el pastor, cuya ausencia no dura más de un día,
camina lentamente rumbo de la alquería.

     Al verlo la familia le da la enhorabuena ...
Mientras el perro, en ímpetus de lealtad amena,
describe coleando círculos de alegría.

## EL ALMUERZO

     Llovió. Trisca a lo lejos un sol convaleciente
haciendo entre las piedras brotar una alimaña
y al son de los compactos resuellos del torrente
con áspera sonrisa palpita la campaña.

Rumia en el precipicio una cabra pendiente;                        5
una ternera rubia baila entre la maraña
y el cielo campesino contempla ingenuamente
la arruga pensativa que tiene la montaña.

Sobre el tronco enastado de un abeto de nieve,
ha rato que se aman Damócaris y Hebe;                             10
uno con su cayado reanima las pavesas,

    otro distrae el ocio con pláticas sencillas ...
Y de la misma hortera comen higos y fresas,
manjares que la Dicha sazona en sus rodillas.


## LA VELADA

La cena ha terminado: legumbres, pan moreno
y uvas aún lujosas de virginal rocío ...
Rezaron ya. La luna nieva un candor sereno
y el lago se recoge con lácteo escalofrío.

El anciano ha concluido un episodio ameno                         5
y el grupo desanúdase con un placer cabrío ...
Entretanto, allá afuera, en un silencio bueno,
los campos demacrados encanecen de frío.

Lux canta. Lidé corre. Palemón anda en zancos.
Todos ríen ... La abuela demándales sosiego.                      10
Anfión, el perro, inclina, junto al anciano ciego,

    ojos de lazarillo, familiares y francos ...
Y al son de las castañas que saltan en el fuego
palpitan al unísono sus corazones blancos.


## EL ALBA

Humean en la vieja cocina hospitalaria
los rústicos candiles ... Madrugadora leña
infunde una sabrosa fragancia lugareña;
y el desayuno mima la vocación agraria.

Rebota en los collados la grita rutinaria                         5
del boyero que a ratos deja la yunta y sueña.

Filis prepara el huso. Tetis, mientras ordeña,
ofrece a Dios la leche blanca de su plegaria.

Acongojando el valle con sus beatos nocturnos,
salen de los establos, lentos y taciturnos,
los ganados. La joven brisa se despereza.

Y como una pastora, en piadoso desvelo,
con sus ojos de bruma, de una dulce pereza,
el Alba mira en éxtasis las estrellas del cielo.

## LA VUELTA DE LOS CAMPOS

La tarde paga en oro divino las faenas.
Se ven limpias mujeres vestidas de percales,
trenzando sus cabellos con tilos y azucenas
o haciendo sus labores de aguja, en los umbrales.

Zapatos claveteados y báculos y chales ...
Dos mozas con sus cántaros se deslizan apenas.
Huye el vuelo sonámbulo de las horas serenas.
Un suspiro de Arcadia* peina los matorrales.

Cae un silencio austero ... Del charco que se nimba
estalla una gangosa balada de marimba.
Los lagos se amortiguan con espectrales lampos,

las cumbres, ya quiméricas, corónanse de rosas.
Y humean a lo lejos las rutas polvorosas
por donde los labriegos regresan de los campos.

## LA IGLESIA

En un beato silencio el recinto vegeta.
Las vírgenes de cera duermen en su decoro
de terciopelo lívido y de esmalte incoloro,
y San Gabriel* se hastía de soplar la trompeta.

Sedienta, abre su boca de mármol la pileta;
una vieja estornuda desde el altar al coro ...,

y una legión de átomos sube un camino de oro
aéreo, que una escala de Jacob* interpreta.

Inicia sus labores el ama reverente:
Para saber si anda de buenas San Vicente*                    10
con tímidos arrobos repica la alcancía...

Acá y allá maniobra después con un plumero,
mientras, por una puerta que da a la sacristía,
irrumpe la gloriosa turba del gallinero.


## EL CURA

Es el Cura... Lo han visto las crestas silenciarias
luchando de rodillas con todos los reveses,
salvar en pleno invierno los riesgos montañeses
o trasponer de noche las rutas solitarias.

De su mano propicia, que hace crecer las mieses,        5
saltan como sortijas gracias involuntarias;
y en su asno taumaturgo de indulgencias plenarias,
hasta el umbral del cielo lleva a sus feligreses...

El pasa del hisopo al zueco y la guadaña;
el ordeña la pródiga ubre de su montaña               10
para encender con oros el pobre altar de pino;

de sus sermones fluyen suspiros de albahaca:
el único pecado que tiene es un sobrino...
Y su piedad humilde lame como una vaca.


## LA FLAUTA

Tirita entre algodones húmedos la arboleda...
La cumbre está en un blanco éxtasis idealista;
y en brutos sobresaltos, como ante una imprevista
emboscada, el torrente relinchando rueda.

Todo es grave... En las cañas sopla el viento flautista.       5
Mas súbito, rompiendo la invernal humareda,

el sol, tras de los montes, abre un telón de seda,
y ríe la mañana de mirada amatista.

Cien iluminaciones, en flúidos estambres,
perlan de rama en rama, lloran de los alambres.
Descuidando el rebaño junto al cauce parlero,

Upilio se confía dulcemente a su flauta,
sin saber que de amores, tras un álamo, incauta,
contemplándole Fílide muere como un cordero.


## EL SECRETO

Se adoran. Timo atiende solícita al gobierno
de la casuca blanca. Bion a sus pocas reses.
Y bajo la tutela de días sin reveses,
amor retoza y medra, como un cabrito tierno.

Con casta dicha, Timo, en el claustro materno,
siente latir un nuevo corazón de tres meses ...
Y sueña, en sus oscuros arrobos montañeses,
que la penetra un rayo de Dinamismo Eterno.

Ante el amante, presa de ardores purpurinos,
se turba y el secreto tiembla en sus labios rojos;
huye, torna, sonríe, se oculta entre los pinos ...

Bion calla, pero apenas descifra sus sonrojos,
la estrecha, y en un beso pone el alma en sus ojos
donde laten los últimos ópalos vespertinos.


## EL DOMINGO

Te anuncia un ecuménico amasijo de hogaza,
que el instinto del gato incuba antes que el horno.
La grey que se empavesa de sacrílego adorno,
te sustancia en un módico pavo real de zaraza ...

Un rezongo de abejas beatifica y solaza
tu sopor, que no turban ni la rueca ni el torno ...

Tú irritas a los sapos líricos del contorno;
y plebeyo te insulta doble sol en la plaza...

¡Oh, domingo! La infancia de espíritu te sueña,
y el pobre mendicante que es el que más te ordeña...　10
Tu genio bueno a todos cura de los ayunos,

la Misa te prestigia con insignes vocablos,
y te bendice el beato rumiar de los vacunos
que sueñan en el tímido Bethlem de los establos...

## EL MONASTERIO

A una menesterosa disciplina sujeto,
él no es nadie, él no luce, él no vive, él no medra.
Descalzo en dura arcilla, con el sayal escueto,
la cintura humillada por borlones de hiedra...

Abatido en sus muros de rigor y respeto,　5
ni el alud, ni la peste, sólo el Diablo lo arredra;
y como un perro huraño, él muerde su secreto,
debajo su capucha centenaria de piedra.

Entre sus claustros húmedos, se inmola día y noche
por ese mundo ingrato que le asesta un reproche...　10
Inmóvil ermitaño sin gesto y sin palabras,

en su cabeza anidan cuervos y golondrinas,
le arrancan el cabello de musgo algunas cabras,
y misericordiosas le cubren las glicinas.

## EL TEATRO DE LOS HUMILDES

Es una ingenua página de la Biblia el paisaje...
La tarde en la montaña, moribunda se inclina,
y el sol un postrer lampo, como una aguja fina,
pasa por los quiméricos miradores de encaje.

Un vaho de infinita guturación salvaje,　5
de abstrusa disonancia, remonta a la sordina...

La noche dulcemente sonríe ante el villaje
como una buena muerte a una conciencia albina.

10
Sobre la gran campaña verde azul y aceituna
se cuajan los apriscos en vagas nebulosas;
cien estrellas lozanas han abierto una a una;

rasca un grillo el silencio perfumado de rosas ...
El molino en el fondo, abrazando a la luna,
inspira de romántico viejo tiempo las cosas.


## EL DINTEL DE LA VIDA

¡Oh la brega que jacta de viruta y de pieles! ...
Las espesas comadres mascan livianas prosas;
y en proverbiales éxodos, promiscuan las jocosas
diligencias su carga, bajo los cascabeles ...

5
¡Ah, dicha analfabeta, sin resabios ni hieles!
El rudo pan del Cielo sabe a tomillo y rosas.
¡Ah, bañarse en la atónita desnudez de las cosas,
y morir en los brazos de la buena Cibeles*!

¡Oh mañana inefable de la Vida! ¡Oh la franca
10
risa como de leche de la conciencia blanca!
Ante el alba inocente—no bien la noche fuga—

se abre, entre la hierba viciosa de sus calles,
la dulce aldea: blanca y violeta de los valles,
siempre dichosa y siempre buena porque madruga.


## EL BURGO

Junto al cielo, en la cumbre de una sierra lampiña,
tal como descansando de la marcha, se sienta
el burgo, con su iglesia, su molino y su venta,
en medio a un estridente mosaico de campiña.

5
Regálase de oxígeno, de nuez sana y de piña ...
Rige chillonamente gitana vestimenta:

chales de siembra, rosas y una carga opulenta
de ágatas, lapislázulis y collares de viña.

Naturaleza pródiga lo embriaga de altruísmo;
el campo es su filósofo, su ley el catecismo.          10
Fieramente embutido en sus costumbres hoscas,

por vanidad ni gloria mundanas se encapricha;
tan cerca está del cielo que goza de su dicha,
y se duerme al narcótico zumbido de las moscas.

## LA CASA DE LA MONTAÑA

Ríe estridentes glaucos el valle; el cielo franca
risa de azul; la aurora ríe su risa fresa;
y en la era en que ríen granos de oro y turquesa
exulta con cromático relincho una potranca ...

Sangran su risa flores rojas en la barranca;          5
en sol y cantos ríe hasta una oscura huesa;
en el hogar del pobre ríe la limpia mesa,
y allá sobre las cumbres la eterna risa blanca ...

Mas nada ríe tanto, con risas tan dichosas,
como aquella casuca de corpiño de rosas              10
y sombrero de teja, que ante el lago se aliña ...

¿Quién la habita? ... Se ignora. Misteriosa y huraña
se está lejos del mundo sentada en la montaña,
y ríe de tal modo que parece una niña.

## EL AMA

Erudita en lejías, doctora en la compota
y loro en los esdrújulos latines de la misa,
tan ágil viste un santo, que zurce una camisa,
en medio de una impávida circunspección devota ...

Por cuanto el señor cura es más que un hombre, flota   5
en el naufragio unánime su continencia lisa ...

Y un tanto regañona, es a la vez sumisa,
con los cincuenta inviernos largos de su derrota.

Hada del gallinero. Genio de la despensa.
10    Ella en el paraíso fía la recompensa ...
Cuando alegran sus vinos, el vicario la engríe

ajustándole en chanza las pomposas casullas ...
Y en sus manos canónicas, golondrinas y grullas
comulgan los recortes de las hostias que fríe.


## MERIDIANO DURMIENTE

Frente a la soporífera canícula insensata,
la vieja sus remiendos monótonos frangolla;
y al son del gluglutante rezongo de la olla
inspírase el ambiente de bucólica beata ...

5    En el sobrio regazo de la cocina grata,
su folletín la cándida maledicencia empolla,
hasta que la merienda de hogaza y de cebolla
abre un dulce paréntesis a la charla barata.

Afuera el aire es plomo ... Casiopea y Melampo,
10   turban sólo el narcótico gran silencio del campo.
Ella, la muy maligna, finge torpes enredos,

como le habla al oído de divinos deslices ...
y así el tiempo resbala por sus almas felices,
como un rosario fácil entre unos bellos dedos.


## DETERMINISMO PLÁCIDO

De tres en tres las mulas resoplan cara al viento
y hacia la claudicante berlina que soslaya,
el sol, por la riscosa terquedad de Vizcaya*,
en soberbias fosfóricas, maldice el pavimento ...

5    La Abadía. El Castillo ... Actúa el brioso cuento
de rapto y lid ... Hernani* allí campó su raya.

Y fatídico emblema, bajo el cielo de faya,
en rosarios de sangre cuelga el bravo pimiento ...

La Terma. Un can ... La jaula del frontón en que bota,
prisionera del arte, la felina pelota ...                          10
El convoy, en la bruma, tras el puente se avista.

El vicario. La gresca. Dobles y tamboriles:
el tramonto concreta la evocación carlista*
de somatén y «órdagos» ... y curas con fusiles.


# EL POSTILLÓN

Con sus líneas redondas y su barba lampiña,
de un envión truculento, él, en vez de navaja,
blande un puño zaguero contundente en la riña,
y en el «mus» canta un «órdago» su invencible baraja ...

La mirada de lobo montañés aventaja                                5
en la noche andariega al halcón de rapiña;
y en su rostro agridulce de bandido y de niña
rinde un beso la aurora y el valor agasaja ...

Su lento hablar, solemne, con bríos de falsete,
prolonga y balancea «íes» de clarinete ...                        10
¡Por San Ignacio* y Carlos de Borbón*, Dios que alumbre ...!

El, que no jura en vano, urge que se le crea ...
Y siempre, en un hidalgo desprecio de costumbre,
su fusta como un crótalo bravo castañetea.


# EL CAUDILLO

Reciamente miraron siempre al destino bizco,
sus diez lustros nivosos, ebrios de joven mayo;
y en el crespo entrevero, despojándose el sayo,
ordenó: «¡Fuera pólvoras! ¡A puñada y mordisco!»

Nadie ajusta una barra, nadie bota un pedrisco,                   5
ni la cáustica fusta zigzaguea en un rayo,

como el ancho caudillo, que en honor de Pelayo*
cabalgara montañas, fabuloso y arisco.

Ya que baile o que ría, ya que ruja o que cante,
en la lid o en la gresca, nadie atreve un desplante,
nadie erige tan noble rebelión como el vasco,

y sobre esa leonina majestad que le orla,
le revienta la boina de valor ¡como un casco
que tuviera por mecha encendida la borla ...!

## LA GOTA AMARGA

Soñaban con la Escocia de tus ojos
verdes, los grandes lagos amarillos;
y engarzó un nimbo de esplendores rojos
la sangre de la tarde en tus anillos.

En la bíblica paz de los rastrojos
gorjearon los ingenuos caramillos,
un cántico de arpegios tan sencillos
que hablaban de romeros y de hinojos.

¡Y dimos en sufrir! Ante aquel canto
crepuscular, escintiló tu llanto.
Viendo nacer una ilusión remota,

callaron nuestras almas hasta el fondo.
Y como un cáliz angustioso y hondo
mi beso recogió la última gota.

## LA SOMBRA DOLOROSA

Gemían los rebaños. Los caminos
llenábanse de lúgubres cortejos;
una congoja de holocaustos viejos
ahogaba los silencios campesinos.

Bajo el misterio de los velos finos,
evocabas los símbolos perplejos,

hierática, perdiéndote a lo lejos
con tus húmedos ojos mortecinos.

Mientras, unidos por un mal hermano,
me hablaban con suprema confidencia
los mudos apretones de tu mano,

manchó la soñadora transparencia
de la tarde infinita el tren lejano,
aullando de dolor hacia la ausencia.

## DECORACIÓN HERÁLDICA

*Señora de mis pobres homenajes*
*débote amor aunque me ultrajes.*
GÓNGORA

Soñé que te encontrabas junto al muro
glacial donde termina la existencia,
paseando tu magnífica opulencia
de doloroso terciopelo oscuro.

Tu pie, decoro del marfil más puro,
hería, con satánica inclemencia,
las pobres almas, llenas de paciencia,
que aún se brindaban a tu amor perjuro.

Mi dulce amor, que sigue sin sosiego,
igual que un triste corderito ciego,
la huella perfumada de tu sombra,

buscó el suplicio de tu regio yugo,
y bajo el raso de tu pie verdugo
puse mi esclavo corazón de alfombra.

## LA NOVICIA

Surgiste, emperatriz de los altares,
esposa de tu dulce Nazareno,
con tu atavío vaporoso, lleno
de piedras, brazaletes y collares.

5 Celoso de tus júbilos albares,
el ataúd te recogió en su seno,
y hubo en tu místico perfil un pleno
desmayo de crepúsculos lunares.

Al contemplar tu cabellera muerta,
10 avivóse en tu espíritu una incierta
huella de amor. Y mientras que los bronces

se alegraban, brotaron tus pupilas
lágrimas que ignoraran hasta entonces
la senda en flor de tus ojeras lilas.

## CONSAGRACIÓN

Surgió tu blanca majestad de raso
toda sueño y fulgor, en la espesura;
y era en vez de mi mano—atenta al caso—
mi alma quien oprimía tu cintura.

5 De procaces sulfatos, una impura
fragancia conspiraba a nuestro paso,
en tanto que propicio a tu ventura
llenóse de amapolas el ocaso.

Pálida de inquietud y casto asombro
10 tu frente declinó sobre mi hombro...
Uniéndome a tu ser, con suave impulso,

al fin de mi especioso simulacro,
de un largo beso te apuré convulso,
hasta las heces, como un vino sacro.

## LA FUGA

Temblábamos al par... En el austero
desorden que realzaba tu hermosura,
acentuó tu peinado su negrura
inquietante de pájaro agorero...

¡Nadie en tus ojos vio el enigma; empero                    5
calló hasta el mar en su presencia oscura!
Inaccesible y ebria de aventura,
entre mis brazos te besó el lucero.

Apenas subrayó el esquife vago
su escuálida silueta sobre el lago,                          10
te sublimaron trágicos sonrojos ...

Sacramentó dos lágrimas postreras
mi beso al consagrar sobre tus ojos.
¡Y se durmió la tarde en tus ojeras! ...


## COLOR DE SUEÑO

Anoche vino a mí, de terciopelo;
sangraba fuego de su herida abierta;
era su palidez de pobre muerta,
y sus náufragos ojos sin consuelo ...

Sobre su mustia frente descubierta                           5
languidecía un fúnebre asfodelo;
y un perro aullaba, en la amplitud de hielo,
al doble cuerno de una luna incierta ...

Yacía el índice en su labio, fijo
como por gracia de hechicero encanto,                        10
y luego que, movido por su llanto,

quién era, al fin, la interrogué, me dijo:
—Ya ni siquiera me conoces, hijo,
¡si soy tu alma que ha sufrido tanto!


## ¡ERES TODO! ...

¡Oh tú, de incienso místico la más delgada espira,
lámpara taciturna y Anfora de soñar!
Eres toda la Esfinge* y eres toda la Lira
y eres el abismático pentagrama del mar.

¡Oh Sirena melódica en que el Amor conspira,
encarnación sonámbula de una aurora lunar!
Toma de mis corderos blancos para tu pira,
y haz de mis trigos blancas hostias para tu altar.

¡Oh Catedral hermética de carne visigoda!
a ti van las heráldicas cigüeñas de mi Oda.
En ti beben mis labios, vaso de toda Ciencia.

¡Lírica sensitiva* que la muerte restringe!
¡Salve, noche estrellada y urna de quintaesencia:
eres toda la Lira y eres toda la Esfinge!

## NIRVANA CREPUSCULAR

Con su veste en color de serpentina,
reía la voluble Primavera ...
Un billón de luciérnagas de fina
esmeralda rayaba la pradera.

Bajo un aire fugaz de muselina,
todo se idealizaba, cual si fuera
el vago panorama, la divina
materialización de una quimera ...

En consustanciación con aquel bello
nirvana gris de la Naturaleza,
te inanimaste ... Una irreal pereza

mimó tu rostro de incitante vello,
y al son de mis suspiros, tu cabeza
durmióse como un pájaro en mi cuello ...

## EL BESO

Disonó tu alegría en el respeto
de la hora, como una rima ingrata,
en « toilette » cruda, tableteado peto
y pasamanerías de escarlata ...

De tu peineta de bruñida plata
se enamoró la tarde, y junto al seto,
loqueando, me crispaban de secreto
tus actitudes lúbricas de gata.

De pronto, cuando en fútiles porfías
me ajaban tus nerviosas ironías,
selló tu risa, de soprano alegro,

con un deleite de alevoso alarde,
mi beso, y fue a perderse con la tarde
en el país de tu abanico negro ...


## EL JURAMENTO

A plena inmensidad, todas las cosas
nos efluviaron de un secreto mago.
Walter Scott* erraba sobre el lago,
y Lamartine* soñaba entre las rosas.

Los dedos en prisiones temblorosas,
nos henchimos de azul éxtasis vago,
venciendo a duras penas un amago
inefable de lágrimas dichosas.

Ante Dios y los astros, nos juramos
amarnos siempre como nos amamos.
Y un astro fugitivo, aquel momento,

sesgó de plano a plano el Infinito,
como si el mismo Dios hubiera escrito
su firma sobre nuestro juramento.


## ALMAS PÁLIDAS

Mi corazón era una selva huraña ...
El suyo, asaz discreto, era una urna ...
Soñamos ... Y en la hora taciturna
vibró como un harmonium la campaña.

5 La Excéntrica, la Esfinge\*, la Saturna\*,
 acongojóse en su esquivez extraña;
 y torvo yo miraba la montaña
 hipertrofiarse de ilusión nocturna.

 —¿Sufres, me dijo, de algún mal interno ...
10 o es que de sufrimiento haces alarde? ...
 ¡Esplín! ... —le respondí—¡mi esplín eterno! ...

 —¿Sufres? ... —le dije, al fin—. En tu ser arde
 algún secreto ... ¡Cuéntame tu invierno!
 —¡Nada! —Y llorando: —¡Cosas de la tarde! ...

## EL CREPÚSCULO DEL MARTIRIO

*Te vi en el mar, te oí en el viento ...*
OSSIAN°

Con sigilo de felpa la lejana
piedad de tu sollozo en lo infinito
desesperó, como un clamor maldito
que no tuviera eco ... La cristiana

5 viudez de aquella hora en la compana,
llegó a mi corazón ... y en el contrito
recogimiento de la tarde, el grito
de un vapor fue a morir a tu ventana.

Los sauces padecían con los vagos
10 insomnios del molino ... La profunda
superficialidad de tus halagos

se arrepintió en el mar ... ¡Y en las riberas
echóse a descansar, meditabunda,
la caravana azul de tus ojeras.

## ÓLEO BRILLANTE

Fundióse el día en mortecinos lampos,
y el mar y la ribera y las aristas

del monte se cuajaron de amatistas,
de carbunclos y raros crisolampos.

Nevó la luna, y un billón de ampos          5
alucinó las caprichosas vistas;
y embargaba tus ojos idealistas
el divino silencio de los campos.

Como un exótico abanico de oro,
cerró la tarde en el pinar sonoro.          10
Sobre tus senos, a mi abrazo impuro,

ajáronse tus blondas y tus cintas ...
¡Y erró a lo lejos un rumor oscuro,
de carros, por el lado de las quintas! ...


## EL JUEGO

Jugando al escondite, en dulce aparte,
niños o pájaros los dos, me acuerdo,
por gustar tu inquietud casi me pierdo,
y en cuanto a ti ... ¡problema era encontrarte!

Después, cuando el espíritu fue cuerdo,      5
burló mi amor tu afán en ocultarte ...,
y al amarme a tu vez, en el recuerdo
de otra mujer me refugié con arte.

De nuevo, en la estación de la experiencia,
diste en buscarme, cuando yo en la ausencia,  10
suerte fatal, me disfracé de olvido ...

Por fin, el juego ha terminado ... ¡Trunca
tu vida fue! ... Tan bien te has escondido,
que, ¡vive Dios!, ¡no nos veremos nunca! ...


## PANTEÍSMO

Los dos sentimos ímpetus reflejos,
oyendo, junto al mar, los fugitivos

sueños de Gluck\*, y por los tiempos viejos
rodaron en su tez oros furtivos ...

5 La luna hipnotizaba nimbos vivos,
surgiendo entre abismáticos espejos.
Calló la orquesta y descendió a lo lejos
un enigma de puntos suspensivos ...

Luego: la inmensidad, el astro, el hondo
10 silencio, todo penetró hasta el fondo
de nuestro ser ... Un inaudito halago

de consubstanciación y aéreo giro
electrizónos, y hacia el éter vago
subimos en la gloria de un suspiro ...


# EPITALAMIO ANCESTRAL

Con pompas de brahmánicas unciones
abrióse el lecho de tus primaveras,
ante un lúbrico rito de panteras
y una erección de símbolos varones ...

5 Al trágico fulgor de los hachones
ondeó la danza de las bayaderas\*
por entre una apoteosis de banderas
y de un siniestro trueno de leones.

Ardió el epitalamio de tu paso
10 un himno de trompetas fulgurantes ...
Sobre mi corazón, los hierofantes\*

ungieron tu sandalia, urna de raso,
a tiempo que cien blancos elefantes
enroscaron su trompa hacia el ocaso.

# JOSÉ SANTOS CHOCANO

1875–1934

L A AMBICIÓN de llegar a ser « el cantor de América » constituye
la nota dominante de la ambiciosa vida y obra de este pintoresco y contradictorio poeta peruano. Al leer los versos de Santos
Chocano, no resultará tarea muy ardua descubrir que las obvias
manifestaciones externas del continente ocupan buena parte de
los asuntos centrales de sus poesías. La fauna, la flora, la configura-
ción geográfica y los grupos humanos se yerguen como los pilares
de un mundo distinto y admirable. Algunas reacciones humanas
ocasionadas por circunstancias ambientales se deslizan también
en las poesías de este escritor, pero al hacerlo, siempre se revisten
de un personalismo apenas convincente.

Si la nota americana se convierte en lo esencial del contenido
poético de la obra de Santos Chocano, los medios empleados para
expresar su discutida temática se han prestado a severas críticas.
En efecto, la tendencia declamatoria, el excesivo abigarramiento
de colores en las imágenes y los abundantes lugares comunes inclinan a pensar que los sentimientos y la realidad misma que les
da vida son un tanto superficiales y falsos.

La modalidad americanista a que aspira el autor no puede ase-
gurarse que sea de su exclusividad pero sí forma parte de una de
las direcciones importantes que adquirió el modernismo en sus
últimos años de vida. A pesar de la popularidad alcanzada por los
versos de José Santos Chocano y los resonantes ecos que dejó
su abrumadora voz tropical, hay que reconocer la debilidad y

desmedro con que difícilmente mantiene su sitio entre los grandes maestros del modernismo.

OBRAS PRINCIPALES DEL AUTOR

*Iras santas.* Lima, 1895.
*En la aldea.* Lima, 1895.
*Selva virgen.* Lima, 1898.
*La epopeya del Morro.* Iquique, 1899.
*Cantos del Pacífico.* París-México, 1904.
*Alma América.* Madrid, 1906.
*Fiat Lux.* París, 1908.
*Primicias de Oro de Indias.* Santiago de Chile, 1934.
*Oro de Indias.* Santiago de Chile, 1940–1941.
*Obras completas.* Compiladas, anotadas y prologadas por Luis Alberto Sánchez. Madrid, 1954.


ESTUDIOS

CHAVARRI, J. M. « La vida y arte de José Santos Chocano, el poeta de América », *Kentucky Foreign Language Quarterly* (U.S.A.), *III* (1956), págs. 67–75.
MEZA FUENTES, R. *La poesía de José Santos Chocano.* Santiago de Chile: Universidad de Chile, 1935.
GONZÁLEZ BLANCO, A. *Escritores representativos de América.* Madrid: América, 1917.
RODRÍGUEZ PERALTA, O. « The Peru of Chocano and Vallejo », *Hispania* (U.S.A.) *XLIV* (1961), págs. 635–642.
SÁNCHEZ, L. A. « Amanecer, ocaso y mediodía de José Santos Chocano », *Cuadernos Hispanoamericanos* (Madrid), No. 6 (1954), págs. 241–249.
SÁNCHEZ, L. A. *Escritores representativos de América.* Tomo II. Madrid: Gredos, 1957.
SÁNCHEZ, L. A. *Aladino o Vida y obra de José Santos Chocano.* México: Libro Mex-Editores, 1960.
SÁNCHEZ, L. A. « Chocano en Centroamérica (1920–1921) », *Revista Iberoamericana* (México), No. 49 (1960), págs. 59–72.
TORRES-RIOSECO, A. *Ensayos de literatura latinoamericana.* Primera serie. México: Fondo de Cultura Económica, 1953.
UGARTE, M. *Escritores iberoamericanos de 1900.* Santiago de Chile: Orbe, 1943.
UMPHREY, G. W. « José Santos Chocano, el poeta de América », *Hispania* (U.S.A.), *III* (1920), págs. 304–315.

## LAS AVES

¡Cuántas aves que anidan sin recelo
en un árbol, que es luego cruz o nave,
tienden por fuerza misteriosa y grave,
como el árbol también, al mar o al cielo!

El ave es ambición que huye del suelo                    5
y es alerta estentóreo o trino suave;
que el canto más glorioso es el del ave
y la línea más pura es la del vuelo.

No importa—ya que el sol rasga las brumas—
que el mal persiga al bien y el buitre altivo             10
a la paloma, hecho un Satán con plumas;

que, mientras alas tengan y garganta,
serán las aves el emblema vivo,
de todo lo que vuela y lo que canta.


## EL PAVO REAL

El pavo real es el señor vizconde
que con golilla tornasol pasea,
que entre plumas magníficas se esconde,
y con grito trémulo responde
si la alegre gallina cacarea...                           5

Vedle cómo, señor de los señores,
mueve a compás el cuerpo en que tremola
la bandera de todos los colores,
mientras luciendo va todas las flores
sobre el arco iris de su abierta cola...                  10

Vedle cómo en su cuello, donde empieza
ese matiz que entre las plumas vaga,
orgulloso levanta la cabeza:
vedle cómo conoce su belleza
15  y con su propia vanidad se embriaga.

Pasea como un rey entre sus salas,
luciendo altivo las abiertas rosas
que en amplia confusión forman sus galas;
él, que tiene en la cola y en las alas
20  prendidas un millón de mariposas.


# DE VIAJE

Ave de paso,
fugaz viajera desconocida:
fue sólo un sueño, sólo un capricho, sólo un acaso;
duró un instante, de los que llenan toda una vida.

5  No era la gloria del paganismo,
no era el encanto de la hermosura plástica y recia:
era algo vago, nube de incienso, luz de idealismo.
No era la Grecia,
¡era la Roma del cristianismo!

10  Alrededor era de sus dos ojos—¡oh, qué ojos ésos!—
que las facciones de su semblante desvanecidas
fingían trazos de un pincel tenue, mojado en besos,
reviviendo sueños pasados y glorias idas ...

Ida es la gloria de sus encantos;
15  pasado el sueño de su sonrisa.
Yo lentamente sigo la ruta de mis quebrantos;
¡ella ha fugado como un perfume sobre una brisa!

Quizás ya nunca nos encontremos;
quizás ya nunca veré a mi errante desconocida;
20  quizás la misma barca de amores empujaremos,
ella de un lado, yo de otro lado, como dos remos,
toda la vida bogando juntos y separados toda la vida.

# DECLAMATORIA

El bardo melenudo y decadente
se pasó, sutilísima y ligera,
la mano por la blonda cabellera,
y se la alborotó sobre la frente.

Plegó después el labio sonriente,                    5
alzó los ojos a la azul esfera,
y con voz melodiosa y plañidera
rompió el silencio de la absorta gente ...

Y dijo sus estrofas. Nadie pudo
sorprender los oscuros simbolismos,                  10
ni salió nadie del asombro mudo.

De súbito estallaron las palmadas,
¡pero sonaron los aplausos mismos
como si hubieran sido bofetadas!

# EN EL DIVÁN

Indolente y gentil como Afrodita*
ensayas las más lánguidas posturas;
y en tu diván, mirando las alturas,
eres el abandono que medita.

Saltas, al eco de tu amor que grita;                 5
vibras, al diapasón de tus locuras,
que, en tus formas de lira, hay curvaturas
de la sensualidad más exquisita.

El voluble abanico, que en tu mano
cándidamente y a compás se mece,                     10
te da un tinte de amor extramundano;

y, bajo de la túnica, el pequeño
pie en que termina tu beldad parece
ser el punto final de todo sueño ...

# ASUNTO WATTEAU*

Eres princesa gentil
del tiempo en que el rey galante
tañía en jardín fragante
su pífano pastoril.

Así la fiesta real
sobre tus labios de flor,
libando mieles de amor,
vibra eterno madrigal.

La gloria de tu belleza
canta a los nobles señores,
que se fingían pastores,
hartos de tanta nobleza.

Triunfas en la alegre fiesta
como una abeja de oro,
que danza al compás sonoro
de la voluptuosa orquesta.

Pastoras hay a tu lado
y pastores a tus pies:
la alfombra que huellas es
blando césped tapizado.

Bajo un sol de áureos destellos
que traspasa los follajes,
arreboles son los trajes
y espumas los albos cuellos.

Allá un pastor que arrebata
con églogas a su amante,
luce anillos de diamante
y brocados de oro y plata.

Allá una dulce pastora
que de amantes tiene rueda,
mueve la crujiente seda
de su falda tentadora ...

A un golpe sobre el atril
rompe la canción galante
gime el violín sollozante                    35
y retumba el tamboril;

y fíngese entre la cauta
fronda de vaga ilusión,
la rítmica confusión
de la paloma y la flauta.                     40

¡Loado el baile! Las damas
de sus galanes en brazos,
atan y desatan lazos
de luciérnagas y flamas ...

Y mientras que al centro tú               45
sonríes, giran en rueda,
oropéndolas de seda,
mariposas de tisú ...

Y ensayas, sacando el pie,
al son de la blanca nota,                     50
inflexiones de gavota
y actitudes de minué.

Así la idílica fiesta,
en que mezclan sus cambiantes
los zigzags de los danzantes             55
y los gluglús de la orquesta ...

Así la fiesta, así es
digna del verso ferviente
de un Virgilio* decadente
o de un Teócrito* marqués ...             60

Tu cabellera empolvada,
rima con la albura acaso
de los estuches de raso
que cubren tus pies de hada.

Formas de suave inflexión                 65
muestra tu talle, ceñido
por simbólico vestido
como abierto corazón.

El abanico en tu mano
a los galanes responde
y ya se ríe de un conde,
ya desdeña un cortesano.

Si una indiscreción te hiere,
enojado tu abanico
se abre y cierra, como el pico
de un cisne ... que canta y muere.

¡Loado el príncipe augusto
que, enlazando tu cintura,
va paseando la hermosura
escultural de tu busto!

Rueda el sol al precipicio;
y a los póstumos fulgores,
las telas multicolores
son cual fuegos de artificio.

Lánguidamente sus sones
apagando va la orquesta;
y se disuelve la fiesta
en parvadas de ilusiones ...

Tú vas dejando en los prados,
tras de esa fiesta de amores,
como regueros de flores,
corazones deshojados ...

Para pedirte una flor
de esas que huellan tus pies,
Pan* se viste de marqués
y Apolo* se hace pastor.

¡Cuánta memoria despierta
ese tu donaire altivo! ...
¡Eres el recuerdo vivo
de la aristocracia muerta!

## COPA DE ORO

Dame el buril con que grabar solía
el artífice heleno, en copas de oro,

ninfas danzantes en alegre coro
y sátiros con rostro de ironía.

En el contorno de la estrofa mía,
grabaré, como artístico tesoro,
tu egregio busto, tu imperial decoro
y tu perpetuo abril de poesía.

Mas tu copia mejor no vale nada,
desque me ocultas con tu faz de diosa
el abismo de tu alma disoluta,

como si entre esa copa burilada
me brindases con mano mentirosa,
envuelta en oro, la mortal cicuta.

## PAGANA

No os ofendáis, señora,
porque esta vez a vuestro oído llega
el verso amante del que en voz adora
las formas sólo de la estatua griega.

Dejad que en mi alma esculpa
vuestro perfil olímpico de diosa
con cinceles de amor. ¿Tengo la culpa
de que sea yo artista y vos hermosa?

Arte soy, vos belleza;
y dejaros de amar fuese un ultraje;
no grabaré mi nombre en la corteza,
pero quiero dormir bajo el follaje ...

¿No os place ver la estatua
que en el museo artístico descuella,
no neciamente desdeñosa y fatua,
pero como segura de ser bella?

A mí me place el firme
molde en que se vació vuestra hermosura.
¡Bajo el golpe traidor quiero morirme,
como César*, al pie de una escultura!

Por eso, ya que en vano
os quisiera estrechar de ardores lleno,

dadme ese traje que ceñís tirano
en que resalta vuestro ebúrneo seno.

25   Hundiera en él mi frente;
y aspirara, con ansia voluptuosa,
el perfume impregnado que se siente
como una tibia emanación de rosa.

¡Sí! yo os quiero mirar, señora mía,
30   desnuda al fin correr por el boscaje.
Ninfa desnuda de la selva umbría:
mi propia sombra os servirá de traje ...


## SOL Y LUNA

Entre las manos de mi madre anciana,
la cabellera de su nieto brilla:
es puñado de trigo, áurea gavilla,
oro de Sol robado a la mañana.

5   Luce mi madre en tanto—espuma vana
que la ola del tiempo echó a la orilla—
a modo de una hostia sin mancilla,
su relumbrante cabellera cana.

Grupo de plata y oro que en derroches
10   colma mi corazón de regocijo:
no importa nada que el rencor me ladre;

porque para mis días y mis noches,
tengo el Sol en los bucles de mi hijo
y la Luna en las canas de mi madre.


## TROQUEL

No beberé en las linfas de la castalia* fuente,
ni cruzaré los bosques floridos del Parnaso*,
ni tras las nueve hermanas* dirigiré mi paso;
pero, al cantar mis himnos, levantaré la frente.

Mi culto no es el culto de la pasada gente,     5
ni me es bastante el vuelo solemne del Pegaso*:
los trópicos avivan la flama en que me abraso;
y en mis oídos suena la voz de un Continente.

Yo beberé en las aguas de caudalosos ríos;
yo cruzaré otros bosques lozanos y bravíos;     10
yo buscaré a otra Musa que asombre al Universo.

Yo de una rima frágil haré mi carabela;
me sentaré en la popa; desataré la vela;
y zarparé a las Indias, como un Colón del verso.

# CRÓNICA ALFONSINA

Fue en el mar que separa la América de Europa,
una noche.
          Las nubes encrespaban su tropa,
el viento inflaba el grito de su clarín sonoro
y arrastraban los rayos sus espuelas de oro.     5

Se encontraron dos barcas: mientras que una iba,
otra tornaba.
         (Sólo Dios las ve desde arriba.)
En el silencio de esa soledad y esa calma,
propias de los momentos decisivos del alma,     10
resonó entre las brumas la nota mortecina
de una bocina... y luego respondió otra bocina.

Y fuéronse las barcas acercando.
               Y el cielo,
como una virgen loca que rasgase su velo,     15
se hacía mil jirones. El mar, cual cabellera
de un filósofo anciano de la Clásica Era,
sacudía los bucles de sus olas. El viento
devoraba las leguas como el Ogro del cuento...

Se unieron las dos barcas. Y eran iguales. Una,     20
por mascarón de proa, tenía la fortuna
de ostentar la cabeza de un gran león de oro
y la otra un castillo labrado en plata. El coro

403

de las olas cantaba, con fantástico empeño,
25 al León de la fuerza y al Castillo del sueño ...

Ambas tripulaciones se hablaron con la propia
lengua de España. ¡Oh lengua del País de la Utopía!
En una barca iba de viaje Dulcinea*
al Nuevo Mundo: estaba grave como una Idea,
30 triste como un Ensueño, muda como un Encanto
y toda arrebujada dentro su propio manto.
En la otra venía Jimena* haciendo viaje
de regreso; en sus plantas el carcaj de un salvaje,
en su espalda el adorno de vicuña más rico
35 y en su diestra las plumas del más raro abanico ...

Y se hablaron.
                    —Amiga: yo camino a las tierras
que nuestros ascendientes, en fabulosas guerras,
empaparon de sangre. Llevo a ellas la pura
40 ilusión, la fe dulce, la divina locura,
todo cuanto es Ensueño, todo cuanto es Encanto,
todo cuanto es Idea; todo, sí, todo cuanto
puede dar a esas gentes nuestra más bella gala,
para que se defiendan del Puño con el Ala ...

45 —Amiga: yo hacia España regreso, porque ahora
parece que hace en ella su insinuación la aurora
y le es precisa el alma de grandes decisiones:
espumas de corceles, melenas de leones,
radiantes armaduras, heráldicas proezas,
50 todo un ardor de lucha, toda una santa ira,
en cetro, crucifijo, tizona, yunque y lira.

Don Quijote, que estaba sin decir una sola
palabra, ya no pudo, y habló:—Tú eres la ola
que de América viene. Tú empujaste el navío
55 de Colón a esas playas. Tu corazón y el mío
se completan, señora.

Don Rodrigo*, que mudo
miraba persignarse los rayos, ya no pudo
tampoco; y habló y dijo:
60                    —Dulcinea, señora,
saltar dame a tu barca. Yo bendigo la hora

en que de oír tus frases alcancé la fortuna.
Yo tengo el alma llena de Sol ... y tú de Luna.

Después ... la paz. Las olas se adormecen tranquilas,
cien puñados de estrellas dilatan sus pupilas;                    65
y, de astro en astro, entre una nube que la recata,
la Luna va pasando su bandeja de plata ...

En una barca vuelan a España Don Quijote
y Jimena; en la otra, desafía el azote
del viento, Don Rodrigo que va con Dulcinea              70
al Nuevo Continente.
                    ¡Maravillosa idea,
que al través de dos mundos y cuatro siglos crece!


# LOS ANDES

Cual se ve la escultórica serpiente
de Laoconte* en mármoles desnudos,
los Andes trenzan sus nerviosos nudos
en el cuerpo de todo un Continente.

Horror dantesco estremecer se siente                     5
por sobre ese tropel de héroes membrudos,
que se alzan con graníticos escudos
y con cascos de plata refulgente.

La angustia de cada héroe es infinita,
porque quiere gritar, retiembla, salta,                  10
se parte de dolor ..., pero no grita;

y sólo deja, extático y sombrío,
rodar, desde su cúspide más alta,
la silenciosa lágrima de un río.


# LA EPOPEYA DEL PACÍFICO

Los Estados Unidos, como argolla de bronce,
contra un clavo torturan de la América un pie;

y la América debe, ya que aspira a ser libre,
imitarles primero e igualarles después.
5    Imitemos, ¡oh Musa! las crujientes estrofas
que en el Norte se mueven con la gracia de un tren;
y que giren las rimas como ruedas veloces;
y que caigan los versos como varas de riel...

Desconfiemos del Hombre de los ojos azules,
10   cuando quiera robarnos al calor del hogar
y con pieles de búfalo un tapiz nos regale
y lo clave con discos de sonoro metal,
aunque nada es huirle, si imitarle no quieren
los que ignoran, gastándose en belígero afán,
15   que el trabajo no es culpa de un Edén ya perdido,
sino el único medio de llegarlo a gozar.

Pero nadie se duela de futuras conquistas:
nuestras selvas no saben de una raza mejor,
nuestros Andes ignoran lo que importa ser blanco,
20   nuestros ríos desdeñan lo que vale un sajón;
y, así, el día en que un pueblo de otra raza se atreva
a explorar nuestras patrias, dará un grito de horror,
porque el miasma y la fiebre y el reptil y el pantano
le hundirán en la tierra, bajo el fuego del Sol.

25   No podrá ser la raza de los blondos cabellos
la que al fin rompa el Istmo*... Lo tendrán que romper
veinte mil antillanos de cabezas oscuras,
que hervirán el las brechas cual sombrío tropel.
Raza de las Pirámides, raza de los asombros:
30   Faro en Alejandría*, Templo en Jerusalén;
¡raza que exprimió sangre sobre el Romano Circo
y que exprimió sudores sobre el Canal de Suez!

Cuando corten el nudo que Natura ha formado,
cuando entreabran las fauces del sediento Canal,
35   cuando al golpe de vara de un Moisés* en las rocas
solemnemente arrójese uno contra otro mar,
en el único instante del titánico encuentro,
un aplauso de júbilo esos mares darán,
que se eleve en los aires a manera de un brindis,
40   como chocan dos vasos de sonoro cristal...

El Canal será el golpe que abrir le haga los mares
y le quite las llaves del gran Río* al Brasil;
porque nuestras montañas rendirán sus tributos
a las naves que lleguen hasta el puerto feliz,
cuando luego de Paita*, con enérgico trazo,           45
amazónica margen solicite el carril,
y el Pacífico se una con el épico Río,
y los trenes galopen sacudiendo su crin ...

¡Oh, la turba que, entonces, de los puertos vibrantes
espadas que se cansen de cercenar cabezas;            50
de la Europa latina llegará a esa región!
Barcelona*, Havre*, Génova*, en millares de manos,
mirarán los pañuelos desplegando un adiós ...
Y el latino que sienta del vivaz Mediodía*
ese Sol en la sangre parecido a este Sol,             55
poblará nuestros bosques y vendrá desde Europa
¡por el propio camino que le alista el sajón!

Vierte ¡oh Musa! tus cantos, como linfas que corren
y que fingen corriendo milagroso Jordán*,
donde América puede redimir sus pecados,              60
refrescar sus fatigas, sus miserias lavar;
y, después, que en el baño quede exenta de culpa,
enjugarse las aguas y envolverse quizás
entre sábanas puras, que se tiendan al viento,
¡como blancas banderas de Trabajo y de Paz!          65


# LOS CABALLOS DE LOS CONQUISTADORES

¡Los caballos eran fuertes!
¡Los caballos eran ágiles!
Sus pescuezos eran finos y sus ancas
relucientes y sus cascos musicales ...
¡Los caballos eran fuertes!                           5
¡Los caballos eran ágiles!

¡No! No han sido los guerreros solamente,
de corazas y penachos y tizonas y estandartes,
los que hicieron la conquista

10 de las selvas y los Andes:
los caballos andaluces, cuyos nervios
tienen chispas de la raza voladora de los árabes,
estamparon sus gloriosas herraduras
en los secos pedregales,
15 en los húmedos pantanos,
en los ríos resonantes,
en las nieves silenciosas,
en las pampas, en las sierras, en los bosques y en los valles ...
¡Los caballos eran fuertes!
20 ¡Los caballos eran ágiles!

Un caballo fue el primero
en los tórridos manglares
cuando el grupo de Balboa* caminaba
despertando las dormidas soledades,
25 que, de pronto, dio el aviso
del Pacífico Oceano, porque ráfagas de aire
al olfato le trajeron
las salinas humedades;
y el caballo de Quesada*, que en la cumbre
30 se detuvo, viendo, al fondo de los valles
el fuetazo de un torrente*
como el gesto de una cólera salvaje,
saludó con un relincho
la sabana interminable ...
35 y bajó, con fácil trote,
los peldaños de los Andes,
cual por unas milenarias escaleras
que crujían bajo el golpe de los cascos musicales ...
¡Los caballos eran fuertes!
40 ¡Los caballos eran ágiles!

¿Y aquel otro de ancho tórax,
que la testa pone en alto, cual queriendo ser más grande,
en que Hernán Cortés* un día,
caballero sobre estribos rutilantes,
45 desde México hasta Honduras*,
mide leguas y semanas, entre rocas y boscajes?
¡Es más digno de los lauros,
que los potros que galopan en los cánticos triunfales

con que Píndaro* celebra las olímpicas disputas
entre el vuelo de los carros y la fuga de los aires!                50
Y es más digno todavía
de las Odas inmortales,
el caballo con que Soto* diestramente
y tejiendo sus cabriolas como él sabe,
causa asombro, pone espanto, roba fuerzas                          55
y, entre el coro de los indios, sin que nadie
haga un gesto de reproche, llega al trono de Atahualpa*
y salpica con espumas las insignias imperiales ...
¡Los caballos eran fuertes!
¡Los caballos eran ágiles!                                         60

   El caballo del beduino
que se traga soledades;
el caballo milagroso de San Jorge*,
que tritura con sus cascos los dragones infernales;
el de César* en las Galias*;                                       65
el de Aníbal* en los Alpes*;
el centauro* de las clásicas leyendas,
mitad potro, mitad hombre, que galopa sin cansarse
y que sueña sin dormirse
y que flecha los luceros y que corre más que el aire;              70
todos tienen menos alma,
menos fuerza, menos sangre,
que los épicos caballos andaluces
en las tierras de la Atlántida* salvaje,
soportando las fatigas,                                            75
las espuelas y las hambres,
bajo el peso de las férreas armaduras
y entre el fleco de los anchos estandartes,
cual desfile de heroísmos coronados
con la gloria de Babieca* y el dolor de Rocinante*...              80
En mitad de los fragores
decisivos del combate,
los caballos con sus pechos
arrollaban a los indios y seguían adelante;
y, así, a veces, a los gritos de ¡Santiago*!                       85
entre el humo y el fulgor de los metales,
se veía que pasaba, como un sueño,
el caballo del Apóstol a galope por los aires ...

¡Los caballos eran fuertes!
90 ¡Los caballos eran ágiles!

Se diría una epopeya
de caballos singulares
que a manera de hipogrifos* desalados
o cual río que se cuelga de los Andes,
95 llegan todos sudorosos,
empolvados, jadeantes,
de unas tierras nunca vistas
a otras tierras conquistables;
y, de súbito, espantados por un cuerno
100 que se hincha con soplido de huracanes,
dan nerviosos un relincho tan profundo
que parece que quisiera perpetuarse ...
y, en las pampas sin confines,
ven las tristes lejanías, y remontan las edades,
105 y se sienten atraídos por los nuevos horizontes,
se aglomeran, piafan, soplan ... y se pierden al escape:
detrás de ellos una nube,
que es la nube de la gloria, se levanta por los aires ...
¡Los caballos eran fuertes!
110 ¡Los caballos eran ágiles!

# BLASÓN

Soy el cantor de América autóctono y salvaje;
mi lira tiene un alma, mi canto un ideal.
Mi verso no se mece colgado de un ramaje
con un vaivén pausado de hamaca tropical ...

5 Cuando me siento Inca, le rindo vasallaje
al Sol, que me da el cetro de su poder real;
cuando me siento hispano y evoco el Coloniaje,
parecen mis estrofas trompetas de cristal ...

Mi fantasía viene de un abolengo moro:
10 los Andes son de plata, pero el León de oro;
y las dos castas fundo con épico fragor.

La sangre es española e incaico es el latido;
¡y de no ser poeta, quizás yo hubiese sido
un blanco aventurero o un indio emperador!

## LOS VOLCANES

Cada volcán levanta su figura,
cual si de pronto, ante la faz del cielo,
suspendiesen el ángulo de un velo
dos dedos invisibles de la altura.

La cresta es blanca y como blanca pura:     5
la entraña hierve en inflamado anhelo;
y sobre el horno aquel contrasta el hielo,
cual sobre una pasión un alma dura.

Los volcanes son túmulos de piedra,
pero a sus pies los valles que florecen     10
fingen alfombras de irisada yedra;

y por eso, entre campos de colores,
al destacarse en el azul, parecen
cestas volcadas derramando flores.

## CIUDAD DORMIDA

Cartagena de Indias*: tú, que, a solas
entre el rigor de las murallas fieras,
crees que te acarician las banderas
de pretéritas huestes españolas;

tú, que ciñes radiantes aureolas,     5
desenvuelves, soñando en las riberas,
la perezosa voz de tus palmeras
y el escándalo eterno de tus olas ...

¿Para qué es despertar, bella durmiente?
Los piratas tu sueño mortifican,     10
mas tú siempre serena te destacas,

y los párpados cierras blandamente,
mientras que tus palmeras te abanican
y tus olas te mecen como hamacas ...

## TARDE EN EL RÍO

En tanto que el caudal se desenrosca,
tienden tras del bohío las colinas
sus voluptuosas curvas femeninas,
cual perfila un carbón su línea tosca.

5    Gruñe la selva; y la maraña fosca
trunca, a lo lejos, escombradas ruinas.
Es la tarde. Hay sonatas cristalinas;
y en cada guitarrón zumba una mosca.

Zetas pinta una garza sobre el río;
10    cocuyos en la selva abren su broche;
y un boga, por la orilla, empuja un barco.

Rueda el Sol; y la imagen del bohío
se hunde, por fin, de súbito en la noche,
como se hunde un caimán dentro de un charco ...

## CORNUCOPIA

En las arcas de América fulgentes
hay riquezas que al Sol diesen enojos:
el oro del Perú despertó antojos
en la codicia de las viejas gentes;

5    México da su plata hecha torrentes;
Chile el incendio de sus cobres rojos;
diamantes el Brasil cual claros ojos;
y perlas Panamá cual finos dientes.

Si Bolivia con épicos afanes
10    clava, sobre la abrupta cordillera,
como cofres de nieve, sus volcanes,

¡Colombia ve sus délficas* guirnaldas
en perpetuo verdor, cual si las viera
a través de sus propias esmeraldas!


## AVATAR

Cuatro veces he nacido, cuatro veces me he encarnado:
soy de América dos veces y dos veces español.
Si poeta soy ahora, fui Virrey en el pasado,
Capitán por las conquistas y Monarca por el Sol.

Fui Yupanqui*. Nuestros Andes me brindaban con su nieve,     5
los cóndores con sus plumas, las alpacas con su piel,
Viví siempre como el rayo, deslumbrante pero breve,
con tu imagen estampada sobre el cuero del broquel.

Y fui Soto*. No llegara la victoria resonante
de Pizarro* sobre el Inca*, si no fuera mi bridón.     10
Me parece ver al potro galopando por delante,
me parece oír tu nombre resonando en el cañón.

Fui el Virrey-Poeta*, luego. Mi palabra tuvo flores:
dicté ritmos, hice glosas y compuse un madrigal.
Los jardines del Palacio celebraban tus amores     15
y hasta el río te brindaba con su copa de cristal.

Ya no soy aquel gran Inca, ni aquel épico Soldado;
ni el Virrey de aquel Alcázar con que sueles soñar tú ...
Pero ahora soy Poeta, soy divino, soy sagrado;
¡y más vale ser tu dueño, que ser dueño del Perú! ...     20


## TRÍPTICO HEROICO

### Caupolicán*

Ya todos los caciques probaron el madero.
—¿Quién falta? —Y la respuesta fue un arrogante: —¡Yo!
—¡Yo! —dijo; y, en la forma de una visión de Homero*,
del fondo de los bosques Caupolicán surgió.

413

Echóse el tronco encima, con ademán ligero;
y estremecerse pudo, pero doblarse no.
Bajo sus pies, tres días crujir hizo el sendero;
y estuvo andando ... andando ... y andando se durmió.

Andando, así, dormido, vio en sueños al verdugo;
él muerto sobre un tronco, su raza con el yugo,
inútil todo esfuerzo y el mundo siempre igual.

Por eso, al tercer día de andar por valle y sierra,
el tronco alzó en los aires y lo clavó en la tierra
¡como si el tronco fuese su mismo pedestal!

### Cuacthémoc*

Solemnemente triste fue Cuacthémoc. Un día
un grupo de hombres blancos se abalanzó hasta él;
y mientras que el imperio de tal se sorprendía,
el arcabuz llenaba de huecos el broquel.

Preso quedó; y el Indio, que nunca sonreía,
una sonrisa tuvo que se deshizo en hiel.
—¿En donde está el tesoro?—clamó la vocería;
y respondió un silencio más grande que el tropel.

Llegó el tormento ... Y alguien de la imperial nobleza
quejóse. El Héroe díjole, irguiendo la cabeza:
—¡Mi lecho no es de rosas!—y se volvió a callar.

En tanto, al retostarle los pies, chirriaba el fuego,
que se agitaba a modo de balbuciente ruego,
¡porque se hacía lenguas como queriendo hablar!

### Ollanta*

Contra el imperio un día su espíritu levanta;
afila en los peñascos su espada y su rencor;
el nudo de un sollozo retuerce en la garganta;
y jura, en un gran charco de sangre hundir su amor.

Huye, de risco en risco, con trepadora planta;
impone en una cumbre su nido de condor;
y entre una fortaleza diez años lucha Ollanta,
que son para su ñusta diez siglos de dolor.

Amó a la sacra hija del Inca\*, en el misterio:
cuando el Señor lo supo, se estremeció el imperio,
cayó la ñusta en tierra e irguióse el paladín.

Después, vino otro Inca que le llamó su hermano;                    40
¡y tras de tanta sangre, no derramada en vano,
sólo quedó la nieve teñida de carmín!

## LA CAOBA

Dócil caoba, entre las sabias manos
del ornamentador, se transfigura
en prodigios de artística moldura,
más llenos de primor si más livianos:

cuna de niños y ataúd de ancianos;                    5
lecho en que duerme impávida hermosura;
pórtico de un alcázar de ventura;
y hasta trono de regios soberanos.

El penetrante olor de la madera
finge al olfato una ilusión extraña,                    10
como si el alma de los bosques fuera;

y así, aunque el lustre del barniz engaña,
en más de una tal vez corte extranjera
se respira el olor de la montaña.

## LAS ORQUÍDEAS

Anforas de cristal, airosas galas
de enigmáticas formas sorprendentes,
diademas propias de apolíneas frentes,
adornos dignos de fastuosas salas.

En los nudos de un tronco hacen escalas;                    5
y ensortijan sus tallos de serpientes,
hasta quedar en la altitud pendientes,
a manera de pájaros sin alas.

 415

Tristes como cabezas pensativas,
brotan ellas, sin torpes ligaduras
de tirana raíz, libres y altivas;

porque también, con lo mezquino en guerra,
quieren vivir, como las almas puras,
sin un solo contacto con la tierra.

## LA PIÑA

Cuentan que por los trópicos un día
se aventuró la clásica Pomona*;
y halló de pronto, en la fecunda zona,
ánfora rebosante de ambrosía:

probóla; y fue tan grande su alegría
que eternamente ese blasón pregona,
porque dejó sobre ella su corona
y la incrustó de clara pedrería.

Cuajada de rubíes y diamantes,
así la piña se destaca egregia
por entre las hojas fluidas y punzantes,

como si al prevenir manos osadas,
con la altivez de su corona regia,
se encastillase entre cincuenta espadas.

## EL SUEÑO DEL CAIMÁN

Enorme tronco que arrastró la ola,
yace el caimán varado en la ribera:
espinazo de abrupta cordillera,
fauces de abismo y formidable cola.

El sol lo envuelve en fúlgida aureola;
y parece lucir cota y cimera,

cual monstruo de metal que reverbera
y que al reverberar se tornasola.

Inmóvil como un ídolo sagrado,
ceñido en mallas de compacto acero,                    10
está ante el agua extático y sombrío,

a manera de un príncipe encantado
que vive eternamente prisionero
en el palacio de cristal de un río.


## LA MAGNOLIA

En el bosque, de aromas y de músicas lleno,
la magnolia florece delicada y ligera,
cual vellón que en las zarzas enredado estuviera,
o cual copo de espuma sobre lago sereno.

Es un ánfora digna de un artífice heleno,                    5
un marmóreo prodigio de la Clásica Era;
y destaca su fina redondez a manera
de una dama que luce descotado su seno.

No se sabe si es perla, ni se sabe si es llanto.
Hay entre ella y la luna cierta historia de encanto,         10
en la que una paloma pierde acaso la vida;

porque es pura y es blanca y es graciosa y es leve,
como un rayo de luna que se cuaja en la nieve,
o como una paloma que se queda dormida.


## LA VISIÓN DEL CÓNDOR

Una vez bajó el cóndor de su altura
a pugnar con el boa que, hecho un lazo,
dormía astutamente en el regazo
compasivo de trágica espesura.

El cóndor picoteó la escama dura;
y la sierpe, al sentir el picotazo,
fingió en el césped el nervioso trazo
con que la tempestad firma en la anchura.

El cóndor cogió al boa; y en un vuelo
sacudiólo con ímpetu bravío,
y lo dejó caer desde su cielo.

Inclinó la mirada al bosque umbrío;
y pudo ver que, en el lejano suelo,
en vez del boa, serpenteaba un río.

## NOSTALGIA

Hace ya diez años
que recorro el mundo.
¡He vivido poco!
¡Me he cansado mucho!
Quien vive de prisa no vive de veras:
quien no echa raíces no puede dar frutos.
Ser río que corre, ser nube que pasa,
sin dejar recuerdo ni rastro ninguno,
es triste; y más triste para quien se siente
nube en lo elevado, río en lo profundo.

Quisiera ser árbol mejor que ser ave,
quisiera ser leño mejor que ser humo;
y al viaje que cansa,
prefiero el terruño:
la ciudad nativa con sus campanarios,
arcaicos balcones, portales vetustos
y calles estrechas, como si las casas
tampoco quisieran separarse mucho ...

Estoy en la orilla
de un sendero abrupto.
Miro la serpiente de la carretera
que en cada montaña da vueltas a un nudo;
y entonces comprendo que el camino es largo,

que el terreno es brusco,
que la cuesta es ardua, 25
que el paisaje es mustio...

¡Señor! ya me canso de viajar, ya siento
nostalgia, ya ansío descansar muy junto
de los míos... Todos rodearán mi asiento
para que les diga mis penas y triunfos; 30
y yo, a la manera del que recorriera
un álbum de cromos, contaré con gusto
las mil y una noches de mis aventuras
y acabaré con esta frase de infortunio:
—¡He vivido poco! 35
¡Me he cansado mucho!


# LA CANCIÓN DEL CAMINO

Era un camino negro.
La noche estaba loca de relámpagos. Yo iba
en mi potro salvaje
por la montaña andina.
Los chasquidos alegres de los cascos, 5
como masticaciones de monstruosas mandíbulas,
destrozaban los vidrios invisibles
de las charcas dormidas.
Tres millones de insectos
formaban una como rabiosa inarmonía. 10

Súbito, allí, a lo lejos,
por entre aquella mole doliente y pensativa
de la selva,
vi un puñado de luces como en tropel de avispas.
¡La posada! El nervioso 15
látigo persignó la carne viva
de mi caballo, que rasgó los aires
con un largo relincho de alegría.

Y como si la selva
lo comprendiese todo, se quedó muda y fría. 20

Y hasta mí llegó, entonces,
una voz clara y fina
de mujer que cantaba. Cantaba. Era su canto
una lenta ... muy lenta ... melodía:
algo como un suspiro que se alarga
y se alarga y se alarga ... y no termina.

Entre el hondo silencio de la noche,
y al través del reposo de la montaña, oíanse
los acordes
de aquel canto sencillo de una música íntima,
como si fuesen voces que llegaran
desde la otra vida ...

Sofrené mi caballo;
y me puse a escuchar lo que decía:

—Todos llegan de noche,
todos se van de día ...

Y formándole dúo,
otra voz femenina
completó así la endecha
con ternura infinita:
—El amor es tan sólo una posada
en mitad del camino de la Vida ...

Y las dos voces, luego,
a la vez repitieron con amargura rítmica:
—Todos llegan de noche,
todos se van de día ...

Entonces, yo bajé de mi caballo
y me acosté en la orilla
de una charca.
Y fijo en ese canto que venía
a través del misterio de la selva,
fui cerrando los ojos al sueño y la fatiga.

Y me dormí arrullado; y, desde entonces,
cuando cruzo las selvas por rutas no sabidas,
jamás busco reposo en las posadas
y duermo al aire libre mi sueño y mi fatiga,
porque recuerdo siempre
aquel canto sencillo de una música íntima:

—Todos llegan de noche,
todos se van de día.
El amor es tan sólo una posada
en mitad del camino de la Vida…

# NOTAS DEL ALMA INDÍGENA

## *Otra vez será …*

Quiere casarse el joven indio
con cierta rústica beldad,
a la que vio la vez primera
en el sermón dominical.
Sueña él, por obra del buen cura,
partir con ella lecho y pan.
Ella sonríe dulcemente
a la ilusión matrimonial…
El joven indio acude al Amo,
con la esperanza de lograr
préstamo que haga realidades
las fantasías de su afán;
y el Amo, entonces, sordo al ruego,
consejos múltiples le da,
mas el dinero no, que en vano
se le promete reembolsar.
Ante la brusca negativa,
el joven indio vuelve en paz
a su trabajo, así diciéndose:
          —Otra vez será…

Vuelve al trabajo el joven indio…
En lluvia y Sol confiado está,
para ir al cura en son de bodas
cuando coseche su maizal.
La amada espera… espera… espera,
hila que hila sin cesar;
da a un huso vueltas en sus manos
y en sus suspiros a un afán…
Cuenta él los meses que le faltan
para ponerse a cosechar…

Mas lluvia y Sol se han conjurado:
¡qué despiadada sequedad!
No cae lluvia... Sopla un frío
viento de muerte... Empieza a helar...
El joven indio imperturbable
ve la cosecha salir mal;
y se consuela, así diciéndose:
          —Otra vez será...

La bella india rompe el hilo
de su paciencia; ya no está
en el rincón de la esperanza,
haciendo al huso vueltas dar...
¿Con algún hijo fue del Amo
que huyó la rústica beldad?
Desvanecida el joven indio
ve su ilusión matrimonial;
y, con orgullo, que de todos
su desgracia hace respetar,
piensa en que, al fin, para casarse
días mejores llegarán
y se sonríe, así diciéndose:
          —Otra vez será...

¡Oh, Raza altiva y desdeñosa,
bajo apariencias de humildad!
Nunca el fracaso la acobarda,
nunca el pavor la hace temblar,
nunca la cólera contrae
un solo músculo en su faz...
Una sutil filosofía
suele en su espíritu filtrar
la tenue luz de una esperanza
por entre toda oscuridad...
No hay un dolor que la anonada,
ni una catástrofe capaz
de remover trágicamente
su varonil serenidad...
La Raza espera... espera... espera,
hila que hila sin cesar.

Es por la sangre de tal raza
que en todo trance soy igual...
Cuando yo vea que mi ensueño

no se hace alegre realidad,
cuando yo note que escasean
en mis manteles vino y pan,
cuando mi esfuerzo se quebrante,                          75
cuando se trunque mi ideal,
cuando la lira entre mis manos
quiera negarse a resonar,
sin darme nunca por vencido,
ni arrenpentirme de mi afán,                              80
sólo diré tranquilamente:
                    —Otra vez será ...


## ¡Quién sabe! ...

Indio que asomas a la puerta
de esa tu rústica mansión:
¿para mi sed no tienes agua?                              85
¿para mi frío cobertor?
¿parco maíz para mi hambre?
¿para mi sueño, mal rincón?
¿breve quietud para mi andanza? ...
                    —¡Quién sabe, señor! ...             90

Indio que labras con fatiga
tierras que de otros dueños son:
¿ignoras tú que deben tuyas
ser, por tu sangre y tu sudor?
¿ignoras tú que audaz codicia,                           95
siglos atrás, te las quitó?
¿ignoras tú que eres el Amo?
                    —¡Quién sabe, señor! ...

Indio de frente taciturna
y de pupilas sin fulgor:                                 100
¿qué pensamiento es el que escondes
en tu enigmática expresión?
¿qué es lo que buscas en tu vida?
¿qué es lo que imploras a tu Dios?
¿qué es lo que sueña tu silencio?                        105
                    —¡Quién sabe, señor! ...

¡Oh raza antigua y misteriosa,
de impenetrable corazón,
que sin gozar ves la alegría

y sin sufrir ves el dolor:
eres augusta como el Ande,
el Grande Oceano y el Sol!
Ese tu gesto que parece
como de vil resignación
115 es de una sabia indiferencia
y de un orgullo sin rencor ...

Corre en mis venas sangre tuya,
y, por tal sangre, si mi Dios
me interrogase qué prefiero
120 —cruz o laurel, espina o flor,
beso que apague mis suspiros
o hiel que colme mi canción—
responderíale dudando:
—¡Quién sabe, señor! ...


## ¡Así será! ...

125 El joven indio comparece
ante el ceñudo Capataz:
—Tu padre ha muerto; y, como sabes
en contra tuya y en pie están
deudas, que tú con tu trabajo
130 tal vez no llegues a pagar ...
Desde mañana, como es justo,
rebajaremos tu jornal.—
El joven indio abre los ojos
llenos de trágica humedad;
135 y, con un gesto displicente
que no se puede penetrar,
dice, ensayando una sonrisa:
—¡Así será!

Clarín de guerra pide sangre.
140 Truena la voz del Capitán:
—Indio; ¡a las filas! Blande tu arma
hasta morir o hasta triunfar.
Tras la batalla, si es que mueres,
nadie de ti se acordará;
145 pero si, en cambio, el triunfo alcanzas,
te haré en mis tierras trabajar ...

No me preguntes por qué luchas,
ni me preguntes dónde vas.—
Dócil el indio entra en las filas
como un autómata marcial;                                    150
y sólo dice, gravemente:
                              —¡Así será!

    Mujer del indio: en ti los ojos
un día pone blanco audaz.
Charco de sangre ... Hombre por tierra ...                   155
Junto al cadáver, un puñal ...
Y luego el juez increpa al indio,
que se sonríe sin temblar:
—Quien como tú con hierro mata,
con hierro muere. ¡Morirás!—                                 160
Pone un relámpago en sus ojos
turbios el indio; y, con la faz
vuelta a los cielos, dice apenas:
                              —¡Así será!

    ¡Oh raza firme como un árbol                             165
que no se agobia al huracán,
que no se queja bajo el hacha
y que se impone al pedregal!
Raza que sufre su tormento
sin que se le oiga lamentar.                                 170
(¿Rompió en sollozos Atahualpa*?
¿Guatemozín*? ... ¿Caupolicán*? ...)
El « Dios lo quiere » de los moros
suena como este « Así será » ...

    ¿Resignación? Antes orgullo                              175
de quien se siente valer más
que la fortuna caprichosa
y que la humana crueldad ...
Un filosófico desprecio
hacia el dolor acaso da                                      180
la herencia indígena a mi sangre,
pronta a fluir sin protestar;
y cada vez que la torpeza
de la Fortuna huye a mi afán,
y crueldades harto humanas                                   185
niéganle el paso a mi Ideal,
y hasta la Vida me asegura

que nada tengo que esperar,
dueño yo siempre de mí mismo
190 y superior al bien y al mal,
digo, encogiéndome de hombros:
—¡Así será!

## Ahí, no más ...

Indio que a pie vienes de lejos
(y tan de lejos que quizás
195 te envejeciste en el camino,
y aun no concluyes de llegar ...)
Detén un punto el fácil trote
bajo la carga de tu afán,
que te hace ver siempre la tierra
200 (en que reinabas siglos ha);
y dime, en gracia a la fatiga,
¿en dónde queda la ciudad?—
Señala el Indio una ágil cumbre,
que a mi esperanza cerca está;
205 y me responde, sonriendo,
—Ahí, no más ...

Espoleado echo al galope
mi corcel; y una eternidad
se me desdobla en el camino ...
210 Llego a la cuesta; un pedregal
en que monótonos los cascos
del corcel ponen sus chischás ...
Gano la cumbre; y, por fin, ¿qué hallo?
aridez, frío y soledad ...
215 Ante esta cumbre; hay otra cumbre;
y después de ésa, ¿otra no habrá?
—Indio que vives en las rocas
de las alturas y que estás
lejos del valle y las falacias
220 que la molicie urde sensual,
¿Quieres decirle a mi fatiga
en dónde queda la ciudad?—
El Indio asómase a la puerta
de su palacio señorial,
225 hecho de pajas que el Sol dora

y que desfleca el huracán;
y me responde sonriendo:
—Antes un río hay que pasar ...
—¿Y queda lejos ese río?
                    —Ahí, no más ...                    230

Trepo una cumbre y otra cumbre
y otra ... Amplio valle duerme en paz;
y sobre el verde fondo, un río
dibuja su S de cristal.
—Este es el río; pero ¿en dónde,                    235
en dónde queda la ciudad?—
Indio que sube de aquel valle,
oye mi queja y, al pasar,
deja caer estas palabras:
                    —Ahí, no más ...                    240

¡Oh Raza fuerte en la tristeza,
perseverante en el afán,
que no conoces la fatiga
ni la extorsión del « más allá. »
—Ahí, no más ... —encuentras siempre        245
cuanto deseas encontrar;
y, así, se siente, en lo profundo
de ese desprecio con que das
sabia ironía a las distancias,
una emoción de Eternidad ...                    250

Yo aprendo en ti—lo que me es fácil,
pues tengo el título ancestral—
a hacer de toda lejanía;
un horizonte familiar;
y en adelante, cuando busque                    255
un remotísimo Ideal,
cuando persiga un loco ensueño,
cuando prepare un vuelo audaz,
si adónde voy se me pregunta,
ya sé que debo contestar,                    260
sin medir tiempos ni distancias:
                    —Ahí, no más ...

# ❧ GLOSARIO ❧

**Abate**  (*abbé*) Título dado a los seglares que usan indumentaria eclesiástica o a los laicos que han recibido órdenes menores.

**Abejas de Jonia**  Alusión a los sabios y estudiosos de Popayán. *Véase:* Jonia.

**Adonis**  Bello mancebo griego a quien amaba Afrodita; fue muerto por un jabalí y transformado en anémona por su admiradora.

**Aeternum vale**  (adiós para siempre) Según la mitología nórdica, los dioses habían de perecer, junto con los humanos y toda la creación, en un cataclismo general denominado el ocaso de los dioses.

**Afrodita**  *Véase:* Venus.

**Agora**  Plaza en que los griegos se reunían para cambiar ideas acerca de los problemas municipales u otros asuntos relacionados con la vida de la ciudad.

**Aguila**  Según la mitología nórdica, en las ramas del fresno llamado Iggdrasil se posaba un águila que poseía gran sabiduría.

**Aïda**  Princesa etiope que aparece de heroína en la famosa ópera de Verdi que lleva el nombre de la protagonista.

**Alda sandalia**  La que usaba Mercurio. *Véase:* Mercurio.

**Alejandría**  Puerto de Egipto fundado por Alejandro Magno en 331 A.C. y célebre por el enorme faro que iluminaba su bahía y por el notable desarrollo cultural que allí tuvo lugar.

**Alejandro (356–323 A.C.)**  Guerrero macedonio y conquistador de una gran parte del mundo de su época.

**Alençon**   Ciudad francesca muy famosa por los encajes que de ahí provienen.

**Alexei Tolstoy**   *Véase:* Tolstoy.

**Alfonso de Lamartine**   *Véase:* Lamartine.

**Alfred de Musset**   *Véase:* Musset.

**Alhambra**   Famoso palacio de los reyes moros; ubicado en Granada; célebre por el esplendor arquitectónico de sus patios interiores.

**Alighieri**   *Véase:* Dante Alighieri.

**Alonso Quijano**   *Véase:* Quijano.

**Amigo**   Alude José Martí a su amigo mexicano Manuel Mercado.

**Anacreonte (565–478 A.C.)**   Poeta griego a quien se le atribuyen poesías de índole sensual.

**Anadiomena**   *Véase:* Venus.

**Anarkos**   Personaje que, en la obra de Valencia, representa el espíritu del anarquismo.

**Andalucia**   Región muy fértil del sur de España.

**Angelus**   Devoción cristiana que consiste en recitar por la mañana, al mediodía y al atardecer algunas oraciones destinadas a recordar la Encarnación del Verbo; sonido de las campanas o las campanas mismas que anuncian la hora de la devoción.

**Angola**   Colonia portuguesa situada en la costa atlántica del Africa del Sur.

**Aníbal**   General cartaginés que, en 218 A.C., invadió Italia y logró cruzar los Alpes gracias al empuje de la caballería que formaba parte de sus fuerzas.

**Antipas**   *Véase:* Tetrarca.

**Antonieta**   *Véase:* María Antonieta.

**Antonio (D.C. 251–350)**   Anacoreta cristiano, natural de Tebaida (Egipto), cuya vida en el desierto estuvo llena de tentaciones y dio origen a numerosas leyendas; abad canonizado por la Iglesia Católica Romana; organizador de una orden con reglas propias.

**Antonio Fontoura Xavier**   *Véase:* Fontoura Xavier, Antonio.

**Apeles**   Pintor griego de fines del siglo IV A.C.

**Apolo**   Dios mitológico, hijo de Júpiter y Latona, que simboliza la perfección física masculina y la virilidad ideal; se le asocia con la poesía, la música y los oráculos.

**Aquiles**   Famoso héroe de la *Ilíada*; por sus hazañas ha llegado a personificar el valor; una flecha envenenada de Paris le hirió mortalmente en el talón, única parte vulnerable de su cuerpo.

**Aquilón**   Fuerte viento del norte.

**Aragón**   Fértil comarca de España situada al noreste de la península ibérica; en ella pasó Martí algunos años de exilio durante su juventud, viviendo principalmente en Zaragoza; las montañas aragonesas sirvieron de refugio a los cristianos después de la invasión árabe.

**Aranjuez**   Palacio español y residencia de los reyes; su construcción, iniciada por orden de Felipe II, se terminó durante los tiempos de Carlos III; a los jardines y fuentes de esta mansión alude Darío en « Los cisnes ».

**Arauco**   Antigua comarca de Chile, en la cual habitaban los indios araucanos; se emplea como sinónimo de Araucanía.

**Arcadia**   Antigua región de Grecia habitaba por un pueblo de pastores que los poetas convirtieron en tierra imaginaria e ideal por sus virtudes y tranquilidad.

**Arenas**   Según la religión musulmana, antes de proceder a orar, los fieles deben lavarse la cara, las manos y los pies con agua, pero a falta de ésta, pueden usar arena.

**Argantir**   Guerrero legendario de Islandia; poseedor de una famosa espada que todo primogénito debía heredar de su padre.

**Argel**   (*Algiers*) Capital de Argelia, en el noroeste de Africa.

**Argonautas**   *Véase:* Argos.

**Argos**   Barco en que los héroes griegos llamados argonautas fueron a Cólquida en busca del Vellocino de Oro (*Golden Fleece*).

**Arminio**   Jefe germano que en el año 9 D.C. derrotó a los romanos que luchaban bajo las órdenes del general Varo.

**Arnold Böcklin**   *Véase:* Böcklin, Arnold.

**Arthur Schopenhauer**   *Véase:* Schopenhauer, Arthur.

**Asirio**   *Véase:* Holofernes.

**Astracán**   Puerto ruso situado en una isla del mar Caspio y en la desembocadura del Volga; piel de un cordero cuya lana muy rizada es de gran valor (*Persian lamb*).

**Atahualpa**   Último Inca del Perú, asesinado por òrden de Pizarro en 1533.

**Atalanta**   Hija de un rey de Esciros, a la cual se recuerda por la rapidez con que se dice que corría.

**Atenas**   (*Athens*) Capital de Grecia.

**Atlántida**   Continente mítico que se cree ocupaba el oceano Atlántico y que desapareció sumergiendo consigo toda la avanzada civilización que allí florecía.

**Avemaría** (*Ave Maria*) Palabras con que el arcángel Gabriel e Isabel saludaron a María, madre de Jesús; hoy se usan en una plegaria de la religión católica (*"Hail, Mary . . ."*).

**Ayacucho** Batalla librada el 9 de diciembre de 1824 y en la cual Sucre derrotó decisivamente a los españoles.

**Babieca** Caballo del Cid.

**Babilonia** Capital de la antigua Caldea, cuyas fabulosas riquezas y refinamientos extraordinarios originaron su fatal corrupción.

**Baco** Dios del vino que despierta en los humanos el gusto por la poesía y la música; su educación le fue impartida por las Musas, con quienes aprendió el alfabeto pánico o de Pan.

**Bagdad** Capital de Irak.

**Balboa** *Véase:* Núñez de Balboa, Vasco.

**Balzac, Honorato de (1799–1850)** Autor francés, muy conocido por su obra *Comedia humana*, colección formada por numerosas novelas realistas.

**Barba Azul** Personaje que, en uno de los famosos cuentos de Charles Perrault, da muerte a seis esposas suyas y está a punto de matar a la séptima cuando ésta es salvada por sus hermanos.

**Barca** Alusiones a Jesús dirigiéndose a una barca se encuentran en los siguientes episodios evangélicos (San Mateo XVI, 22–23; San Marcos VI, 45–52; San Juan VI, 14–21).

**Barcelona** Ciudad española a orillas del Mediterráneo.

**Bardo Israelita** Jorge Isaacs (1837–1895), novelista colombiano que compuso una elegía a la muerte de Elvira, hermana de José Asunción Silva.

**Baudelaire, Charles (1821–1867)** Poeta francés cuyas composiciones se distinguen por su esmero formal y su mórbido tono de impiedad.

**Bautista, Juan** *Véase:* Juan Bautista.

**Baviera, Luis de** *Véase:* Luis de Baviera.

**Bayadera** Bailarina y cantante de la India.

**Beatriz** Celébre dama florentina (1266–1290), a quien Dante Alighieri amó toda su vida e inmortalizó en la *Divina Comedia*.

**Bécquer, Gustavo Adolfo (1836–1870)** Poeta español, célebre por las románticas *Rimas* de que es autor.

**Beethoven, Ludwig van (1770–1827)** Compositor alemán cuyas inmortales obras se caracterizan por los intensos sentimientos y la fuerte expresividad personal que en ellas depositó el autor.

**Belén** Bethlehem.

**Bella Durmiente del Bosque**   *Sleeping Beauty. Véase*: Hermosa Durmiente del Bosque.

**Bengala**   Importante comarca de la India y Pakistán, famosa por los tigres que llevan su nombre.

**Benvenuto Cellini**   *Véase:* Cellini, Benvenuto.

**Biblia**   Símbolo del protestantismo, para Rubén Darío.

**Bicéfalas águilas**   Águila con dos cabezas; era símbolo de los Habsburgos, familia real que gobernó en España durante dos siglos, al iniciarse la decadencia española.

**Bizancio**   Antiguo nombre de Constantinopla; capital del imperio romano desde los tiempos de Constantino (330 D.C.); centro de una notable cultura artística y de célebres poetas que escribieron en griego clásico, lengua que no hablaban pero que en sus versos se esmeraron por cultivar a la perfección.

**Böcklin, Arnold (1827–1901)**   Pintor suizo, célebre por su cuadro « La isla de los muertos », al cual se refiere Nervo en « Homenaje ».

**Bohemia**   Antiguo reino europeo que, tras de ser anexado a diversos países, terminó por desaparecer.

**Bolonia**   Ciudad italiana situada cerca del río Reno.

**Bolonia, Juan de (1524–1608)**   (*Giovanni de Bologna*) Escultor flamenco radicado en Florencia (1533); discípuio de Miguel Angel y autor de una famosa escultura de Mercurio volando.

**Booz**   Primer esposo de Ruth, según la Biblia.

**Borbón**   *Véase:* Carlos de Borbón.

**Boston**   Baile parecido al vals pero algo más lento que éste.

**Boticelli, Sandro (1444–1510)**   Pintor florentino en cuyas obras predomina una marcada inclinación religiosa.

**Bretaña**   Antigua provincia de Francia.

**Buda**   *Buddha.*


**Caduceo**   Varilla en uno de cuyos extremos hay dos alas y alrededor de la cual se entrelazan dos culebras; símbolo de la armonía por creerse que con ella Mercurio separó a dos serpientes que encontró peleando.

**Caja pandórica**   La que abrió Pandora y de la cual surgieron todos los males que afligen al mundo; la Esperanza fue lo único que quedó en el fondo de la caja. *Véase:* Pandora.

**Calvario**   También llamada Gólgota; montaña que se encuentra cerca de Jerusalén; en ella fue crucificado Jesucristo.

**Camilo Torres**   *Véase:* Torres, Camilo.

**Canéfora**   Doncella que en las fiestas de la antigüedad griega llevaba sobre la cabeza un canastillo con las ofrendas y utensilios usados en los sacrificios de la época.

**Canopo**   Estrella brillante del firmamento; no es el eje sideral del universo, como cree Nervo.

**Capadocia**   Antiguo país del Asia Menor; se hallaba al oeste de Armenia.

**Caperucita Roja**   *Little Red Riding Hood.*

**Capua**   Ciudad italiana de extraordinaria belleza.

**Caribú**   (*Caribou*) Localidad minera, ubicada en el extremo noreste del estado norteamericano de Maine y a orillas del río Arrostook.

**Carlos de Borbón**   Padre e hijo, pretendientes al trono español y caudillos de las guerras carlistas, durante las cuales tuvieron el apoyo de las provincias vascongadas.

**Carolina (1683–1737)**   Reina de Inglaterra que se distinguió por su talento político, por su cultura y por el amor que le guardó Jorge II, su frívolo marido, a quien ella dominaba.

**Cartagena de Indias**   Ciudad del Caribe fortificada por los españoles para proteger el istmo de Panamá contra los piratas ingleses y franceses.

**Castalia**   *Véase:* Castálida Fuente.

**Castálida Fuente**   La dedicada a las Musas y ubicada al pie del Parnaso; surgió de la ninfa Castalia, a quien Apolo convirtió en fuente de aguas proféticas e inspiradoras; también se le llama Fuente Castalia.

**Catalina**   Santa y mártir decapitada en 307; conocida como Catalina de Alejandría.

**Catulle Mendès**   *Véase:* Mendès, Catulle.

**Caupolicán**   Famoso indio araucano, elegido jefe por su fuerza y resistencia física; fue ejecutado en forma bárbara por orden de las autoridades españolas; sus hazañas fueron narradas por Alonso de Ercilla en el canto XXXIV de *La Araucana*.

**Cavalca, Fra Domenico (1270–1342)**   Prosista italiano; autor de varias obras en que trata temas religiosos y de una traducción de *Vidas de los Santos Padres*.

**Cay, María**   Hermosa joven cubana, hija del antiguo canciller del consulado imperial de la China en Cuba; hermana de Raúl Cay, gran amigo de Darío y Casal, poetas que inmortalizaron a María en varias composiciones; el hogar de los Cay era un verdadero museo de chinerías y japonerías; María contrajo matrimonio con el general Lachambre. *Véase:* «Kakemono», pág. 83; «Para la misma» pág. 159.

**Cecilia Gutiérrez Nájera y Maillefert** *Véase:* Gutiérrez Nájera y Maillefert, Cecilia.

**Cellini, Benvenuto (1500–1571)** Famoso orfebre y escultor italiano.

**Cenicentilla** *Cinderella.*

**Centauro** Monstruo fabuloso compuesto de cuerpo de caballo con cabeza, tronco y brazos de hombre.

**Centifolia** Término empleado para referirse al abundante follaje o vegetación de algún lugar (*leafy vegetation*).

**Ceñudo** Júpiter, padre de Apolo.

**César** Nombre con que generalmente se designa a Julio César (102?–44 A.C.), célebre militar, gobernante y escritor romano; murió asesinado públicamente, víctima de una conspiración.

**Cibeles** Diosa de la tierra e hija del cielo.

**Cintia** Nombre dado a Diana por el lugar de su nacimiento, el cual fue Cintio, en la isla de Delos.

**Cipria** Nombre dado a Venus por tener su morada en la isla de Chipre. *Véase:* Venus.

**Cisnes** Según la mitología nórdica, dos cisnes moraban en la fuente de Urda, la cual se hallaba bajo una de las raíces del fresno o Iggdrasil; a causa del agua preciosa que contenía la fuente nadie debía beberla y estaba custodiada por espíritus (*Norns*) correspondientes al Pasado (*Urda*), al Presente (*Verdandi*) y al futuro (*Skuld*); junto a la fuente se reunían diariamente los dioses para juzgar a los humanos.

**Citerea** *Véase:* Venus.

**Citeres** (*Cythera*) Isla en cuyas cercanías se creía que había nacido Afrodita; grupo de jóvenes parecidas a Venus o identificadas con ella; Venus misma.

**Clavileño** Caballo de madera que unos Duques le hicieron creer a Don Quijote que volaba en forma extraordinaria.

**Cleo** Ninfa que castigó a Dafnis dejándolo ciego.

**Cleopatra** Hermosa reina egipcia que cautivó primero a César y luego a Antonio; derrotado éste en Accio, el año 30 A.C., se dio muerte haciéndose morder, según Plutarco, por un áspid o culebra venenosa colocada en un canasto de higos.

**Clorinda** Heroína de la obra de Torcuato Tasso, *Jerusalén Libertada,* en la cual figura como una intrépida amazona que acaudilla a los infieles; Tancredo, joven cristiano que la ama, la mata accidentalmente en una batalla pero alcanza a bautizarla antes de que ella expire.

**Colón, Cristóbal** *Christopher Columbus.*

**Cordelia** Hija menor del rey Lear; personaje central de una tragedia de Shakespeare, en la que representa a la hija fiel hasta el sacrificio de su vida, aunque es menospreciada por su padre; antes de morir, Lear reconoce la fidelidad de Cordelia.

**Corintio** Proveniente de Corinto, antigua ciudad de Grecia que prosperó hasta convertirse en rival de Atenas y Esparta.

**Cortés, Hernán (1485–1547)** Capitán español, célebre por haber conquistado México.

**Corregidora** Según J. Sierra, en la composición de Gutiérrez Nájera, el poeta se refiere a la Corregidora Domínguez y la obra fue escrita cuando se puso la primera piedra del monumento erigido a la dama en el jardín Santo Domingo de la capital mexicana.

**Crac** Corsé de ¡crac! (*rib-cracking corset*); el que por los movimientos de quien lo usa produce ruidos especiales a causa de las varillas o barbas que posee.

**Crinado** Poeta, así llamado por su melena; Apolo.

**Crisografía** Arte de adornar o iluminar las páginas de un manuscrito.

**Cristóbal** *Véase:* Colón, Cristóbal.

**Cristóbal W. Gluck** *Véase:* Gluck, Cristóbal W.

**Cronos** *Véase:* Saturno.

**Cruz del sur** Constelación austral; algunos han creído que Dante la menciona en la *Divina Comedia* (Purgatorio I, 23); a esto alude Darío en « Salutación al águila ».

**Cuacthemoc** *Véase:* Guatemoc.

**Cuaspud** Lugar en que se libró una batalla entre colombianos y ecuatorianos el 6 de diciembre de 1863.

**Cubana** *Véase:* María Cay.

**Culo de la taba** Los gauchos pintaban la parte inferior de la taba (*sheep's knuckles*) para jugar con ella a los dados.

**Cupido** En la mitología romana, dios del amor; corresponde a Eros en la mitología griega: Vulcano le dio un carcaj con flechas de oro para producir el amor y de plomo para originar odios; era hijo de Marte y Venus.

**Champaña** Provincia de Francia, famosa por los exquisitos y espumosos vinos que allí se producen y que llevan el nombre de su lugar de origen.

**Chapultepec**   Famoso parque y paseo de la capital mexicana.

**Charles Baudelaire**   *Véase:* Baudelaire, Charles.

**Dafnis**   Ninfa que se convirtió en laurel cuando Apolo iba a apoderarse de ella; también es conocida con el nombre de Dafne.

**Dalila**   Cortesana que traicionó a Sansón entregándolo a los filisteos; simboliza la mala influencia que puede llegar a ejercer una mujer en la vida del hombre.

**Dalmacia**   Antiguo reino del imperio austro-húngaro, situado a orillas del Adriático; en 1918 pasó a formar parte de Yugoslavia.

**Damasco**   Antigua ciudad del suroeste de Siria y centro comercial de los mercaderes de Bagdad, Cairo y Estambul; el camino de Damasco, célebre porque en él ocurrió la conversión de San Pablo o Saulo, es símbolo poético de la iluminación sobrenatural que puede experimentar la mente humana.

**Damiana**   Ana Cecilia Luisa Dailliez, dama a quien Amado Nervo amó entrañablemente; murió el 7 de enero de 1912.

**Dante Alighieri (1265–1321)**   Poeta italiano, célebre por su obra la *Divina Comedia*; con frecuencia se recuerda su amor por Beatriz, a quien inmortalizó en su obra; el perfil de su cara, a menudo mencionado en las letras, aparece reproducido en varias esculturas.

**David**   Rey de Israel, vencedor de los filisteos y fundador de Jerusalén en el siglo X A.C.; poeta y profeta; autor de inspirados salmos; venció al gigante Goliat matándolo de una pedrada en la frente, según el relato bíblico.

**Debayle, Margarita**   Hija del médico francés, Luis H. Debayle, quien vivía en Nicaragua; en el album de poesías de Margarita, Darío escribió este poema especialmente para ella.

**Délfico**   Relativo a Delfos, antigua ciudad griega, al pie del Parnaso, en la que se hallaban los oráculos y el templo de Apolo.

**Desdémona**   Desdichada esposa de Otelo, a quien ésta estranguló devorado por los celos e inducido por el astuto Yago; personaje shakespeariano.

**de Soto, Hernando**   *Véase:* Soto, Hernando de.

**Diana**   Hija de Júpiter y Latona; recorría los bosques cazando con un arco y un séquito de ninfas que le dio su padre al concederle permiso para no casarse nunca; se la considera la diosa de los cazadores.

**Díaz de Bivar, Rodrigo**   *Véase:* Don Rodrigo.

**Díaz Mirón, Salvador** (1853–1928)  Poeta mexicano perteneciente al movimiento modernista.

**Diego de Velázquez**  *Véase:* Velázquez, Diego de.

**Domenico Cavalca**  *Véase:* Cavalca, Fra Domenico.

**Don Rodrigo**  Nombre del Cid o Rodrigo Díaz de Bivar, famoso héroe de un antiguo poema épico español.

**Dulcinea**  Personaje de *Don Quijote de la Mancha*, de Miguel de Cervantes; dama idealizada por el famoso caballero andante.

**Duquesa Job**  Esposa ideal a quien el poeta Manuel Gutiérrez Nájera dedica su conocida composición.

**Ebro**  Río de España que baña buena parte de la comarca aragonesa.

**Ecbatana**  Antigua capital de Media; en la Biblia aparece como Ahmeta; más tarde figura con el nombre de Hamadan, en Persia.

**Eclesiastés**  Libro de la Biblia atribuido a Salomón; en el capítulo I, versículo 2, aparece «la imprecación formidable» a que alude Darío: «vanidad de vanidades; todo es vanidad».

**Echbatana**  *Véase:* Ecbatana.

**Ego sum lux et veritas et vita**  Yo soy la luz, la verdad y la vida (San Juan IX, 5; XIV, 6).

**Eheu**  Primera palabra de la oda de Horacio contenida en el Libro II, núm. XIV; significa simplemente «ah».

**Electra**  Hija de Agamenón; con su hermano Orestes vengó la muerte de su padre matando a su propia madre, Clitemnestra; su hija Iris, mensajera de los dioses, fue convertida por Juno en arco iris.

**Elena**  (*Helen of Troy*) Hermosa princesa griega, hija de Zeus y Leda; fue esposa de Menelao; al ser raptada por Paris, se originó el famoso conflicto de Troya y el sitio del mismo nombre.

**Elfos**  En la mitología nórdica, espíritus del bien que tenían a su cargo el cuidado de las flores y los arroyos.

**Eloísa**  También llamada Heloísa (1101?–1164); dama francesa, célebre por sacrificar su amor hacia el pensador Abelardo (1079–1142) para así facilitar la realización de las aspiraciones de éste; las *Cartas* de Eloísa son famosas como manifestación del sentimiento amoroso.

**Elsa**  Esposa de Lohengrín, héroe que, según un poema germánico de fines de siglo XIII, luchó contra diversos obstáculos hasta conseguir la mano de su amada.

**Ella**  La muerte.

**Emaús**  Localidad de Judea, cerca de Jerusalén, en la que Jesús se presentó por primera vez a sus discípulos después de resucitar.

**Embarque para Citeres**  Famoso cuadro del pintor francés Jean Antoine Watteau (1684–1721).

**Endimión**  Pastor muy hermoso, amado por la Luna o Selene, la cual, según el mito, se identifica con Diana; ésta consiguió hacerlo dormir eternamente para así besarlo todas las noches.

**Endriago**  Monstruo fabuloso.

**Enone**  Esposa de Paris, quien advirtió a su marido que el viaje a Grecia les traería malas consecuencias al país y a él; se suicidó al ver el cadáver de su marido.

**Eolo**  Dios de los vientos.

**E pluribus unum**  (uno vale entre varios) Lema adoptado para el sello de los Estados Unidos, el 20 de junio de 1782; en la composición de Darío, simboliza el poder de los Estados Unidos.

**Eros**  Deidad griega que representaba el amor.

**Escopas**  Escultor griego del siglo V A.C.

**Escnios**  Secta religiosa cuyas creencias se parecían mucho a la doctrina de los primeros cristianos; Juan Bautista era llamado Esenio por Salomé.

**Esfinge**  Ser fabuloso con cabeza humana, busto femenino, cuerpo de león y alas; entre los egipcios era la personificación del sol; según los griegos, habitaba en el camino de Tebas y devoraba a los caminantes que no respondían bien a sus equívocas preguntas; vencida por Edipo, se lanzó al mar.

**Esmeralda**  Joven gitana que figura como personaje central en *Notre Dame de Paris*, de Victor Hugo.

**Espuma virgen**  Alusión al nacimiento de Afrodita, surgida de la espuma proveniente de las semillas esparcidas en el mar por Cronos.

**Estambul**  Nombre de Constantinopla.

**Ester**  Heroína bíblica; elegida para ser esposa del rey Asuero; le salvó la vida a éste y con ello consiguió librar al pueblo judío de la masacre y persecución de Amán.

**Estigia**  Río fabuloso que rodeaba al infierno mitológico.

**Estigmatizado**  Cristo.

**Estilita**  Monje anacoreta que vive encaramado en una columna para así alejarse de las tentaciones del mundo o hacer penitencia de sus pecados, a la manera de San Simeón.

**Estrella fría**  (*North Star*) Estrella polar del hemisferio norte, perteneciente a la constelación de la Osa Menor.

**Estudiantes** Los ocho estudiantes de medicina ejecutados el 27 de noviembre de 1871 por acusárseles de haber desecrado la tumba de Gonzalo Castañón, director de un periódico que apoyaba al régimen español; al resultar inocentes, cuando así lo afirmó bajo juramento el hijo de la supuesta víctima, en la tumba erigida a los estudiantes fueron colocadas las palabras que probaban su inocencia y el sepulcro se convirtió en verdadero santuario al que peregrinaban los patriotas cubanos.

**Eurímaco** Uno de los pretendientes de Penélope, muerto por Ulises.

**Europa** Hija de Agenor, rey de Fenicia; fue raptada por Júpiter que disfrazado de toro, la transportó a Creta; allí dio a luz a Minos.

**Evangelista, Juan** Uno de los apóstoles de Jesús y el predilecto del Maestro.

**Faetonte** Hijo del Sol, a quien su padre autorizó para guiar el carro solar por espacio de un día; al acercarse demasiado a la tierra, comenzó a incendiarla y Júpiter, enfadado, lo precipitó en un río.

**Febo** *Véase:* Apolo.

**Federico Mistral** *Véase:* Mistral, Federico.

**Felipe II (1527–1598)** Famoso monarca español que reinó desde 1555; se cree que durante muchos años padeció de cáncer.

**Félix Mendelssohn** *Véase:* Mendelssohn, Félix.

**Fernández de Oviedo, Gonzalo (1478–1557)** Autor de la obra *Historia natural de las Indias.*

**Fez** Capital de Marruecos.

**Fichte, Johann Gottlieb (1762–1814)** Filósofo alemán, discípulo de Kant y fundador del idealismo transcendental.

**Fidias (500?–432? A.C.)** Famoso escultor griego.

**Filomela** Hija de Pandión, rey de Atenas; según la fábula mitológica, convertida en ruiseñor.

**Fontoura Xavier, Antonio** Poeta y diplomático brasileño, gran amigo de Rubén Darío y autor del poema « Al águila americana », el cual inspiró al vate de Nicaragua para escribir una composición sobre el mismo tema.

**Fra Domenico Cavalca** *Véase:* Cavalca, Fra Domenico.

**Francesca da Rimini** *Véase:* Rimini, Francesca da.

**Francisco de Quevedo y Villegas** *Véase:* Quevedo y Villegas, Francisco de.

**Francisco López de Gómara** *Véase:* López de Gómara, Francisco.

**Francisco Pizarro** *Véase:* Pizarro, Francisco.

**Franz Schubert**  *Véase:* Schubert, Franz.

**Fresno**  (*ash tree*) Según la mitología nórdica, árbol inmenso o Iggdrasil, creado por Odín; en él se apoyaban el universo, el tiempo y la vida pues poseía tres raíces, en las cuales moraban respectivamente los dioses, los gigantes y los humanos.

**Freya**  En la mitología nórdica, esposa de Odín y diosa del amor y el matrimonio.

**Friedrich Wilhelm Nietzsche**  *Véase:* Nietzsche, Friedrich Wilhelm.

**Friné**  Cortesana griega que sirvió de modelo al escultor Praxíteles (nacido hacia 390 A.C.) para que éste hiciera sus famosas estatuas de Afrodita.

**Frinea**  *Véase:* Friné.

**Gabriel**  Arcángel que anunció a María que sería madre de Jesús.

**Galatea**  Ninfa amada por el gigante Polifemo; abandonó a éste por el pastor Acis, a quien el gigante mató aplastándolo con una roca.

**Galeoto**  Alusión a los versos de Dante (*Galeoto fu il libro, e chi lo scrisse: galeoto fue el libro y el que lo escribió*) en el «Infierno», V, 137; Galeoto corresponde a Gallehaut, quien en la novela de Chrétien de Troy, siglo XII, facilitó los amores de Lancelot con la reina Guenièvre, esposa del rey Arturo.

**Gales**  Título con que en Inglaterra se identifica al príncipe heredero del trono.

**Galias**  Regiones que comprendían Italia septentrional y los territorios ubicados entre los Alpes, los Pirineos, el Oceano y el Rin.

**Galilea**  Antigua provincia de Palestina, en la cual Jesús predicó su doctrina e impartió sus enseñanzas.

**Ganges**  Importante río de la India.

**Garcilaso de la Vega** (**1503–1536**)  Poeta español, autor de las celebradas *Eglogas*; en la tercera de ellas compara la muerte de una ninfa con la de un cisne.

**Gato con Botas**  *Puss in Boots.*

**Gautier, Margarita**  Famosa heroína de *La dama de las camelias*, obra de Alejandro Dumas, hijo; mujer de vida alegre que se redime renunciando al joven que ama para no obstaculizarle su carrera; tema de la ópera de Verdi, *La Traviata.*

**Génova**  Ciudad italiana de gran importancia a comercial.

**George Wilhelm Friedrich Hegel**  *Véase:* Hegel, George Wilhelm Friedrich.

**Giuseppe Verdi**  *Véase:* Verdi, Giuseppe.

**Gluck, Cristóbal W. (1714–1787)**  Compositor alemán, famoso por las óperas de que es autor; en ellas realizó los elementos dramáticos y dio preponderancia al lenguaje expresado por medio de la música, suprimiendo así el virtuoso melodramatismo de la ópera italiana.

**Golconda**  Antigua ciudad de la India, célebre por las riquezas—especialmente piedras preciosas—que en ella habían acumulado los sultanes del Decán.

**Gólgota**  *Véase:* Calvario.

**Goliat**  Gigante filisteo a quien mató David de una pedrada en la frente, según el relato bílico.

**Gongorina**  Propia de Luis de Góngora, (1561–1627), poeta español que se distingue por el esmerado cultivo de la forma y por escribir para lectores cultos; en « Fábula de Polifemo y Galatea » cantó así a la famosa ninfa:

> Oh bella Galatea, más suave
> que los claveles que tronchó la Aurora
> blanca más que las plumas de aquel ave
> que dulce muere y en las aguas mora.

**Gonzalo Fernández de Oviedo**  *Véase:* Fernández de Oviedo, Gonzalo.

**Gonzalo Jiménez de Quesada**  *Véase:* Jiménez de Quesada, Gonzalo.

**Gracias**  Deidades griegas de seductora belleza, cuyos nombres eran Aglaya, Lalia y Eufrosine; también se las llama Cárites.

**Gran Río**  El río Amazonas.

**Grant, Ulysses S. (1822–1885)**  General norteamericano y presidente de los Estados Unidos de América (1869–1877); su visita a Francia (1877) fue motivo de una serie de artículos en que Victor Hugo le expresó su antipatía.

**Grifo**  Animal fabuloso con cabeza y alas de águila, orejas de caballo, cuerpo de león y aletas de pescado en lugar de crines.

**Guatemoc**  Sobrino de Moctezuma y último emperador azteca; al ser torturado para que revelara el lugar en que se creía que ocultaba los tesoros del imperio, dicen que exclamó: « no estoy en un lecho de rosas »; su nombre se encuentra con las siguientes variantes: Cuauhtemoc, Cuacthemoc, Guatemozín, Guatimozín.

**Guatemozín**  *Véase:* Guatemoc.

**Guillermo Prieto**  *Véase:* Prieto, Guillermo.

**Gustavo Adolfo Bécquer**  *Véase:* Bécquer, Gustavo Adolfo.

**Gutiérrez Nájera y Maillefert, Cecilia**  Hija del poeta Manuel Gutiérrez Nájera, gran amigo de José Martí.

**Guzla**  Especie de violín de una cuerda.

**Hamlet**  Personaje de una obra de William Shakespeare que lleva por título el nombre del protagonista; para Rubén Darío, Hamlet es encarnación del espíritu nórdico.

**Havre**  Ciudad francesa en la desembocadura del Sena.

**Hebes**  Diosa de la juventud; escanciaba a los dioses el néctar y la ambrosía hasta que Ganímedes la reemplazó en esta tarea.

**Hécate**  Divinidad infernal que tenía tres cabezas o tres cuerpos; su presencia era anunciada por el aullido de los perros; merodeaba por caminos, calles y callejones junto con las ánimas de los muertos y originaba pesadillas.

**Hegel, George Wilhelm Friedrich (1770–1831)**  Filósofo alemán cuya teoría trifásica sobre la evolución dialéctica de la historia—tesis, antítesis y síntesis—se basa en la identidad absoluta que sostiene que existe entre realidad e idea.

**Helena**  *Véase:* Elena.

**Hélène Kossut**  *Véase:* Kossut, Hélène.

**Heloísa**  *Véase:* Eloísa.

**Herakles**  *Véase:* Hércules.

**Hércules**  Héroe de la mitología griega a quien se atribuyen numerosas hazañas, en las cuales demostró su extraordinaria fuerza física.

**Hermana**  Elvira, hermana del poeta José Asunción Silva, a la que está dedicado el famoso «Nocturno».

**Hermosa Durmiente del Bosque**  (*Sleeping Beauty*) Personaje de los cuentos de Charles Perrault y de los hermanos Grimm.

**Hernán Cortés**  *Véase:* Cortés, Hernán.

**Hernando de Soto**  *Véase:* Soto, Hernando de.

**Hernani**  Composición dramática de Victor Hugo, basada en los rasgos románticos de la tradición española; ópera de Verdi, con libreto sacado de la obra de Hugo.

**Herodías**  Esposa de Herodes después de haber dejado a su primer marido. *Véase:* Salomé.

**Hiblea**  Proveniente de Hibla, nombre que se daba a tres localidades de la antigua Sicilia, una de las cuales era famosa por la exquisita miel que allí se producía.

**Hidra**  Fabulosa serpiente marina.

**Hierofante**  Sacerdote encargado de presidir y enseñar los misterios de Eleusis, pueblo de Atica en que se hallaba un famoso templo consagrado a Ceres.

**Hipogrifo**  Animal fabuloso mitad caballo y mitad grifo. *Véase:* Grifo.

**Hispania**  Antiguo nombre de la Península Ibérica.

**Holofernes**  General de Babilonia; en 689 A.C. invadió la Palestina por orden de Nabucodonosor; en Betulia fue asesinado por Judith mientras dormía después de un banquete.

**Homero**  Célebre poeta griego a quien se considera autor de la *Iliada* y la *Odisea*; se le representa viejo y ciego vagando por las ciudades y recitando sus versos.

**Honduras**  Referencia a la expedición llena de penurias que Cortés emprendió para llegar a Honduras (1525) por terrenos rocosos y llenos de pantanos.

**Honorato de Balzac**  *Véase:* Balzac, Honorato de.

**Horas**  divinidades griegas que guardaban las puertas del cielo para dejar salir las nubes; controlaban la temperatura, las estaciones y el estado de la naturaleza.

**Hugo, Victor (1802–1885)**  Célebre poeta, novelista y dramaturgo francés perteneciente al romanticismo.

**Icaro**  En la mitología griega, hijo de Dédalo, cuyas alas de cera se derritieron al acercarse demasiado al sol, tras de huir con su padre del laberinto de Tebas; al caer al mar, pereció víctima de su ambición.

**Icor**  Fluido que, en lugar de sangre, corría por las venas de los dioses.

**Iduna**  En la mitología nórdica, esposa de Bragi, dios de la poesía; estaba encargada de las manzanas destinadas a proporcionar eterna juventud a los dioses.

**Ifigenia**  Hija del rey Agamenón, sacrificada por su padre para lograr el favor de Artemis al zarpar los barcos griegos rumbo a Troya.

**Iggdrasil**  *Véase:* Fresno.

**Ignea columna**  Alusión a la columna donde Dios se presentó a los israelitas (Exodo XIII, 21).

**Ilión**  *Véase:* Troya.

**Imer**  Según la mitología nórdica, fuente sagrada o de la sabiduría que se hallaba bajo una de las raíces del fresno o Iggdrasil y a la cual custodiaba Mimir, el Sabio.

**Immanuel Kant**  *Véase:* Kant, Immanuel.

**Inca**   Título dado al emperador de los vastos territorios americanos que, al llegar los conquistadores españoles en el siglo XVI, comprendían el Perú, Bolivia, Ecuador, parte de Chile, la Argentina y Colombia.

**In hoc signo (vinces)**   Palabras latinas (vencerás por este signo) vistas, según refiere la tradición, por Constantino junto a una cruz que se le apareció en los aires al dirigirse a combatir en Majencio; hoy se emplea el lema como símbolo de lo que ha de llevar a un triunfo.

**Instrumento Olímpico**   La lira.

**Irene**   Hija de Neptuno y Melantea; en griego, nombre que se le da a la Paz; emperatriz de Bizancio, de 780 a 790 y de 792 a 802, la cual se hizo famosa por su fe inquebrantable.

**Isabel**   Madre de Juan Bautista; reina de España, llamada Isabel I, la Católica (1451–1504), y famosa por su sabiduría y valor.

**Isla Dorada**   Cuba con su famoso Pinar del Río.

**Istmo**   Alusión al Canal de Panamá y su construcción.

**Iván S. Turguenev**   *Véase:* Turguenev, Iván, S.


**Jacob**   Personaje bíblico que al dormirse en un lugar desierto, vio una escala que llegaba al cielo, símbolo del triunfo final que le sería concedido; con relación a los querubes aludidos por Gutiérrez Nájera, véase Génesis, capítulo XXVIII, versículo 12.

**Jasón**   Jefe de los argonautas o héroes griegos que fueron a Cólquida en busca del Vellocino de Oro (*Golden Fleece*) y consiguieron su propósito con la ayuda de Medea.

**Jean Antoine Watteau**   *Véase:* Watteau, Jean Antoine.

**Je serai ... pestilence**   Seré tu ataúd, amable pestilencia.

**Jimena**   Esposa del Cid e hija del conde Lozano.

**Jiménez de Quesada, Gonzalo (1499–1579)**   Conquistador español que fundó la ciudad llamada Santa Fe de Bogotá.

**J. J. Palma**   *Véase:* Palma, J. J.

**Joakanann**   *Véase:* Juan Bautista.

**Jockey Club**   Club social cuyos integrantes constituían la flor y nata de la aristocracia y el dinero.

**Johann Gottlieb Fichte**   *Véase:* Fichte, Johann Gottlieb.

**Jonatás el Rabino**   Juan Bautista.

**Jonia**   (*Ionia*) Antiguo nombre dado a la comarca central y occidental del Asia Menor y las islas adyacentes.

**Jordán**   Río de Palestina, en el cual fue bautizado Jesús.

**Jove**   *Véase:* Júpiter.

**Juan Bautista**  Precursor de Jesús, encarcelado por condenar el enlace de Herodes y Herodías; decapitado por instigación de Salomé.

**Juan de Bolonia**  *Véase:* Bolonia, Juan de.

**Juan de Lanuza**  *Véase:* Lanuza, Juan de.

**Juan de Padilla**  *Véase:* Padilla, Juan de.

**Juan Evangelista**  *Véase:* Evangelista.

**Judea**  Parte de Palestina comprendida entre los mares Mediterráneo y Muerto.

**Judith**  Bella heroína judía que le cortó la cabeza a Holofernes para así salvar del invasor a la ciudad de Betulia (*Judea*). *Véase:* Holofernes.

**Juno**  Esposa de Júpiter y diosa del matrimonio.

**Júpiter**  Padre de los dioses romanos; correspondiente a Zeus, entre los griegos; tras derribar a su padre, Saturno, y someter a los titanes, tomó para sí el cielo y la tierra, entregando el mar a Neptuno y el infierno a Plutón.

**Justo**  *Véase:* Juan Bautista.


**Kakemono**  Pintura japonesa hecha en seda de forma rectangular y en cuyos extremos se colocan barritas metálicas o de madera que sirven para colgar la obra de arte; la dama a que alude Casal en su poesía es María Cay. *Véase:* Cay, María.

**Kangiar**  Arma cortante más grande que el puñal pero más pequeña que la espada.

**Kant, Immanuel (1724–1804)**  Filósofo alemán, cuya obra *Crítica de la razón pura* ejerció gran influencia en la teoría del conocimiento.

**Karl Vogt**  *Véase:* Vogt, Karl.

**Kayam, Omar (?–1123)**  Poeta persa cuyas poesías abundan en temas eróticos; se le conoce también como Omar Khayyam.

**Kefas**  Pedro, apóstol de Jesús que negó tres veces al Maestro.

**Kempis, Tomas a**  *Véase:* Thomas a Kempis.

**Kerioth**  Iscariote, localidad al este de Samaria, de la cual procedía Judas, el que traicionó a Jesús.

**Kisogawa**  Río que a menudo aparece reproducido en las pinturas japonesas a causa de los pintorescos puentes que lo cruzan y la exuberancia típica de la región por la cual corren sus aguas.

**Kock, Paul de (1794–1871)**  Novelista francés recordado por las narraciones de la vida burguesa de que es autor.

**Kosmos**  Mundo.

**Kossut, Hélène**   Conocida modista de la elegante aristocracia de la época.

**Kreutzer**   Moneda de cobre y de poco valor, usada en Austria con anterioridad a 1894.

**Lamartine, Alfonso de (1790–1869)**   Poeta francés cuyas obras se caracterizan por una suave y profunda melancolía expresada en un lenguaje notablemente armonioso.

**Lanuza, Juan de**   Justicia mayor de Aragón, decapitado en 1592 por haber defendido al médico salmantino Alonso Pérez contra el rey Felipe II y la Inquisición.

**Laoconte**   Sacerdote de Apolo que aconsejó a los troyanos que no aceptaran el caballo de madera, por lo cual Atenea lo hizo perecer atacado por dos serpientes; Santos Chocano alude a la estatua del Vaticano, en la cual Laoconte aparece luchando para librarse de la serpiente.

**Latona**   Nombre que le dieron los romanos a la madre de Apolo, llamada Leto por los griegos.

**Lázaro**   Hermano de Marta y María, a quien Jesús resucitó, según el relato evangélico; mendigo leproso que figura en la parábola evangélica del rico epulón (San Lucas XVI, 19–31).

**Lear**   Rey de Bretaña que figura en la obra de William Shakespeare, *King Lear;* simboliza al padre que, traicionado por sus hijas favoritas, encuentra consuelo en la que él había menospreciado.

**Leconte de Lisle (1818–1894)**   Poeta francés y personero de la escuela parnasiana.

**Leda**   Esposa de Tíndaro, rey de Esparta; seducida por Zeus en forma de cisne, tuvo con éste dos hijos inmortales, Pólux y Elena.

**León**   Ciudad de Nicaragua y antigua capital de país.

**Leonardo da Vinci (1452–1519)**   Célebre pintor italiano; Darío alude a un cuadro, hoy perdido, en que da Vinci pintó la fábula de Leda y el Cisne.

**Leopardi**   Poeta italiano que se distingue por el intenso pesimismo de sus versos; rara vez se alude a su nombre completo, Giacomo Leopardi (1798–1837).

**Lepanto**   Batalla naval en que los turcos fueron derrotados el año de 1571 por las fuerzas españolas de don Juan de Austria.

**Leto**   *Véase:* Latona.

**Lía**   Según el relato bíblico—Génesis—hija mayor de Labán y primera esposa de Jacob; Dios la premió haciéndola fecunda, aunque era despreciada.

**Líbano** Montañas de Siria, famosas por los espléndidos cedros que siempre van asociados a su aspecto físico; a menudo se hace referencia a estas montañas como si fueran una sola elevación del relieve.

**Libia** Desierto situado en la parte noreste de Africa y en la prolongación del Sahara; comarca del Africa del Norte compuesta de la Tripolitana y Cirenaica.

**Licoples** Antigua ciudad de Egipto, situada en la Tebaida y a orillas del Nilo; corresponde hoy a Suit; el nombre con variantes, tales como Lycópolis, Licópolis y Lycoples, fue empleado para denominar varias localidades egipcias en las cuales se adoraba al lobo o al chacal.

**Ligeia** Nombre de un personaje y de un cuento de Edgar Allan Poe; ánima femenina que visita a su marido en circunstancias de que éste se encuentra junto al cadáver espectral de su segunda esposa.

**Loba Romana** Según la leyenda, los fundadores de Roma, Rómulo y Remo, fueron amamantados por una loba.

**Lohengrín** Héroe de una leyenda medieval alemana, según la cual llegó al Rin en una embarcación tirada por un cisne; era hijo de Perceval, caballero del Santo Grial; se casó con Elsa de Brabante, a quien salvó de una acusación de homicidio; desaparece llevado por el cisne cuando su esposa rompe la promesa de no preguntarle su nombre.

**Lok** En la mitología nórdica, dios del fuego y espíritu maléfico en constante lucha con otras deidades, con los humanos y con los gigantes; estos últimos encarnan las fuerzas de la naturaleza y constituyen una estirpe propia, en continua hostilidad con las divinidades y los seres humanos.

**López de Gómara, Francisco (1510–1560)** Autor de la obra *Conquista de Nueva España*.

**Louise Théo** *Véase:* Théo.

**Loyola, San Ignacio de (1491–1556)** Sacerdote vasco, fundador de la Compañía de Jesús u orden de los jesuítas.

**Lucía** Composición poética de Alfred de Musset, muy celebrada por la intensidad sentimental que revela.

**Lucifer** Nombre poético del planeta Venus, así llamado a causa de la luz que emana; nombre con que se designa al demonio.

**Ludwig van Beethoven** *Véase:* Beethoven, Ludwig van.

**Luis de Baviera (1845–1886)** Rey excéntrico y demente; hizo construir lujosos palacios y un teatro especial para Wagner; se casó con la duquesa Sofía, pero el matrimonio fue una catástrofe; se sentía identificado con Lohengrín, vistiéndose como tal y haciéndose llevar en una embarcación como la de su ídolo; sus extravagancias han sido admiradas por muchos poetas.

**Luis de Francia**  Luis XIV, llamado *roi-soleil*, o Luis XV, cuya favorita fue la Pompadour.

**Lustral**  Agua empleada por los antiguos con propósitos purificadores.

**Lutecia**  Antiguo nombre de la ciudad de París.


**Macarena**  Barrio de Sevilla donde viven las clases bajas y los gitanos, cuyo ingenio o « sal » es ya proverbial; « macareno » es sinónimo de « popular ».

**Madame Marnat**  *Véase:* Marnat, Madame.

**Madrigal**  Poesía corta de tema amoroso y tono muy delicado.

**Makheda**  Nombre etiope de la reina de Sabá (*Sheba*); según la leyenda, atraída por la sabiduría de Salomón, fue a visitarlo; la tradición etiope sostiene que los gobernantes abisinios son descendientes de Salomón y Makheda.

**Mammón**  Dios fenicio que encarnaba las riquezas materiales.

**Managua**  Capital de Nicaragua, a orillas del lago Managua.

**Mancha**  Región árida de España, en la cual vivía don Quijote y donde tuvieron lugar algunas de sus hazañas.

**Manes**  Almas de los difuntos, a quienes los romanos consideraban deidades y ofrecían sacrificios y libaciones.

**Manfredo**  Príncipe que figura en una obra de Byron; entrega su alma al demonio a cambio de bienes temporales.

**Margarita Debayle**  *Véase:* Debayle, Margarita.

**Margarita Gautier**  *Véase:* Gautier, Margarita.

**María**  *Véase:* Lázaro.

**María Antonieta (1755–1793)**  Esposa de Luis XVI de Francia; murió guillotinada; fue altiva enemiga del pueblo.

**María Cay**  *Véase:* Cay, María.

**Marnat, Madame**  Modista de la época cuya clientela constituía lo más granado y elegante de la sociedad.

**Marsyas**  También Marsias; joven frigio que desafió a Apolo a tocar la flauta; las Musas lo declararon perdedor y el dios, para castigar su juvenil osadía, lo ató a un arból y lo desolló vivo.

**Marta**  *Véase:* Lázaro.

**Marte**  Dios de la guerra.

**Mediodía**  el Sur.

**Memento, homo ...**  Palabras que se repiten en las ceremonias litúrgicas del miércoles de ceniza (*Memento homo, quia pulvis* *es et in pulverem reverteris:* Recuerda, hombre que polvo eres y en polvo te convertirás).

**Mendelssohn, Félix (1809–1847)** Compositor alemán que goza de gran popularidad por su suave música romántica y por la orquestación de algunas piezas suyas.

**Mendès, Catulle (1841–1909)** Poeta, dramaturgo y novelista francés muy admirado por Rubén Darío y otros modernistas a causa de sus fantasías líricas escritas en prosa muy personal.

**Mercurio** Dios de la elocuencia, del comercio y de los ladrones; mensajero de los dioses.

**Micoló** Peluquero francés conocido por la popularidad de que gozaba entre los petimetres que acudían a su establecimiento comercial.

**Mignon** Conmovedor personaje creado por Goethe en un episodio de *Wilhelm Meister.*

**Mikado** Título que popularmente se da al emperador del Japón.

**Mimí Pinsón** Personaje inmortalizado por el poeta francés Alfred de Musset.

**Minerva** Diosa de las artes y de la sabiduría; a veces se le llama Palas y es representada con un buho, ave sagrada de Atenas.

**Mistral, Federico (1830–1914)** Poeta provenzal, muy celebrado por las composiciones que escribió en el dialecto de su tierra natal.

**Moctezuma** Emperador de México (1502–1520) cuando Hernán Cortés conquistó dicho territorio.

**Moisés** Importante personaje bíblico y figura cumbre del pueblo hebreo.

**Moloso** Propio o proveniente de Molosia, ciudad de Epiro, de la cual procedían unos perros muy diestros para cuidar el ganado.

**Momotombo** Volcán de Nicaragua, situado al noroeste del lago Managua.

**Monte a Monte** Varios picos montañosos que circundan a Popayán; entre ellos se destacan los volcanes Sotorá y los dos Coconucos, el Palaterá y el Puracé.

**Morada** España derrotada y humillada en la paz que se firmó el 10 de diciembre de 1898.

**Mujer** Según Eugenio Florit, Martí alude a Blanca de Montalvo, novia que el poeta cubano tuvo en Zaragoza cuando era estudiante.

**Musageta** Nombre dado a Apolo por considerársele « conductor de las musas »; el término se aplica también a Hércules.

**Mushma** Término de origen oriental empleado para designar a una joven de menos de veinte años.

**Musset, Alfred de** (1810-1857)   Poeta y dramaturgo francés cuyas obras encarnan los sentimientos más admirados del romanticismo.

**Nabucodonosor**   Rey de Babilonia (605-562 A.C.) y conquistador de vastos territorios.

**Naxos**   Isla del mar Egeo perteneciente al grupo de las Cícladas; en ellas se hallaba, según la mitología, el templo de Baco.

**Náyade**   Ninfa que daba vida a las fuentes, lagos y ríos, en los cuales tenía su morada.

**Nemrod**   Rey legendario de Caldea y famoso cazador, según las Sagradas Escrituras (Génesis X, 10); considerado símbolo del imperialismo.

**Nepentes**   Según la descripción de Homero, droga empleada para apaciguar el dolor de una pena por espacio de un día.

**Neptuno**   Dios de la aguas cuyo palacio se encontraba en el fondo del mar; su carro era arrastrado sobre las olas por caballos de doradas crines; se le llama Poseidón en la mitología griega.

**Nerón** (37-68)   Emperador romano desde el año 54; asesinó a su madre y a su esposa; persiguió a los cristianos y se quitó la vida al ser condenado a muerte.

**Netzahualcoyotl** (1403-1470)   Rey chichimeca, considerado el primer poeta mexicano de quien se tienen noticias.

**Nietzsche, Friedrich Wilhelm** (1844-1900)   Filósofo alemán, cuya doctrina del superhombre alcanzó gran difusión.

**Nínive**   Antigua capital de Asiria y símbolo de una grandeza pasada pero hoy infecunda.

**Niña**   Según Eugenio Florit, la niña es María Mantilla, chica de ocho años que vivía con sus familiares en Bath Beach, al sur de Fort Hamilton, Long Island; Martí estuvo varias veces en este lugar y en 1890 dedicó a María Mantilla su composición «Los zapaticos de rosa».

**Niña de Guatemala**   María García Granados, alumna de José Martí que se enamoró de su maestro y experimentó la desilusión relatada en estos versos, al casarse el poeta con Carmen Zayas Bazán; Martí vivió en Guatemala entre 1877 y 1878.

**Nirvana**   Estado de total y eterno aniquilamiento que consiguen los budistas al identificarse con la divinidad que los consume.

**Noche**   Según la mitología nórdica, la noche estaba representada por la diosa Nott.

**Non omnis moriar**   Palabras con que Horacio se refirió a su propia obra poética en la oda XXX del Libro III; el significado lo deja ver Gutiérrez Nájera en el primer verso de su poema.

**Nubia**   Región de Africa, ubicada en la parte norte del Sudán, entre el mar Rojo y el Nilo (*Nubian Desert*).

**Nueve hermanas**   Las nueve Musas.

**Núñez de Balboa, Vasco** (1475-1517)   Capitán español que atravesó el istmo de Panamá y descubrió el oceano Pacífico.

**Oceánidas**   Ninfas marinas, hijas de Oceano y Tetis.

**Odín**   Según la mitología nórdica, el padre y el más sabio de los dioses sobre cuyos hombros se posaban dos cuervos, Hugin y Munin, los cuales representaban el pensamiento y la memoria, e informaban a la divinidad de las acciones de los hombres así como de todo lo que ocurría en el universo.

**Odiseo**   *Véase:* Ulises.

**Ofelia**   Personaje dramático que figura en *Hamlet*, la obra de William Shakespeare; el tratamiento que le dispensa el protagonista, la lleva a la demencia y a terminar sus días muriendo ahogada.

**Olimpo**   Montaña de Tesalia que servía de morada a las musas y deidades de la mitología griega.

**Ollanta**   Indio quechua que figura como héroe de una antigua leyenda convertida en drama; enamorado de una hija del Inca no consigue casarse con ella a causa de su posición social inferior; derrotado en una rebelión que inicia, se le perdona y permite casarse con la hermana del Inca que se encontraba en la prisión por ser madre de la joven que al fin descubre al monarca la suerte de su hermana desaparecida.

**Omar Kayam**   *Véase:* Kayam, Omar.

**Onfalia**   Reina de Lidia que se casó con Hércules después de que éste le sirvió de rueca e hiló a sus pies, durante tres años, con la humildad propia de una mujer.

**Orcomenio**   Persona natural de Orcómeno, ciudad de una región de la antigua Grecia, llamada Beocia.

**Orfeo**   Eximio músico y poeta griego, hijo de Apolo y Clío; al tocar la lira deleitaba a las fieras y movía los árboles y peñascos; al morir Eurídice, su esposa, bajó a la mansión de Plutón y lo encantó tanto con su música que éste se la devolvió con la condición de que no mirara hacia atrás; Orfeo no cumplió la exigencia y su esposa desapareció en las sombras.

**Orga**   Variante de la palabra «orco», o infierno poético.

**Ormuz**   Antiguo puerto de la isla del mismo nombre, ubicada en el estrecho que comunica el golfo Pérsico con el de Omán; las perlas eran su mayor riqueza.

**Ortiga** Según algunos críticos, debiérase respetar el término « oruga », en lugar de « ortiga », que se encuentra en algunos textos; consúltense al respecto, los comentarios de Iván A. Schulman, Eugenio Florit y M. Isidro Méndez.

**Osa** Montaña de Tesalia, cerca del monte Pelión; según la fábula mitológica, los gigantes colocaron a Pelión sobre Osa para así subir al cielo y destronar a Zeus. *Véase:* Osa Mayor.

**Osa Mayor** (*Dipper*) Constelación boreal.

**Oscar** Rey de Suecia y Noruega desde 1872 a 1905 y, después de la separación de estos países (1905), sólo de Suecia.

**Ossián** Poeta gaélico, hijo de Fionn MacCumhail, y famoso héroe del siglo III; Osián es frecuente variante ortográfica del mismo nombre.

**Otumba** Batalla ganada por Hernán Cortés, en 1520, durante la conquista de México.

**Ovidio (43 A.C.–16 D.C.)** Poeta latino, autor de la famosa *Metamorfosis*, obra en la que se relata (II, 379) la transformación en cisne que experimentó Cicno, hijo del rey de Liguria; su nombre completoera Publio Ovidio Nasón.

**Oviedo** *Véase:* Fernández de Oviedo, Gonzalo.

**Pablo, San** *Véase:* Saulo.

**Padilla, Juan de** Noble español, decapitado en 1521 por ser uno de los principales cabecillas del movimiento sedicioso de los comuneros de Castilla, organizado contra la política exterior de Carlos V y en favor de los derechos nacionales.

**Paita** Puerto del Perú.

**Pájaro milagroso** El aeroplano, al cual Nervo dedicó esta poesía después del concurso de aviación que tuvo lugar en noviembre de 1910.

**Palas** *Véase:* Minerva.

**Palemón** Anacoreta de Tebaida que vivió a fines del siglo III y comienzos del IV; murió en 315.

**Palenque** Ruinas de una antigua ciudad del estado mexicano de Chiapas.

**Palma, J. J.** José Joaquín Palma (1844–1911), poeta cubano cuyos versos intensamente sentimentales y muy labrados impresionaron a Rubén Darío.

**Pan** Dios de la naturaleza y los rebaños que acompañaba a Baco por los campos tocando una flauta a cuya música bailaban las ninfas que perseguía; se le representa con cuernos y extremidades inferiores de cabra.

**Pandora**  Primera mujer creada por Vulcano. *Véase:* Caja pandórica.

**Panida**  Hijo del dios Pan.

**Paolo**  *Véase:* Rimini, Francesca da.

**Para la misma**  *Véase:* María Cay.

**Parnaso**  Monte de Grecia consagrado antiguamente a Apolo y las Musas.

**Pathmos**  Isla del mar Egeo donde San Juan escribió el *Apocalipsis;* Darío alude al águila que se cree representa a San Juan.

**Paul de Kock**  *Véase:* Kock, Paul de.

**Paul Verlaine**  *Véase:* Verlaine, Paul.

**Pedro en el mar**  Las frecuentes dudas de Pedro y su relación con el mar se manifiestan claramente en los relatos evangélicos de San Lucas (V, 1–11) y San Mateo (XIV, 22–33).

**Pegaso**  Caballo alado, surgido de la sangre de Medusa, cuya cabeza le fue cortada por Perseo; entre sus muchas obras se cuenta la fuente inspiradora de Hipocrene, la cual hizo brotar de una coz en la montaña Helicona.

**Pelayo**  Primer rey de Asturias y soberano de los nobles que se refugiaron en las montañas asturianas después de la invasión de los árabes; inició la Reconquista al derrotar a los árabes en Covandonga (718).

**Pelión**  *Véase:* Osa.

**Penélope**  Esposa de Ulises, la cual durante la ausencia de éste se negó a dar su mano a los que la pretendían.

**Pentélico**  Proveniente del monte Pentélico, situado en Grecia, y famoso por los mármoles blancos de sus canteras.

**Pérgamo**  *Véase:* Troya.

**Petronio**  Autor satírico romano de los tiempos de Nerón; escribió el *Satiricón;* acusado de conspiración, se suicidó abriéndose las venas y desangrándose lentamente en presencia de sus admiradores, tal vez por el año 66 D.C.

**Piérides**  Hijas de Piero, rey de Macedonia; por querer competir con las Musas para superarlas en el arte de cantar, fueron convertidas en urracas; a veces se usa este término para designar a las Musas mismas.

**Pilar**  Alusión al lugar en que, según la tradición, hizo su aparición la llamada Virgen del Pilar.

**Pilatos, Poncio**  Gobernador de Judea que, por temor a una sedición popular, entregó a Cristo a sus enemigos, sabiendo que el acusado era inocente.

**Píndaro (521-441 A.C.)** Poeta griego famoso por las odas en que cantó a los atletas y jinetes de los juegos olímpicos.

**Pindo** Montaña griega situada entre Tesalia y Epiro, en la cual habitaban las Musas y Apolo.

**Pinsón** *Véase:* Mimí Pinsón.

**Pizarro, Francisco (1475-1541)** Conquistador del Perú.

**Plateros** Calle de la capital mexicana muy frecuentada a causa de las tiendas y negocios allí establecidos; corresponde, en años posteriores, a la avenida Francisco Madero.

**Platón (428?-347 A.C.)** Filósofo griego cuya utopía o república ideal estaba situada en la Atlántida.

**Poeta** *Véase:* Fontoura Xavier, Antonio.

**Pomaré** Nombre de una de las dinastías que reinó en Tahití desde 1775 a 1880. *Véase:* Tahití.

**Pomona** En la mitología romana, ninfa de los jardines y los frutos.

**Pompadour** Nombre de Antonieta Poisson (1721-1764), marquesa de Pompadour y favorita del rey Luis XV de Francia; su nefasta influencia ocasionó serios trastornos políticos en su tiempo; su color preferido era el rosa pálido.

**Poncio Pilatos** *Véase:* Pilatos, Poncio.

**Popayán** Ciudad colombiana ubicada en el suroeste del país y a orillas del río Molino, tributario del Cauca; cuna del poeta Guillermo Valencia y de otros personajes muy ilustres de Colombia.

**Por ti las manos muestran sin hierros...** Alusión al presidente José Hilario López, natural de Popayán, que abolió la esclavitud en el año 1851.

**Poseidón** *Véase:* Neptuno.

**Potosí** Ciudad del antiguo Alto Perú, hoy Bolivia, en la cual los españoles descubrieron, en 1545, el cerro Potosí, uno de los más ricos y fabulosos depósitos de plata del nuevo mundo americano.

**Praga** Capital del antiguo reino de Bohemia en el siglo X.

**Príapo** Dios de las vides y de los jardines; hijo de Baco y Afrodita.

**Prieto, Guillermo (1818-1897)** Poeta mexicano cuyos pintorescos personajes populares quedaron inmortalizados en *Musa callejera*.

**Príncipe Rubio** *Prince Charming.*

**Prócer** Alusión a don Francisco José de Caldas (1741-1816), ilustre hombre de ciencias, natural de Popayán, fusilado por los españoles el 29 de octubre de 1816, a causa de haber participado en una revolución.

**Prometeo**   Personaje mitológico, hijo del titán Yápeto; por robarse el fuego del cielo para dárselo a la humanidad, fue encadenado por orden de Zeus y luego clavado en el Cáucaso, donde un buitre le roía el hígado; del suplicio fue liberado por Hércules.

**Pro nobis ora**   (*ora pro nobis:* ruega por nosotros) Palabras que se repiten en las letanías después de cada invocación.

**Provenza**   Antigua provincia situada al sureste de Francia y anexada a este país en 1481.

**Psalle et sile**   Canta calladamente.

**Publio Ovidio Nasón**   *Véase:* Ovidio.

**Quesada**   *Véase:* Jiménez de Quesada, Gonzalo.

**Quevedo y Villegas, Francisco de (1580–1645)**   Notable autor satírico español.

**Quijano, Alonso**   Don Quijote de la Mancha, personaje central de la inmortal obra de Miguel de Cervantes; se embarca en numerosas aventuras, a las cuales alude Valencia, y alterna con otras creaciones cervantinas, a las que también se refiere el poeta colombiano en los versos de esta composición.

**Quimera**   (*Chimaera*) Monstruo fabuloso con cabeza de león, cuerpo de cabra y cola de dragón; vomitaba llamas y era muy temible; meta casi imposible de alcanzar.

**Rabí de Galilea**   Cristo.

**Ramayana**   Poema sánscrito en que se celebran las hazañas épicas y religiosas de Rama, encarnación de la deidad llamada Vichnú.

**Ramsés**   Nombre de varios reyes egipcios, entre los cuales Ramsés II fue uno de los más belicosos y reinó aproximadamente desde 1292 hasta 1225 A.C.

**Ratoncito Pérez**   Personaje que figura en diversas versiones de un cuento infantil; según el cual se cae en una olla y muere ahogado en castigo de su glotonería o curiosidad.

**Retor**   Maestro de retórica u orador que exagera el estilo o la forma y descuida el contenido o ideas.

**Rey Degollado**   El sol en los momentos del ocaso.

**Rimini, Francesca da**   Hermosa dama de la nobleza italiana; casada con Giovanni Malatesta da Rimini, tullido cuyo hermano, Paolo, se convirtió en amante de su cuñada; descubiertos por el engañado marido, los amantes terminaron siendo asesinados en 1285.

**Rin Rin Renacuajo**   Personaje que figura en la historieta « El renacuajo paseador », la cual forma parte de los *Cuentos pintados*, escritos por Rafael Pombo.

**Río**   *Véase:* Gran Río.

**Río Amarillo** Se le denomina también Hwang Ho; nace en el Tibet y su curso sigue en dirección noreste hacia el golfo de Pe-chili en la costa oriental de China.

**Roble gigante** La raza latina.

**Rocinante** Caballo de don Quijote de la Mancha.

**Rodrigos, Jaimes, Alfonsos, Núños** Nombres con los cuales se asocian hazañas de famosos héroes españoles.

**Rolando** Sobrino de Carlomagno, también conocido como Orlando; era uno de los doce pares de Carlomagno; inmortalizado en varias composiciones épicas por sus hazañas; murió en Rocesvalle protegiendo la retirada del ejército de Carlomagno.

**Rolla** Personaje licencioso de una obra de Alfred de Musset; se suicida por desilusión de la vida.

**Roosevelt, Theodore (1858–1919)** Presidente de los Estados Unidos de América desde 1901 hasta 1909.

**Rubén** Alusión a Rubén Darío.

**Rueda, Salvador (1857–1933)** Poeta español, oriundo de Málaga (Andalucía), cuya poesía posee gran sonoridad, profusión de colores y arrebatos imaginativos.

**Ruth** Según el relato bíblico, esposa de Booz y nuera de Noemí; esposa fiel y hacendosa.

**Saba** Antigua ciudad de Arabia, célebre por una riquísima reina del lugar, llamada Balkis, quien fue a visitar a Salomón, fascinada por la sabiduría de éste. *Véase:* Makheda.

**Sabino** habitante de Sabina, antigua región de los Apeninos al noreste del Lacio; los sabinos no fueron conquistados por los romanos hasta el año 290 A.C.; según la leyenda, las sabinas fueron raptadas por los súbditos de Rómulo; más tarde, ellas mismas, con sus hijos en brazos, se interpusieron entre los sabinos y los antiguos raptores para así evitar la batalla que iba a producirse entre las dos facciones.

**Sagitario** (*the Archer, Sagittarius*) Constelación austral y signo del zodiaco correspondiente al mes de noviembre; se le representa con un centauro disparando una flecha; poéticamente simboliza a un enemigo implacable y poderoso.

**Salem** Jerusalén.

**Salomé** Princesa judía, hija de Herodes y Herodías; según el evangelio de San Marcos (IV, 16–29), instigada por su madre, pidió la cabeza de Juan Bautista después de bailar tan bien ante el Tetrarca que éste decidió concederle cualquier cosa que le pidiera; Herodías odiaba al Bautista porque éste le reprochaba haber dejado a su primer esposo por Herodes.

**Salomón** Rey israelita, famoso por su sabiduría y porque a él se le atribuye la composición bíblica llamada «Cantar de los Cantares» (siglo X A.C.).

**Salvador Díaz Mirón** *Véase:* Díaz Mirón, Salvador.

**Salvador Rueda** *Véase:* Rueda, Salvador.

**Samarcanda** Ciudad rusa y centro comercial con la India y el Asia oriental.

**Samos** Isla griega del mar Egeo y antiguo centro de una notable civilización.

**Sancho** Sancho Panza, el escudero de don Quijote de la Mancha.

**Sandro Boticelli** *Véase:* Boticelli, Sandro.

**San Ignacio de Loyola** *Véase:* Loyola, San Ignacio de.

**San Jorge** Príncipe y militar de Capadocia; murió (273?) mártir en los tiempos de Diocleciano.

**Sansón** Juez hebreo, notable por la extraordinaria fuerza que, se dice, poseía concentrada en sus cabellos.

**Santiago** Uno de los apóstoles de Jesús; llegó a ser el santo de España cuyo nombre sirvió de grito de guerra a los soldados castellanos; se dice que el apóstol se apareció a los soldados españoles en la batalla de Otumba (julio de 1520) en los momentos en que éstos emprendían la retirada.

**San Vicente (1576–1660)** Sacerdote francés, llamado generalmente Vicente de Paul; dedicó su vida entera a obras de caridad.

**Satanes Verlenianos** Demonios descritos por Paul Verlaine en « Crimen amoris » como bellos jóvenes y siervos de los pecados.

**Satiresa** Ser fabuloso equivalente del sátiro; como éste, encarna la sensualidad.

**Sátiros** Compañeros de Baco; tenían orejas y cola de caballo, abundante cabellera, cuernos en la frente y patas de cabras; tocaban la flauta y otros instrumentos; se caracterizaban por su lascivia.

**Saturna** La muerte.

**Saturno** Dios mitológico que devoró a sus hijos hasta que su esposa logró salvar a Júpiter, quien lo destronó y expulsó del cielo; refugiado en el Lacio, enseñó a los hombres agricultura y otras artes útiles en una era poética llamada « edad de oro »; se le representa como un anciano que porta una guadaña.

**Saulo** Conocido generalmente como Pablo, San Pablo o Saulo de Tarso; se le recuerda por las circunstancias en que se convirtió al cristianismo en el camino de Damasco; llegó a ser el Apóstol de las Gentes.

**Scott, Walter (1771–1832)** Novelista y poeta escocés; autor de *"Lady of the Lake"* y de las numerosas *Waverly Novels*.

**Schopenhauer, Arthur (1788–1860)** Filósofo alemán cuyas doctrinas pesimistas tuvieron gran influencia en su tiempo.

**Schubert, Franz** (1797–1828)  Compositor austriaco cuyas obras musicales demuestran intensa melancolía y anhelantes ensueños; entre sus creaciones más famosas se cuenta la «Serenata».

**Segadora**  La muerte.

**Segismundo**  Personaje de la obra de Calderón de la Barca, *La vida es sueño*; para Darío a veces encarna el espíritu del sur y en otras ocasiones representa la desilusión originada por la adversidad.

**Seguidilla**  Composición popular de cuatro o siete versos en que se combinan heptasílabos y pentasílabos.

**Selika**  Esclava que figura como personaje de la ópera *L'Africaine* (1865), de Giacomo Meyerbeer con libreto de Scribe; al partir su amado, Vasco de Gama, Selika se suicida.

**Selva Sagrada**  Alusión al cuadro de Puvis de Chavannes, «Le Bois sacre».

**Sena**  Río de Francia que pasa por París y otras ciudades importantes.

**Sensitiva**  Planta leguminosa (Mimosa pudica) de los trópicos, cuyas hojas se cierran y su tallo se dobla con suma facilidad al ser tocada.

**Señor**  Alusión de Amado Nervo al rey español Alfonso XIII (1886–1941) que gobernó hasta 1931.

**Sibila**  Mujer que, por especial inspiración, ejercía la función de profetisa.

**Signo del Sur**  Cruz del Sur, constelación austral.

**Sigurd**  Héroe nórdico de diversas leyendas y composiciones, tales como los *Nibelungos, Elder Edda, Völsunga Saga,* y de varias óperas de Wagner.

**Silvano**  Genio de los bosques, pastores y ganados.

**Simbad**  Llamado «el marino»; personaje de *Las mil y una noches* (*The Arabian Nights*); sus aventuras y viajes, fabulosos, se cree, se realizaron en India y Malaya.

**Siringa**  Flauta pastoril que tocaba Pan; el nombre del instrumento corresponde al de la amada de Pan, según la *Metamorfosis* (I, 691), de Ovidio. *Véase:* Pan.

**Sorpresa**  Nombre de una de las tiendas y almacenes más célebres de la capital mexicana.

**Soto, Hernando de** (1496–1542)  Capitán español enviado por Francisco Pizarro en una misión ante el inca Atahualpa, en 1532; para impresionar al monarca, de Soto realizó una demostración ecuestre que, según Prescott, lo hizo acercarse al inca hasta mojarlo con el sudor del caballo.

**Sourimono** Litografía japonesa impresa en fino papel de unas nueve pulgadas por siete; se la emplea a modo de saludo o para felicitar a las amistades con motivo del Año Nuevo u otras ocasiones.

**Squire** Ephraim George Squier, autor norteamericano que, en 1849, viajó por la América Central y, en 1852, publicó un relato de sus impresiones; Darío alude a la leyenda—narrada por Squier—según la cual ninguno de los religiosos que quisieron bautizar el volcán, como era costumbre de hacerlo durante la conquista de América, logró volver o realizar su propósito; Victor Hugo se inspiró en los relatos de Squier para escribir "Les Raisons de Momotombo."

**Staccatti** Sonidos cortos, marcados y distintos provenientes de la música o de los golpes en el tablado producidos por los tacones de una bailarina.

**Stella** Rafaela Contreras, joven que admiraba a Darío y con quien éste se casó el 22 de junio de 1890; la muerte de su esposa afectó al poeta y repercutió años más tarde cuando compuso la composición que le dedicó; el nombre elegido por Rubén Darío parece que proviene del seudónimo de una poetisa norteamericana, la señora Sara A. Lewis, amiga de Edgar Allan Poe, a la cual el poeta de Nicaragua dirige sus versos, y del que empleó la propia Rafael Contreras—según E. K. Mapes—para firmar los versos que ella compuso.

**Suipacha** Batalla en que los patriotas argentinos derrotaron a los españoles el 7 de noviembre de 1810.

**Sylvia** Personaje de la *Eneida*, de Virgilio, cuya corza fue herida por Ascanio, incidente con el cual se rompió la tregua y empezó la guerra con los troyanos que habían llegado al Lacio.

**Tabor** Monte de Palestina, en el cual tuvo lugar, según los evangelios, la transfiguración de Cristo.

**Tahití** Conjunto de islas, bajo jurisdicción francesa, ubicadas en el Pacífico.

**Te Deum laudamus** (*we praise Thee, O God*) Antiguo himno en latín entonado en alabanza y agradecimiento a Dios.

**Teócrito (300?-?A.C.)** Poeta griego, considerado iniciador del género bucólico.

**Término** Deidad romana que protegía los límites; su busto de aspecto humano era colocado en los campos y jardines sobre un tronco o en un pedestal de piedra.

**Tetrarca** Herodes Antipas, tetrarca de Galilea (4 A.C.–39 D.C.)

durante la dominación romana; era medio hermano del primer esposo de Herodías e hijo de Herodes, el Grande.

**Thalasa** El mar.

**Théo, Louise** Célebre cantante de operetas francesas.

**Theodore Roosevelt** *Véase:* Roosevelt, Theodore.

**Thomas a Kempis (1380?–1471)** Monje alemán, célebre por su obra *La imitación de Cristo.*

**Thor** Según la mitología nórdica, poderoso dios del trueno y de la guerra; único capaz de dominar a los gigantes por medio de un martillo que podía esgrimir y que no era otra cosa que el trueno mismo; su hija, Thrud, era representada algunas veces por medio de una nube que presagiaba el trueno y en otras ocasiones se creía que era de estatura gigantesca y poseedora de gran fuerza.

**Tiberíades** Ciudad de Palestina, situada en Galilea a orillas del lago del mismo nombre.

**Tíbulo (54–19 A.C.)** Poeta latino, conocido por sus tiernas *Elegías.*

**Tiro** Antigua ciudad de Fenicia, famosa en sus tiempos por la actividad comercial que en ella tenía lugar.

**Tirsis** Pastora que figura en la « Egloga VII », de Virgilio; su nombre pasó a ser muy usado entre las cortesanas de Versalles cuando se entretenían fingiéndose pastoras; entre los poetas, el nombre de Tirsis es a menudo sinónimo de pastora.

**Toda la lira** Alusión a la colección de poesías de Victor Hugo, *Toute la lyre.*

**Todo** Pan o el universo en su totalidad.

**Tolstoy, Alexei (1828–1910)** Novelista ruso que predicó la doctrina de vivir con extremada sencillez y sin ofrecer resistencia violenta, preceptos que él observó con notable ejemplaridad.

**Toqui** Nombre dado por los indios araucanos a su jefe o caudillo.

**Tormenta** Alusión a la guerra entre España y los Estados Unidos, 1898, conflicto bélico que precedió a la visita del rey Oscar, en marzo de 1899.

**Toro** Constelación signo del zodiaco correspondiente al mes de abril; también se le llama Tauro; Júpiter disfrazado de toro en el rapto de Europa.

**Torre de marfil** Símbolo del apartamiento de las vulgaridades del mundo; término empleado por Sainte-Beuve al referirse a Vigny.

**Torrente** Alusión a la famosa caída de agua llamada de Tequendama y vista por Quesada en 1538 al llegar a la sabana de Bogotá.

**Torres, Camilo** Célebre jurista y orador colombiano, nacido en Popayán el año 1766; participó activamente en el movimiento revolucionario de la independencia; fue fusilado en 1815 y luego degollado a fin de mostrar su cabeza puesta en una jaula para escarmiento de los rebeldes.

**Triptolémica** Relativa a la agricultura, por asociación con Triptólemo, rey de Eleusis, que aprendió de Ceres el arte de cultivar la tierra, inventó el arado y enseñó todo lo que sabía a los habitantes del Atica.

**Tritones** Deidades marinas cuyo cuerpo era de hombre en la parte superior y de pez en la inferior; por medio de una concha que soplaban podían hacer rugir, alborotarse o calmarse los mares.

**Troya** Antigua ciudad del Asia Menor en que tuvo lugar la guerra entre griegos y troyanos originada por el rapto de Elena, según el relato de Homero en la *Iliada*.

**Turguenev, Iván S.** (1818–1883) Novelista ruso, muy admirado por la fiel pintura que hizo de la vida de las clases populares y los problemas sociales de su patria.

**Ulises** Rey legendario de Itaca y héroe del sitio de Troya; su regreso a la patria es el asunto de la *Odisea*; entre los muchos episodios de su vida, se cuenta la forma extraordinaria en que armó un insuperable arco.

**Ulysses S. Grant** *Véase:* Grant, Ulysses S.

**Unicornio** Monstruo fabuloso con cuerpo de caballo y un cuerno en la frente.

**Vacia** Lo correcto es decir « vacía »; al poeta se le concede licencia para emplear « vacia ».

**Vasco Núñez de Balboa** *Véase:* Núñez de Balboa, Vasco.

**Vascos** Alusión a marinos o exploradores tan famosos como Vasco Núñez de Balboa o Vasco de Gama.

**Vega, Garcilaso de la** *Véase:* Garcilaso de la Vega.

**Velázquez, Diego de** (1599–1660) Pintor español, célebre por el colorido y relieve de sus retratos.

**Venus** Diosa de la belleza y el amor que se identifica con Afrodita; se la representa saliendo del mar por haber nacido de la espuma; planeta que gravita en torno del sol y en posición cercana a la tierra.

**Verdi, Giuseppe** (1813–1901) Compositor italiano, célebre por las óperas muy trágicas de que es autor: *Aïda, Il Trovatore, Rigoletto, La Traviata* y otras; también compuso música sagrada: *Requiem, Stabat Mater*.

**Verlaine, Paul** (1844-1896)  Poetica lírico francés cuyas composiciones se distinguen por la musicalidad que les comunicó su autor; el precepto que expresa en su obra *Art Poétique* tuvo gran influencia entre sus discípulos y admiradores.

**Verona**  Cuidad del norte de Italia, en la cual tuvieron lugar los amores de Romeo y Julieta.

**Versalles**  Magnífico palacio construido por orden del rey francés Luis XIV (1638-1715); centro del lujo más brillante y de las más estraordinarias frivolidades del siglo XVIII.

**Veuve Cliqot**  Variedad y marca de un conocido champaña francés (*Clicquot*).

**Vicente**  *Véase:* San Vicente.

**Víctima Sacra**  José Joaquín de Mosquera (1800-1853), arzobispo de Bogotá (1834-1851), cuya benéfica obra social y educativa se vio interrumpida por el destierro a que fue condenado debido a su vehemente defensa de los derechos de la iglesia.

**Victor Hugo**  *Véase:* Hugo, Victor.

**Villasana**  Caricaturista de la época.

**Vinci**  *Véase:* Leonardo da Vinci.

**Virgilio** (70-19 A.C.)  Famoso poeta latino, autor de la *Eneida*, las *Geórgicas* y las *Bucólicas*.

**Virrey-Poeta**  Alusión a Francisco de Borja, príncipe de Esquilache (1582-1658), virrey del Perú (1615-1621) y autor del largo poema heroico « Nápoles recuperada ».

**Viscaya**  Provincia del norte de España.

**Vogt, Karl** (1817-1895)  Antropólogo alemán, cuya obra *Lecciones sobre el hombre* llamó mucho la atención por la teoría del transformismo que en ella queda expuesta.


**Walt Whitman**  *Véase:* Whitman, Walt.

**Walter Scott**  *Véase:* Scott, Walter.

**Watteau, Jean Antoine** (1684-1721)  Pintor francés cuyos lienzos se distinguen por los sentidos efectos personales que adquieren la luz y el color; se le considera entre los artistas representativos del rococó y como uno de los precursores del impresionismo décimonono.

**Werther**  Personaje de la obra de Goethe titulada *Leiden des jungen Werthers*; por una desilusión amorosa se suicidó.

**Whitman, Walt** (1819-1892)  Poeta norteamericano, famoso por la forma en que cultivó el verso libre o suelto y por sus ideas democráticas, de las cuales es símbolo en varias composiciones de Rubén Darío.

**Yedo**  Antiguo nombre de Tokio, capital del Japón.

**Yelmo**  Casco encantado de un rey moro llamado Mambrino; tenía la propiedad de hacer invisible a su dueño; robado por Reinaldos, don Quijote creyó haberlo hallado al confundirlo con la bacía de un barbero.

**Yggdrasil**  *Véase:* Fresno.

**Yolanda**  Religiosa dominica del siglo XIII; por su santidad llegó a ser priora del convento de Marienthal.

**Yupanqui**  Término genérico que se añadía al nombre de algunos incas para indicar que el monarca era « rico en virtudes ».

**Zarathustra**  Profeta persa que se cree vivió por el año 1000 A.C. y fundó una religión monoteísta, en la cual se da énfasis a la lucha entre el bien y el mal; Darío alude al águila que vuela con una serpiente arrollada al cuello, según la visión que describe Nietzsche en su obra *Así habló Zarathustra*.

**Zeus**  *Véase:* Júpiter.

**Zíngaro**  Término italiano con que se designa a los gitanos.

# ⛤ VOCABULARIO ⛤

ESTE VOCABULARIO no pretende incluir todas las palabras con-
tenidas en los versos y en las introducciones de la antología. No se
consignan aquellos vocablos que el estudiante ya habrá asimilado
en los años iniciales del aprendizaje del idioma. Quedan también
excluidos los términos que, por su parecido externo y el idéntico
significado que poseen en castellano y en inglés, no ofrecerán
tropiezo alguno para la lectura y comprensión de los poemas.

**ababol**  poppy
**abalanzarse**  to spring at
**abanico**  fan
**abenuz**  ebony tree, wood
**abeto**  spruce, hemlock, silver fir
**abigarrado**  variegated
**abolengo**  ancestry
**abonar**  to improve; to fertilize
**abrasador**  burning
**abrasante**  burning
**abrasar**  to burn
**abrevar**  to quench the thirst
**abrigar**  to cherish
**abrumador**  overwhelming, weari-
 some
**abrumar**  to overwhelm
**absintio**  absinthe *(beverage)*
**abultado**  large, massive

**acabado**  perfect, faultless
**acantilado**  cliff, escarpment
**acanto**  acanthus, prickly thistle
**acechar**  to spy on
**acecho**  spying; **en—**  in wait, in
 ambush
**acendrar**  to  purify  or  refine
 *(metals);* to free from stain or
 blemish
**acerbo**  tart; harsh, severe, cruel
**aciago**  ill-fated
**acicate**  long-pointed Moorish spur;
 inducement; goad
**acidularse**  to turn sour; to become
 chilly; to acquire the quality of
**acogedor**  kindly
**acoger**  to welcome
**acogerse**  to hold on to

⛤ 465 ⛤

acompasar  to mark the rhythm or cadence of

acongojarse  to grieve, to afflict; to be distressed

acorde  chord

acosar  to harass

acriminar  to accuse

acritud  bitterness

acuarela  water color

acubado  shaped like a bucket

acuñar  to coin

acurrucar  to huddle up

adarga  oval or heart-shaped leather shield

adelfa  rosebay

ademán  gesture, look

adormecedor  sleep-producing, soporific

adormecer  to fall asleep; to lull to sleep

adormir  to put to sleep; to lull to sleep

adunar  to unite

adusto  austere, stern, sullen

advenedizo  foreign, strange

advenimiento  advent, coming

aéreo: vestido—  billowy and sleeveless dress with a low-cut neckline

aerón  deep Moorish well

afeite  cosmetic

aferrarse  to hook; to hold to

afianzamiento  firm establishment

afianzar  to support

afilado  thin; sharp

afilar  to sharpen

afinar  to refine

afrontar  to face

agacharse  to crouch, squat

agasajar  to receive and treat kindly; to fondle; to regale; to entertain

agobiar  to overwhelm; to weigh down

agobiarse  to bow

agobio  burden

agorero  auspicious; deceptive; flattering; ominous; foreshadowing

agostarse  to turn yellow

agotar  to exhaust

agradar  to please

agraviar  to wrong, offend

agraz: en—  prematurely

agreste  wild; rough

agridulce  bittersweet

agrio  sour; wild; acrid

agrisarse  to become gray

aguacero  heavy shower

agudo  sharp-pointed, keen-edged; sharp

aguerrido  veteran; accustomed to war

aguijón  sting (of insect), prick; spur

águila  eagle

aguja  needle

agujerear  to pierce

aguzar  to sharpen

ahinco  earnestness, zeal, ardor

ahito  gorged, stuffed

ahogar  to smother; to drown

ahorcarse  to hang; to be hanged

ahuyentar  to put to flight; to scare away

airado  angry, irate

airón  panache (deep Moorish well)

airoso  graceful

ajar  to crumple, rumple; to wither, waste away

ajedrez  chess; netting, grating

ajetreo  fatigue; agitation

ajorca  Moorish bracelet or anklet

ajustar  to fit, adjust

alabarda  halberd

alacena  closet; cupboard

alambre  wire

alameda  poplar grove; tree-lined walk or avenue

álamo  popular

alar  overhanging roof
alarde  show, ostentation
alarido  outcry
alba  dawn
albahaca  basil
albaricoque  apricot
albear  to shine bright or white
albérchigo  a variety of peach
albergue  shelter
albo  white
albor  whiteness
alborada  dawn
alborotar  to agitate, stir up; to put one's hair in disorder
alboroto  disturbance, tumult
albura  whiteness; alburnum
alcaide  warden
alcalde  mayor
alcancía  poor box
alcatraz  pelican
alcázar  fortress
alce  elk; moose
alción  halcyon, kingfisher, Chinese swallow
alcoba  bedroom
alconado  hawk-like
alcor  hill
aldea  village
alelí  gillyflower
alentar  to cheer, to encourage, to inspire
aleonada  tawny, fulvous
alero  fluttering
alerta  cry of warning
aleta  fin
aleteo  fluttering
aleve  treacherous
alevosía  treachery
alfandoque  Spanish candy (*a paste made of cheese, ginger and molasses or thick brown-sugar syrup*)
alfanje  cutlass
alfarero  potter
alféizar  splay of a window

alfeñique  Spanish sugar paste flavored with almonds
alfilerazo  prick with a pin; *fig.* dig, jab, innuendo
alfombra  carpet
alforja  saddlebag
alga  seaweed
algarabía  gabble, jargon; din, clamor, uproar, confusion
algarroba  carob bean
alhaja  jewel
alhucema  lavender
alianza  wedding ring
aliento  breath; fragrance
aligerar  to ease, alleviate
alimaña  animal
aliñarse  to season; to adorn
aliño  dressing
alísea  pertaining to **aliso**, alder (*a shrub growing in damp ground*)
aljaba  quiver
almenar  cresset
almendro  almond tree
almíbar  syrup
almizclar  to perfume with musk
almizcle  musk
almo  nourishing
almohadilla: — de olor  sachet bag
alocado  wild
alondra  lark
alquería  farmhouse
altanero  haughty, arrogant
alteza  height; Highness (*title*)
altivez  haughtiness
altivo  haughty, proud
altozano  hillock
alud  avalanche
alzar  to raise
amago  threat
amamantar  to nurse
amansar  to soothe
amañar  to fake
amapola  poppy
amaranto  amaranth, deep purple
amarfilado  ivory-like

amargor  bitterness

amarillear  to turn yellow

amasar  to cook up

amasijo  batch of dough

ámbito  ambit; limit; surroundings

amedrentar  to frighten; to discourage

amilanar  to terrify

amonedar  to coin, mint

amoratar  to turn purple; to get black and blue

amortajar  to shroud

amortiguar  to muffle; to lessen

amparar  to protect

ampo  snowflake

amuleto  amulet, gook-luck charm

anacoreta  anchorite, hermit

anca  rump

ancla  anchor

anchas: a sus—  as one pleases

anchuroso  spacious

andanza  wandering

andar:—de buenas  to be in a good mood

andariego  restless, roving; fast walker

andrajo  tatter

angustiar  to distress

anhelar  to desire eagerly, to crave

anidar  to nestle; to make one's nest; to dwell

aniquilar  to annihilate

anonadar  to annihilate

ansiar  to yearn

antaño  long ago

anterioridad: con—  previously

antojo  whim, notion

antorcha  torch

antro  cavern; depth

anublar  to cloud

anudar  to knot; to tie

anverso  obverse

añejo  old, aged; stale

añil  indigo blue

añoranza  nostalgia

añoso  old

apacentar  to graze; to teach, instruct spiritually

apacible  peaceful

apaciguar  to pacify

apagado  pale

aparentar  to feign, pretend

apartar  to separate; to withdraw

apearse  to dismount

apedrear  to stone

apego  attachment

apelotonarse  to curl up

apiadar  to move to pity

aplacar  to appease

aplastar  to smash

apolíneo  pertaining to Apollo

aposento  room

apoyar  to lean over

apremio  pressure; constraint

aprestar  to prepare, make ready

apretar  to harass; to press down; to grip, clench

aprisco  sheepfold

aprontar  to prepare quickly

apurar  to sip; to consume; to purify; to drink up

aquésa (aquése)  that (poetic forms of esa, ese)

aquesta  this (poetic form of esta)

ara  altar, altar slab

araña  chandelier

arbitrio  free will

arbolar  to hoist

arboleda  grove

arbusto  shrub

arcabuz  harquebus

arcano  hidden, secret

arce  maple

arcilla  clay

arco: —iris  rainbow

ardid  stratagem, artifice, cunning

arenal  sandy ground

arenoso  sandy

argentado  silvery

argentar  to silver; to trim with silver

argolla  ring

aridez  drought
arisco  unsociable, churlish, shy; cross
arista  edge
armadura  suit of armor
armiño  ermine
aro  hoop
arquear  to arch
arrabal  poor district in the outskirts of a city
arraigarse  to take root
arrancar  to snatch; to obtain; to start up
arranque  impulse
arrapiezo  urchin
arrastrarse  to creep
arrebatar  to carry off; to charm, to move, to stir
arrebato  rapture
arrebol  red (*of sunrise or sunset*)
arrebolarse  to redden
arrebujarse  to wrap oneself up
arreciar  to grow stronger
arrecife  reef
arredrar  to terrify, scare
arremango  turning up
arrobar  to entrance
arrobo  ecstasy
arrollar  to knock down
arropar  to cover, wrap
arrope  grape syrup; honey syrup
arroyo  stream, brook, rivulet
arrozal  rice field
arruga  wrinkle
arrullador  luller
arrullar  to lull
arrullo  cooing and billing; lullaby
artificio: fuego de —  fireworks
arudo  wearing big earrings
asa  handle
asaz  enough
ascendiente  ancestor
asceta  hermit
asediado  besieged, surrounded
asediar  to besiege; to harass
asequible  accessible

aserrar  to saw
aserrín  sawdust
asestar  to aim, point
asfódelo  asphodel, daffodil (*narcissus*)
asilo  asylum, refuge, shelter
asolar  to parch
asombrar  to astonish
aspereza  asperity, roughness
áspero  rough
aspirar  to inhale
astro  star
astucia  astuteness
ataúd  casket, coffin
atavío  dress; finery, gear
atediar  to bore, tire
atemperar  to adjust, accommodate
aterciopelarse  to become velvety
atestar  to reveal
atezado  tan; black
atico  elegant
atónito  overwhelmed
atrayente  attractive
atril  music stand
atronar  to deafen; to stun
augusto  majestic
aullido  howl
aunarse  to join
aura  gentle breeze
áureo  golden
auriga  coachman, charioteer
aurino  golden
avaro  avaricious, miserly
avatar  incarnation, reincarnation
avecinarse  to approach
aventajar  to better; to be above or superior to
avieso  evil-minded
avispa  wasp
avizorar  to watch; to keep a sharp lookout
ayuno  fasting
azada  hoe
azahar  wax candle; orange or lemon blossom
azar  chance

azogado  restless, trembling
azogue  quicksilver
azor  goshawk
azoramiento  excitement, confusion
azorar  to stir up, to excite, to abash; to terrify
azotar  to beat
azote  lashing; spanking
azucena  white lily
azufre  sulphur
azuzar  to set dogs on to
baboso  driveling, silly; over-affectionate
baccarat  very fine and fragile glassware made in France
bacía  basin
báculo  stick, staff
bahía  bay
bajel  ship
bajorrelieve  bas-relief
baladí  frivolous, trivial
balar  to bleat
balbuciente  stammering, babbling
balde: en—  in vain
baldío  idle
baldosa  pairing or floor tile
bálsamo  balm
baluarte  bulwark
balumba  hindrance; hurdle; bulky thing
bamboleo  swinging
banco  bench
bandada  flock of birds
bandeja  tray
banderón  large flag
bandolín  mandolin
bañera  bathtub
baobab  baobab (African tree)
barajar  to shuffle (cards)
barbudo  bearded
barcarola  barcarole (rowing song)
barniz  varnish
barquilla  small boat
barranco  ravine, gorge; cliff
barreno  drill, auger; crowbar
barrer  to sweep

barriga  belly
barrio  city district, suburb
barro  mud, clay
barrote  heavy bar
bastón  walking cane, staff
bata  smock
batán  fulling mill
batir  to beat
batista  cambric
baturro  Aragonese peasant
baúl  trunk, chest
beato  prudish, bigoted; bigot; churchgoer; charity worker
becerro  yearling calf
befa  jeer, scoff
beldad  beauty
beleño  henbane, poison
belfo  lip of an animal
bélico  warlike
belicoso  warlike
belígero  warlike
bemol  flat (music)
beodo  drunk
bergantín  naut. brig
bermejo  bright reddish
bicorne  having two horns
bifronte  double-faced
biombo  folding screen
bisonte  bison
bizarría  gallantry
bizco  squint-eyed, cross-eyed
blancor  whiteness
blandir  to brandish, flourish
blandura  softness, gentleness
blanquear  to turn white
blanquecino  whitish
blonda  ruffle; broad silk lace
bocina  horn, trumpet
bochorno  sultry weather
bofetada  slap in the face
bofetón  hard slap
boga  rower
bogar  to sail
bohío  hut
boina  beret
boj  boxwood

bonanza   goodness
bonzo   bonze (*Buddhist monk*)
boñiga   cow dung
boquerón   wide opening, hole
borbotón: a – s   impetuously, tu-
  multuously
bordar   to embroider
bordoneo   rhythm
boreal   northern
Bóreas   Boreas, the north wind
borgoña   Burgundy wine
borla   tassel, tuft, lock
borlón   large tassel
borona   corn bread
borrador   rough copy
borrar   to erase
borrasca   storm
borrego   lamb
borrica   female donkey
borrón   blot, blur; blemish, stigma,
  stain
borroso   blurred
boscaje   woodland scene
bosquecillo   small forest
bostezar   to yawn
boston   Boston waltz, slow waltz
botar   to bounce; to hurl, fling
bote   thrust with a weapon
botina   high shoe
botón   bud
bóveda   tomb, crypt, vault; dome
boyero   ox-herder, ox-driver
brama   mating season of wild animals, especially deer; rut (*state of
  mind*)
bramar   to roar, bellow; to storm,
  bluster
brasa   live coal
brasero   brazier; fire pan
bravío   wild
brecha   opening
bregar   to struggle
breñal   brambly place
breva   early fig
brial   rich silken skirt
brida   string

bridón   spirited steed
brincar   to jump
brindar   to offer
brindis   toast
brocha   stubby brush (*for painting,
  shaving, etc.*)
bronce   bell, trumpet, clarion
broncear   to bronze
broncíneo   bronze-like
bronco   harsh; hoarse
broquel   shield, buckler
brotar   to spring, appear; to germi-
  nate
brote   shoot, bud
broza   brushwood
bruma   mist, fog
brumoso   foggy, hazy, misty
bruna   blackish
bruñido   polished
bruñir   to polish, burnish
brusco   rude, rough, crude
búcaro   flower vase
bucear   to dive
bucle   ringlet
buche   craw
bufete   law office
bufo   clownish
buho   owl
buitre   vulture
bullente   boiling
bullicio   bustle
bullicioso   noisy
bullidor   noisy, lively
bullir   to swarm; to boil, bubble up
buque   boat
burbuja   bubble
buril   burin, engraver's chisel
burilar   to chisel (*marble*)
burlador   mocking
buzo   diver (*especially in diving
  suit*)

cabal   perfect
cabalgar   to ride on horseback
caballería   cavalry
caballete   easel

**cabe**  near
**cabecear**  to nod
**cabellera**  head of hair
**cabizbajo**  crestfallen
**cabra**  goat
**cabrío**  goatish, hircine
**cabriola**  caper, gambol, prancing
**cabritilla**  kidskin
**cacarear**  to cackle
**cacique**  Indian chief
**cachorro**  cub
**cadena**  chain
**cadencia**  *mus.* cadence
**cadente**  rhythmic
**cadera**  hip
**caduco**  worn out, senile; perishable, frail
**caimán**  alligator
**calado**  open work in wood, metal, or stone; fretwork; *pl.* lace
**calcar**  to trace
**caldear**  to heat
**cálido**  warm
**calina**  misty
**cáliz**  calyx
**calofrío**  chill, shiver
**calumnia**  slander
**calvo**  bald
**calzar**  to put on (*shoes*)
**callo**  state of being callous; hoof
**camalote**  a South-American river plant resembling a floating island
**camarín**  place behind an altar where the images are dressed and the ornaments kept
**cambiante**  iridescent
**cambujo**  half-breed (*Chinese and Indian*)
**campanario**  bell tower
**campanilleo**  ringing
**campar**  to excel, stand out; to camp
**campero**  in the open, unsheltered
**campestre**  country
**campiña**  countryside
**camposanto**  cemetery
**can**  dog

**cana**  white hair
**canalla**  riffraff
**canallocracia**  rule of the rabble
**canapé**  bed; settee
**cancel**  storm door; folding screen
**cancela**  front door grating or screen
**candente**  burning
**cándido**  simple, guileless; white, snowy
**candor**  pure whiteness
**canela**  cinnamon
**canícula**  dog days
**cano**  white
**canoro**  singing
**canoso**  gray-haired
**cantarín**  singing merrily
**cántaro**  jug
**cantera**  quarry, stone; talent
**cañada**  gully, gulch
**caoba**  mahogany (*tree*)
**capataz**  overseer
**capota**  bonnet
**capucha**  hood, cowl
**capullo**  cocoon
**capuz**  hooded cloak
**cara: de —**  face up, facing the sun
**caracol**  snail; conch shell
**caramillo**  small flute
**carbonario**  coaldealer
**carboniento**  black
**carbunclo**  carbuncle, garnet; sometimes used for ruby
**carcaj**  quiver
**carcajada**  outburst of laughter
**cárcel**  jail
**carcelero**  jailer, warden
**carcoma**  dust made by wood borer
**carcomido**  worm-eaten
**cardal**  field full of thistles
**cárdeno**  purple, violet; gray
**cardo**  thistle
**cardón**  teasel
**careta**  mask
**caricia**  caress
**carmen**  summer house in Granada
**carmesí**  crimson
**carnicera**  carnivorous; bloodthirsty

carpintero  woodpecker

carrera  race

carreta  cart

carril  furrow; track

carrillo  cheek

carrizal  reed-grass

carrizo  common reed-grass field

carroza  large coach, superb state coach

casaca  dress coat

cascabelear  to feed with vain hopes

cascada  waterfall

cascado  broken

cascajo  gravel

cáscara  hull

casco  hoof; helmet; hull

casta  race, clan

castañeta  castanet

castañetear  to rattle the castanets

castañeteo  rattling of castanets

castaño  chestnut

casucho  shack

casulla  chasuble, vestment worn by priests

catre  bed

cauda  train or tail of a bishop's robe

caudal  wealth, abundance

caudaloso  carrying much water

cautela  caution, prudence

cautivo  captive, prisoner

cauto  cautious

cavar  to dig

caza  hunting

cazador  hunter

cazurro  sulky

ceder  to yield

cedro  cedar

céfiro  zephyr

ceja  eyebrow

cejar  to hesitate

cejijunto  having eyebrows that meet

celaje  view of the sky with clouds of varied hues; *pl.* swiftly moving clouds

celda  cell

celibato  celibacy

célico  celestial

celo  sex; *pl.* jealousy

celosía  slatted shutter

celoso  jealous

ceniza  ash

cenobiarca  founder of cenobites, monks or hermits

centella  flash (of *lightning*)

centelleante  sparkling, flashing

centellear  to sparkle, glimmer

ceñidor  sash

ceñir  to conform

ceñirse  to fit around the waist

ceño  frown

ceñudo  frowning, supercilious; gruff

cequín  sequin, ancient gold coin

cera  wax

cercenar  to cut down

cereza  cherry

cerner  to soar; to bud and blossom; to sift

cernirse  to threaten; to gather; to hang over

cerro  hill; peak

cerrojo: echar—  to lock

certamen  literary contest

certero  well-aimed, sure

certidumbre  certainty

cerúleo  blue

césped  turf, sod, grass

cesta  basket

cetro  sceptre

cibellino: marta—a  Siberian sable

cicuta  hemlock

cieno  mud

ciervo  deer

cierzo  cold north wind

cifrar  to write in cipher; —en to place (*one's hopes etc.*) on; to make (*a thing*) depend on; to control

cigarra  locust

cigarrón  grasshopper

cigüeña  stork

**cilicio** haircloth; hair shirt

**cima** summit, top

**cimera** crest

**cimiento** foundation

**cinabrio** cinnabar

**cincelar** to chisel, carve, engrave

**cinegético** related to hunting with dogs

**cinerario** ash-colored; ashy

**cinta** ribbon; sash

**cintillo** a ribbon used as headband

**cinto** belt, girdle; waist

**cintura** waist

**circuir** to circle, surround

**circundar** to surround, circle

**cirio** wax candle; thick and long wax taper

**cisne** swan

**clamoreo** repeated or prolonged clamor; knell

**clarear** to brighten

**clarín** clarion

**claudicante** limping

**claustral** claustral, cloistral

**claustro** cloister

**clava** club, cudgel

**clavar** to nail

**clave** clavichord

**clavel** carnation

**clavetear** to stud, trim with studs, gold or silver tacks

**clepsidra** water clock

**clin** mane; string of musical instrument

**cloaca** sewer

**cobertor** coverlet

**cobijar** to cover, shelter, protect

**cobre** copper; brass instruments

**cocuyo** fire beetle

**codiciar** to covet

**codicioso** greedy

**codo** elbow

**cofre** coffer, chest, trunk

**cojín** cushion

**cojinete** small cushion

**colcha** bedspread

**colchón** mattress

**colear** to wag (the tail)

**colegiala** schoolgirl

**cólera** anger, rage

**colgadura** festoon

**colina** hill, knoll

**colmado** abundant, copious

**colmar** to fill to overflowing

**colonia: agua de —** eau de cologne

**coloniaje** colonial period

**columpiar** to swing

**collado** height; hillock

**collar** necklace

**comarca** region

**comba** curvature, bulge

**combar** to bend, curve

**combo** bent, crooked

**comparecer** to appear (before a judge)

**compartir** to share; to divide

**compás** musical beat

**compendiar** to abridge, condense

**compota** compote, preserves, sauce (of fruit)

**compungido** grieved

**compungirse** to feel remorse

**comulgar** to take communion; to eat together

**concertar** to arrange

**conciliar** to reconcile

**concupiscencia** lust

**concurso** competition, contest

**concha** shell

**confiar** to trust

**confín** end; edge

**confundirse** to become confused; to fuse; to become mingled

**congelar** to congeal, freeze

**congoja** grief, anguish

**conjunto** whole, entirety

**conjuro** conjuration

**conmover** to touch; to disturb, agitate

**conseja** fairy tale

**consorcio** partnership

**consorte** companion

constancia  constancy
constelar  to cover; to sprinkle
consumido  emaciated
consumir  to consume; to waste away
consustanciación  consubstantiation
contera  chape of a scabbard
contorno  contour, outline
contristar  to sadden, grieve
contundente  (of a weapon or an act) producing contusion; impressing the mind deeply; forceful
conturbar  to upset, trouble
convite  invitation
copa  wineglass, goblet; treetop
copo  flake
copudo  tufted, abundant in foliage
coraje  anger
coraza  armor
corcel  steady horse, charger, steed
cordaje  rigging; cordage
cordillera  mountain range
cordura  prudence
corear  to accompany with a chorus
corintio  Corinthian
cornamenta  horns
corneja  crow
corona  wreath
coronar  to crown
corpiño  little body; bodice waist
corrido  ashamed
corteza  peel, skin, bark
cortijo  farmhouse
coruscar  to coruscate, gleam
corvo  curved
corza  roe deer
cosechar  to harvest
cosquilleo  tickling sensation
costa: a—de  at the expense of
costado  side
costeña  coastal, by the sea
cota  coat of mail
coturno  cothurnus, buskin

covacha  sleeping room under a stairway
coz  kick
crepitante  crackling
crepitar  to crackle
crepusculizar  to darken
crepúsculo  twilight
crespo  curly; crispy; angry, displeased, vexed
crespón  crape
cresta  crest (of mountain); —de gallo  cockscomb
creyente  believing; believer
crin  mane
crinado  maned, having long hair
crisma  ointment
crisol  crucible
crisolampo  golden flash
crispar  to cause to twitch
crispatura  twitching
cromo  picture
crótalo  castanet
cruenta  bloody
crujido  creak
crujiente  rustling, creaking
crujir  to creak
cuadro  field
cuajar  to embellish or decorate with too many ornaments
cuarteta  quatrain with the rhyme abba
cuba  cask
cubil  lair, den
cuca  cute
cuchichear  to whisper
cuenca  socket of the eye; deep valley; river basin
cuenco  hollow
cuentagotas  medicine dropper
cuento  tale; —azul  fairy tale
cuerda: dar—  to wind
cuerdo  prudent, wise; in his senses, not mad
cuerno  horn
cuero  leather
cuervo  crow

**cuestas: a—** on one's shoulders or back
**cuita** trouble, worry, sorrow
**cuitado** worried
**culebra** snake
**culebreo** wiggling, wriggling
**culpa** guilt
**cumbre** summit
**cuna** cradle
**cundir** to spread
**cuño** die for stamping coins
**cúpula** dome, vault
**cúspide** summit, peak (*of a mountain*)
**cutis** skin

**chacal** jackel
**chafar** to flatten
**chal** shawl
**chanza** jest, joke, fun; **en—** as a joke
**chaparral** thicket
**chapín** woman's clog with a cork sole
**charca** puddle
**charco** pool
**charretera** epaulet
**chasquear** to crack (*a whip*)
**chasquido** cracking sound; crack of a whip
**chicuela** little girl
**chillonamente** loudly (*of color*)
**chinerías** Chinese objects of art
**chinesco** Chinese
**chirigaita** kind of gourd
**chirriar** to crackle, creak
**chirrido** shrieking
**chis-chás** onomatopoeic word for the sound of a horse's hoofs on stony ground
**chispa** spark
**chispear** to spark, sparkle
**chisporrotear** to sputter; to spark
**chivo** kid, goat
**chocarse** to collide, strike
**choque** clash
**chorrear** to gush, spurt

**chorro** spurt, stream
**choza** hut
**chubasco** rainstorm
**chulo** rascal, knave
**chupar** to suck
**churumbela** reed instrument similar to an oboe

**dádiva** gift, present
**daga** dagger
**dardo** dart, arrow
**dársena** inner harbor, dock
**dátil** date
**decidor** of pleasant speech
**décimonomo** nineteenth
**dedal** thimble
**degollar** to cut in the throat; to kill, massacre
**degüello** massacre, slaughter
**deidad** deity
**dejativo** indolent
**dejo** aftertaste
**deleite** delight
**delicia** delight
**delito** crime, transgression
**demacrado** emaciated
**demencia** insanity
**demente** insane
**denunciar** to proclaim; to foretell
**deparar** to offer, afford, furnish, present
**deponer** to set aside
**depurarse** to be cleansed
**derechura: en—** directly
**derretir** to melt, fuse
**derribo** shower
**derroche** waste, squandering
**derrumbar** to crumble
**desabrochar** to unfasten; to burst forth into
**desafiante** defying
**desafío** challenge
**desalado** wingless
**desaliento** dismay, depression
**desamparo** helplessness
**desangre** copious bleeding

**desapercibido**  unnoticed

**desasistir**  to forsake, abandon

**desborde**  overflowing; dissipation

**descalzo**  barefoot

**descargar**  to land a blow

**descaro**  impudence

**desceñir**  to ungird

**descerrajar**  to shoot

**desclavar**  to unnail; to free one-self

**descollar**  to stand out

**desconchado**  chipped

**desconfianza**  distrust

**descornado**  dehorned

**descotar**  to cut low in the neck

**descuajar**  to uproot

**desdentado**  toothless; broken

**desdeñoso**  disdainful

**desdoro**  blemish, stigma

**desecar**  to desiccate, to dry; drain

**desecho**  debris

**desembocadura**  mouth (*of a river*); channel (*between islands*)

**desembocar**  to flow (*into*)

**desempeñar**  to play (*a part*)

**desengaño**  disillusionment

**desenredar**  to disentangle

**desenroscarse**  to untwist

**desenvolverse**  to unroll

**desfalleciente**  pinning, languish-ing

**desfile**  marching in review, parade

**desflecar**  to destroy; to blow away like flakes; to blur; to streak; to pull off one by one the threads of a fringe

**desfloración**  withering

**desfondar**  to break or cut the bottom of

**desgaire**  scornful attitude

**desgajar**  to tear off; to disjoint

**desgarrar**  to rip, tear away, tear open

**desgaste**  wear

**desgranar**  to thrash; to scatter about (*as beads*)

**deshojamiento**  falling of the petals of a flower

**deshojar**  to pluck off or pick the petals or leaves

**deshora: a—**  inopportunely; with-out preparation

**desjarretar**  to hamstring

**desliar**  to untie, loose, unpack

**desligar**  to disentangle

**desliz**  slip

**deslizar**  to slip

**deslizarse**  to flow

**deslumbramiento**  dazzlement

**deslumbrante**  dazzling

**deslumbrar**  to dazzle; to puzzle, bewilder

**desmayar**  to faint

**desmayo**  swoon, fainting; dismay

**desmedido**  excessive

**desmedro**  disadvantage

**desmelenado**  disheveled

**desmesuradamente**  disproportion-ately, excessively

**desmoronar**  to destroy little by little; to decay, crumble

**desnudar**  to undress

**desnudez**  nakedness

**desollar**  to flay, skin

**desparramar**  to spread

**despecho: a—**  despite, in spite of

**despedir**  to emit, send forth

**despegarse**  to separate

**despego**  aversion

**despeñar**  to hurl over a cliff

**despeñarse**  to plunge

**desperdicio**  waste

**desperezarse**  to    stretch    one's limbs

**despilfarrar**  to squander

**desplante**  injudicious    action    or speech

**desplegar**  to spread, lay out, un-fold

**desplome**  crumbling

**despojar**  to strip, divest

**despojarse**  to take off (*as a coat*)

**despojo** victim

**despreciar** to despise, scorn

**desprecio** disdain, scorn, contempt; slight

**desprenderse** to come forth

**desprestigiado** having lost one's reputation, in bad repute

**despuntar** to blunt

**desque** since

**desquite** revenge

**destacarse** to stand out

**destello** flash

**desteñir** to discolor

**destreza** dexterity, skill; nimbleness

**destroncar** to truncate; to cut in pieces; to maim

**desvalido** helpless, destitute

**desvanecerse** to vanish, disappear

**desvarío** delirium

**desvelo** vigilance

**desventura** misfortune

**detonar** to flash

**devanar** to writhe with pain

**devaneo** raving; loafing

**diafanidad** translucency

**diapasón** tuning fork

**dibujarse** to outline itself or oneself; to appear

**difundir** to spread

**dilatarse** to expand, grow, spread

**dique** dam, dike; check, stop

**discurrir** to think

**diseño** sketch, outline; portrayal, description

**disfrazar** to disguise

**disfrutar** to enjoy

**disonar** to be discordant, lack harmony

**displicente** ill-humored, peevish

**divagar** to roam

**divinizar** to deify

**divisa** heraldic device; emblem

**divisar** to descry at a distance, perceive indistinctly

**divo** godlike, divine

**do** *poet.* where

**doble** toll, knell

**doblegar** to bend

**doblez** crease

**dogal** hangman's rope

**dolerse:** —**de** to complain about

**doliente** sorrowful; painful

**domar** to tame; to subdue

**dombo** dome

**domeñar** to tame

**dominical** pertaining to Sunday

**don** gift; ability

**doncel** young knight

**dorado** gilded

**dorar** to gild

**dormitar** to doze, nap

**dorso** back

**dosel** canopy

**dril** strong cloth; drill

**ducho** skillful

**duelo** grief

**duende** goblin

**duna** dune

**dúo** duet

**duraznero** peach tree

**ebrio** intoxicated, drunk

**ebúrneo** ivory

**ecuánime** calm, serene

**ecuménico** ecumenic or ecumenical

**echar:** —**cerrojo** to lock; —**encima** to put on one's shoulders; —**flor** to bloom; —**al galope** to urge a horse to gallop; —**raíces** to put down roots, take root

**edénico** of Eden

**efebo** youth

**eficaz** effective

**efluviar** to fill up

**egregio** distinguished, eminent

**elegir** to select, choose

**elenco** list; group

**embajada** diplomatic mission

**embargar** to impede, restrain

**embarque** shipment; voyage

**embate**  impetuous attack
**embeleso**  delight
**emblanquecer**  to bleach or whiten
**emblanquecerse**  to become white
**emboscada**  ambush
**embotar**  to dull
**embozo**  muffler, part of cloak held over the face
**embriagador**  intoxicating
**embriagante**  intoxicating
**embriagarse**  to become intoxicated
**embriaguez**  intoxication
**embridar**  to bridle
**embustero**  lying
**embutido**  constrained
**empañar**  to tarnish, sully, blur
**empapar**  to saturate, soak
**empavesar**  to bedeck with flags or bunting
**empedernido**  hardened, hard-hearted
**empeñarse**  to persist in
**empeño**  determination
**empero**  nevertheless
**empinarse**  to stand on tiptoe
**empolvar**  to cover with dust
**empollar**  to brood; hatch
**emprender**  to undertake
**empuñar**  to hold in one's hand
**empurpurar**  to make purple
**enagua**  petticoat
**enajenado**  enraptured
**enajenar**  to alienate
**enalbar**  to make white-hot in a forge
**enano**  dwarf; dwarfish, small
**enarcar**  to arch
**enardecer**  to inflame, excite
**enarenar**  to mix
**enastado**  horned
**encajar**  to insert
**encaje**  lace
**encallar**  to run aground
**encanallar**  to corrupt, deprave
**encanecer**  to grow gray-haired

**encanto**  enchantment, charm
**encapricharse**  to persist in one's whims
**encaramado**  elevated; extolled
**encarcelar**  to imprison
**encarnado**  red
**encarnar**  to incarnate; to embody
**encascabelar**  to adorn with bells
**encastillarse**  to shut oneself up in a castle; to be unyielding
**encendido**  bright, high-colored
**encina**  evergreen oak
**enclenque**  weak, feeble
**encono**  rancor, ill will
**encorvar**  to curve, bend
**encorvarse**  to bend over
**encrespar**  to curl; to stir up
**encumbrar**  to elevate
**encharcado**  spotted; splashed
**endecha**  dirge
**enderezar**  to take (*a route*)
**endiosar**  to deify
**endriago**  fabulous monster
**endurecido**  obdurate
**enervante**  enervating
**enfilar**  to line up; to string (*e.g., pearls*)
**enflaquecerse**  to get thin
**enflorar**  to flower; adorn
**engalanar**  to adorn, bedeck
**engarzar**  to link; to set (*precious stones*)
**engendrar**  to beget
**engendro**  fetus
**engreír**  to encourage the conceit of (*someone*), make vain
**engullir**  to gulp down; to swallow
**enhiesto**  erect
**enjambre**  swarm
**enjaular**  to jail, imprison
**enjugarse**  to rinse, rinse out
**enjuto**  dry
**enlace**  connection; link
**enlazar**  to bind
**enlutar**  to dress in mourning
**enmudecer**  to hush, silence

**ennegrecer** to blacken

**enramada** bower, arbor; grove

**enredadera** vine

**enredarse** to get entangled

**enredo** tangle, entanglement; complication; mischievous lie

**enroscar** to twine, twist, coil

**ensalmar** to heal

**ensangrentar** to stain with blood

**ensayar** to try out, attempt

**ensayo** attempt

**enseñorear** to lord, domineer

**ensimismar** to lose oneself, become absorbed in thought

**ensoberbecido** prideful, haughty

**ensortijar** to form ringlets

**ensueño** dream

**entenebrido** dark

**enterrador** gravedigger

**entibiarse** to cool down; to slacken

**entonar** to sing

**entorchar** to wreathe or twine with silk

**entornar** to half-close

**entorpecer** to benumb, stupefy

**entrañable** deep-felt

**entrañar** to contain

**entrañas** entrails; *fig.* heart

**entreabrir** to half-open

**entrecejo** space between eyebrows; frowning

**entrelazar** to interlace

**entrever** to see imperfectly

**entrevero** scuffle

**entrevisto** hard to see in the distance

**entronizar** to enthrone; to exalt

**entumecido** numb

**entumir** to make numb

**enturbiar** to obscure

**envejecerse** to grow old

**envenenar** to poison

**envidiar** to envy

**envión** push, shove

**envolver** to wrap, make up into a bundle

**epilepsiar** to shake epileptically

**epónimo** native

**era** threshing floor

**eremita** hermit, recluse

**erguido** erect

**erguir** to erect, set up straight

**erguirse** to straighten up

**erial** uncultivated land

**erigir** to erect, raise

**erizar** to set on end, bristle

**ermitaño** hermit

**errabundo** roaming

**errante** roaming, wandering

**errar** to wander; to err

**esbeltez** gracefulness

**esbelto** graceful; slender

**escala** ladder

**escalar** to climb

**escaldar** to scald

**escalera** stairway

**escalofrío** chill

**escama** scale

**escanciar** to pour, serve (*wine*)

**escape: al—** at full speed

**escarabajo** bug

**escarbar** to pry into

**escarcha** frost

**escarmiento** warning, lesson

**escintilar** to scintillate, twinkle, gleam

**esclavitud** slavery

**esclavo** slave

**escocer** to sting

**escombrar** to clear of rubbish

**escombros** debris, rubbish

**escondite: jugar al—** to play hide and seek

**escondrijo** hiding place

**escopeta** shotgun

**escoplo** chisel

**escote** low neckline, décolleté; tucker

**escuálido** weak, languid; squalid, filthy

**escudo** shield

**escudriñar** to scrutinize

**escueto** disengaged, free from encumbrances; solitary, uninhabited

**esculpir** to carve

**escupir** to spit

**esdrújulo** proparoxytonic; dactylic verse

**esfinge** sphinx

**esfumarse** to disappear, fade away

**esfumino** shading stump or crayon used by artists to tone down or soften the colors

**esgrimir** to wield (*a weapon*)

**eslabón** chain link

**esmaltar** to enamel, adorn

**esmerado** careful, painstaking

**esmerarse** to endeavor, strive to

**esmero** correctness, accuracy

**espadín** rapier

**espalda** back

**espantable** frightful

**espantar** to frighten

**espanto** fright

**esparcir** to spread

**especioso** seductive; deceiving

**espectro** phantom, ghost

**espejeante** shining

**espejismo** mirage; illusion

**espejo** mirror

**espeluznar** to set the hair on end (*from fright*)

**espesar** to thicken

**espeso** thick

**espesura** thicket

**espiar** to spy

**espiga** corn tassel

**espina** thorn

**espinazo** backbone

**espino** hawthorn

**espira** spire; surbase (*of a pedestal*)

**esplín** spleen, melancholia, the blues

**espolear** to spur on

**esponjar** to puff up

**espuela** spur

**espuma** foam

**espumante** foaming

**espumar** to froth, foam

**esquife** skiff

**esquila** whirligig beetle; prawn; small bell

**esquilón** small bell

**esquivar** to avoid, shun

**esquivez** aloofness; gruffness; scorn

**esquivo** gruff

**estación** season

**estallar** to burst, explode; to sound

**estampido** report of a gun

**estancia** dwelling

**estandarte** banner

**estanque** pond

**estañar** to tin-plate

**estaño** tin

**estela** wake (*of ship*); trail (*of a heavenly body*)

**estepa** barren plain

**estera** matting, mat

**estertor** rattle in the throat; — **postrero** death rattle

**estiércol** dirt; manure

**estío** summer

**estirar** to stretch

**estirpe** lineage

**estocada** thrust with a rapier

**estorbar** to hinder

**estrado** drawing room; dais for a throne

**estragar** to deprave

**estrago** havoc, ruin

**estrangular** to strangle

**estrechar** to press; to hug

**estrellado** starred, starry

**estremecer** to tremble

**estremecimiento** trembling, shaking

**estrenar** to wear for the first time

**estribar** to rest on

**estribillo** refrain

**estrofa** stanza

**estruendo** fame; crash; uproar

estrujar   to squeeze
estuche   box, case
estufa   stove
estulto   silly
euritmia   eurythmy   (*harmonious proportion or movement*)
evidenciar   to find out
exagerar   to exaggerate
exangüe   weak
excelso   lofty, elevated
excidio   death, devastation, destruction
execrar   to curse
exento   free
exhalar   to emit
exigua   small
eximio   famous, most excellent
exprimir   to squeeze
ex profeso   on purpose
extasiar   to put into ecstasy
extenuado   emaciated, wasted
extraviarse   to get lost
extravío   roaming; going astray

fábula   fable
facón   short and curving sword
faena   task, job, chore, toil
falacia   deceit
falange   array (*of people*); army
falerno   *Ital.* Roman wine
falsete   falsetto voice
falsía   falsehood, lie; deceit
falso: puerta—a   back door, side door
fallecer   to die
fallido   deceived; disappointed; frustrated
fallo   verdict
famélico   famished, starving
fanfarria   swagger, bluster
fango   mud
fantasear   to cause to imagine
faro   lighthouse; beacon
farol   lantern
fastidio   boredom
fastuoso   pompous; magnificent

fatuo   conceited
fauces   gullet
fausto   magnificence
faya   faille (*silk cloth*)
faz   face
febeo   Phoebean, of the sun
febril   feverish
fecundar   to fertilize
felpa   plush
felpudo   plushy
fenecer   to finish, conclude; to die
fénico   carbolic
férreo   made of iron
festín   feast, banquet
fétido   foul
fijo   son
filo   cutting edge
filón   vein
filtro   philter, love potion
finar   to conclude, finish
flacucho   thinnish
flagrar   to blaze
flamante   flaming, bright, resplendent
flamear   to flutter
flamenco   Flemish; flamingo
flanco   flank
flautista   flutist
flébil   sad; deplorable
fleco   fringe
flecha   arrow
flor: —y nata   the cream of, the best of society
floración   flowering
florecer   to flower, blossom
floresta   wooded field, forest
florestal   of a wooded field; of a delightful rural place
florido   full of flowers, in bloom; choice, select
florilegio   collection of literary gems
foca   seal
foco   center
fogón   hearth, fireside
fogosidad   fieriness

fogoso   fiery, spirited
folletín   serial story in a newspaper
fondo   background; hole
fontana   spring
forastero   outsider, stranger
forcejear   to struggle
forjar   to forge
fornido   robust, stout
foro   rear
fosa   grave; hole
fosco   cross
foso   pit, hole
frac   full-dress coat, tails
fracasar   to fail
fragor   noise, clamor, crash
fragoso   rough, uneven; brambly
fragua   forge
fraguar   to forge, hammer out
frangollar   to bungle, dash off; to do hurriedly
franja   strip (*of land*)
freír   to fry or dress in a frying pan
frenético   fanatic, mad, frantic
freno   bridle or bit; restraint, control
fresa   strawberry
fresca: en la—   in the cool of the morning
frescal   slightly salted
fresno   ash tree
friolento   chilly
fronda   leafy part of plants or trees; *pl.* foliage
frondosidad   leafy foliage
frontón   wall or court used in a Basque ball game
frote   rubbing
frufrú   rustle
fruncir   to pucker
fuego: —de artificio   fireworks
fuelle   bellows
fuente   fountain
fuetazo   lash
fuga   flight; fugue (*musical composition*)
fugar   to flee
fugaz   fleeting; fugitive

fulgente   resplendent
fúlgido   bright, shining
fulgir   to shine
fulgor   brilliance
fulgurar   to flash; to shine with brilliance
fulminar   to hurl forth
fulmíneo   fulminous
fundir   to smelt
fúnebre   funeral
funesto   ill-fated
furtivo   clandestine, sneaky
fusta   whiplash; coachman's whip

gabinete   boudoir
gacho   turned down
gajo   branch; slice (of an orange or other fruits)
gala: de—   full-dress; —s   finery
galanteo   courting, flirting
galera   galley
galope: a—   hurriedly
gallardete   pennant
gallardo   graceful; brave
gallego   Galician
gallina   hen
gallo   dude
gama   doe; gamut
ganado   cattle, livestock
gangosa   nasal
gangueo   nasal twang
garbo   grave, elegant carriage, jauntiness; fine shape
garboso   jaunty, elegant
garfio   hook; gaff
garganta   throat, gullet; neck
garra   claw
garzón   lad
garzul   variety of wheat (*spelt*); bright golden color
gasa   gauze
gavilla   gavel or sheaf
gaviota   gull
gavota   gavotte, a French dance
gema   gem
gemebundo   moaning

**gemela** twin
**gemir** to moan
**genio** genius; temperament, nature, disposition
**gerifalte** gyrfalcon
**germen** germ; seed
**giboso** humpbacked
**girar** to spin, twirl
**giro** turn
**gladio** sword
**glauco** light green
**glincina** ornamental wild plant with abundant violet or bluish flowers; Chinese wisteria
**glorieta** summerhouse, bower, arbor
**gluglú** gurgling
**gluglutante** gurgling
**goce** enjoyment
**gola** gorget
**goleta** schooner
**golilla** ruff
**golondrina** swallow
**goloso** sweet-toothed; greedy
**gomoso** dandy
**gongorino** euphuistic
**gorja** joy
**gorjear** to warble, sing
**gorra** cap
**gorrión** sparrow
**gota** drop
**gozque** little yapper (*dog*)
**grabar** to engrave
**grácil** thin, slender, graceful
**grama** Bermuda grass
**grana** red, scarlet
**granada** pomegranate
**granado** select, distinguished
**granizo** hail
**grávido** gravid; *poet.* full, loaded, abundant; **—a** pregnant woman
**graznido** caw
**greña** tangled mop of hair
**greñudo** shock-headed; dishevelled

**grey** flock
**grieta** crevice
**grifo** curly, tangled
**grillo** cricket; **—s** fetters, shackles
**grima** annoyance
**griseta** grisette or lively French girl of the working class
**gro** grosgrain
**grosero** coarse, crude; rude; stupid
**grueso** thick, bulky, heavy
**grulla** crane
**grumete** cabin boy
**grumo** dripping
**gruñir** to growl; to creak
**gruta** grotto, cave
**guadaña** scythe
**gualda** weld (*golden*)
**guardapelo** locket
**guarida** den
**guarnido** adorned
**guedeja** long lock of hair
**guerrero** warrior
**guiar** to guide
**guija** pebble, gravel
**guijarro** large pebble
**guinda** cherry
**guiñapo** tatter
**guiñar** to wink
**guiño** wink
**guirnalda** garland
**gusano** worm
**guturación** guttural sounds

**ha** ago
**hábil** skillful
**hacendoso** industrious
**hacer: —alarde de** to make a show of, boast of
**hacerse: —lenguas** to speak in praise
**hacinar** to pile
**hacha** firebrand
**hachón** large torch
**hada** fairy
**halagador** pleasant, flattering
**halagar** to cajole, flatter; to coax

**gresca** clamor, uproar; quarrel, row

halagüeño alluring, attractive, promising; flattering
halcón hawk
hálito breath
hamaca hammock
hambreado hungry
hambriento hungry
hampa vagrancy, rowdyism
haragán idle, slothful, indolent
harapo rag
harnero sieve
harto full
hastío boredom
haya beech tree
haz bunch, bundle; file, row
hazaña deed, feat, exploit
hebra thread
hechizo charm
hedor stench
helar to freeze
helecho fern
hembra female
heme here I am; lo and behold
henchir to fill
hender to cleave, cut
heredad property, estate; inheritance
heredero heir
herencia heritage
herrero blacksmith
herrumbrado rusty
herrumbroso rusty, rusted
hervoroso fiery
hetaíra Greek courtesan, a female paramour
hez bottom, dregs of liquors, sediment
hidra poisonous serpent; hydra
hiedra ivy
hiel bile, bitterness
higo fig
higuera fig tree
hijosdalgo nobleman
hilar to spin; to conjecture
hilo thread
hincarse to kneel

hinchar to swell
hinojo fennel; de—s kneeling
hipsipila butterfly
hirsuto hirsute, hairy, bristly; rough
hisopo aspergillum, hyssop; a brush or perforated globe used for sprinkling holy water
hoc signum *Lat.* this sign
hogaza large loaf of bread
hoguera bonfire, blaze
hojoso leafy
holgarse to rejoice; to be amused
hollar to trample, tread upon
honda sling; slingshot
hondero slinger
hondo deep
hora: en altas—s late at night or early in the morning
hornalla large oven
horno oven, furnace
hortensia hydrangea
hortera wooden bowl
hosco gloomy
hospedaje lodging
hostigar to drive; to harass, pester; to lash
hoyuelo dimple
hoz sickle
hueco hollow, empty; space corner
huella trace; track
huérfano orphan
huerto orchard
huesa grave
hueste host, army
hullera coal mine
humareda cloud of smoke
humeante smoky
humedecer to moisten, dampen
humo smoke; tener—s to put on airs
hundir to submerge, sink
huraño diffident, unsociable, shy
hurgar to poke
hurí a nymph of the Mohammedan paradise

**huronera**  ferret hole; lair, hiding place
**hurtar**  to steal
**hurtarse**  to steal away; to hide oneself
**husmear**  to scent, smell
**huso**  spindle
**huyente**  fleeing, fleeting

**ignaro**  ignorant
**ignoto**  unknown
**ijar**  flank (*of an animal*)
**ileso**  unharmed
**iluso**  visionary
**imán**  magnet
**impasible**  not to be moved or touched, unfeeling
**impávido**  intrepid, fearless, dauntless
**imperar**  to rule, reign, command
**impertérrito**  dauntless
**implume**  featherless
**imprevisto**  unforeseen, unexpected
**imprimir**  to print, impress; to fix in the mind
**impúdico**  immodest
**impune**  unpunished
**inacabable**  everlasting
**inanimarse**  to become lifeless
**inasible**  hard or impossible to grasp
**inaudito**  unheard-of, strange, unexpected
**incendiar**  to set on fire
**incensario**  thurible
**incólume**  sound, safe, unharmed
**inconsútil**  seamless
**increpar**  to reprimand
**inculto**  wild
**incuria**  negligence
**indecible**  unutterable, indescribable
**indemne**  undamaged
**índole**  class, kind, nature
**indumentaria**  clothing, garb

**inefable**  silent, mute, unutterable
**inenarrable**  inexpressible, untold
**inerme**  defenseless
**infausto**  unlucky; fatal
**infecto**  corrupt; foul
**infecundo**  sterile
**infernar**  to damn; to vex, irritate
**inflarse**  to swell up
**influjo**  influence
**infortunio**  misfortune
**ingente**  very large, huge
**ingenuo**  naïve, open, candid
**injuria**  offense
**injuriar**  to insult
**inmundo**  unclean, filthy
**inmutarse**  to change countenance
**inquebrantable**  unbreakable
**inquerida**  unloved
**inquietar**  to disturb
**inquina**  aversion, hatred, grudge
**insidia**  ambush
**insigne**  famous, renowned
**insólito**  unusual
**insomne**  sleepless
**insondable**  unfathomable, inscrutable
**integrante**  member
**intentar**  to try, attempt
**internar**  to enter, penetrate
**intus**  within, on the inside
**invernadero**  hothouse
**inverosímil**  improbable
**invicto**  unconquered
**ir: — acorde**  to agree
**iracundo**  wrathful
**irisar**  to be iridescent
**irrefrenable**  irrepressible
**irrumpir**  to burst in
**islote**  small barren island; key
**izar**  to hoist, heave, haul up

**jabalí**  wild boar
**jadeante**  panting
**japonerías**  Japanese objects of art
**jaqueca**  headache
**jarabe**  syrup

jardinera  basket carriage
jarocho  from Veracruz
jarra  jar, pitcher
jaspear  to speckle
jaula  cage
jilguero  goldfinch
jirón  shred, tatter
jocoserio  half serious, half ludi-
crous
jonio  Ionian, Ionic
jornada  one-day march; working
day
jornal  daily wages
joya  jewel
joyador  jeweler
joyante  glossy
joyel  small jewel
joyero  jeweler
júbilo  joy
jubón  doublet, jacket
jugar: —a cara o (a) cruz  to gamble,
stake; —al escondite  to play
hide and seek
juglaresco  of minstrels and jong-
leurs
juguete  toy
juguetón  playful
jumento  donkey
juncal  growth of rushes
junco  bulrush
jupiterino  pertaining to Jupiter
juramento  oath, curse
justiciero  just
justillo  waistcoat, jerkin

labrador  peasant
labrar  to carve
labriego  rustic, peasant, farmer
laca  wood coated with lacquer;
lacquer objects
lacayo  lackey
lácteo  milky
ladera  side, slope, hillside
ladino  sly, cunning, crafty; fluent
ladrar  to bark
lágrima  tear

laico  laic, of or pertaining to the
laity
lama  sea lettuce
lamer  to lick, lap; to touch slightly
lámina  metal sheet
lampiño  hairless, beardless
lampo  flash of light; refulgence
lana  wool
lance  episode,  incident;  affair;
play
langosta  locust
lanudo  woolly, fleecy
lápida  tablet, gravestone
lascivia  lust
lastimar  to hurt, injure
lastimero  mournful
latido  throb (of the heart)
latigazo  lash, whipping; crack of a
whip
látigo  whip
latir  to beat
laúd  lute
lauro  laurel; glory, honor
lazarillo  blind person's guide
lazo  knot like the one of a bow tie
lebrel  greyhound
lecho  bed
ledo  gay, cheerful
légamo  slime, ooze
legar  to bequeath
lejanía  remote place
lejía  lye; dressing down, rebuke
lentejuela  spangle, sequin
lentitud  slowness
leña  firewood
leonado  tawny
leonino  lionlike; a leprous affec-
tion
letal  mortal, deadly
leve  slight, light
liana  liana (climbing plant growing in tropical rain forests)
libar  to taste; to suck
libélula  dragonfly
liberto  freedman
librar  to free

**lid**  fight, combat
**lidia**  battle, fight, contest
**liebre**  hare
**lied**  German lyric
**lienzo**  linen
**liga**  alloy
**ligadura**  binding
**ligar**  to link
**lila**  lilac color, light lavender
**lilial**  lilac color
**lima**  file
**limar**  to polish; to touch up
**limosna**  alms
**linde**  limit, boundary
**linfa**  water, liquid
**lino**  linen
**liquen**  lichen
**lirio**  iris; lily
**liróforo**  lyre-bearer
**lis: flor de —**  fleur-de-lis; lily
**liso**  smooth, even
**lisonja**  flattery
**liviano**  inconstant, fickle; lewd
**liza**  jousting field
**lobo**  wolf
**lóbrego**  gloomy
**lobreguez**  obscurity, darkness
**lóbulo**  lobe
**lodo**  mud
**lodoso**  muddy
**loma**  low and long hill
**lomo**  back of an animal
**lona**  canvas
**loor**  praise
**loquear**  to talk nonsense
**loro**  parrot
**losa**  slab; gravestone; grave
**lozanía**  verdure, luxuriance
**lozano**  luxuriant; fresh, brisk
**lucero**  morning or evening star
**luciente**  dashing
**luciérnaga**  firefly
**lucir**  to shine
**lucrar**  to profit
**luchar**  to fight, struggle
**luengo**  long

**lugareño**  belonging to a village
**lúgubre**  sad, gloomy, lugubrious
**lujo**  luxury
**lujoso**  luxuriant
**lujurioso**  lustful
**lumbre**  light; fire
**lunar**  lunar; mole, beauty spot
**lustrar**  to shine, polish
**lustro**  lustrum, period of five years; lamp, chandelier
**luto: de —**  in mourning

**llagar**  to wound
**llama**  flame
**llamamiento**  call; divine inspiration
**llano**  plain
**llanto**  crying, weeping
**llanura**  prairie
**llavero**  key ring
**lleno: de —**  entirely; hard
**lloro**  weeping
**llovizna**  drizzle
**lluvia**  rain
**lluvioso**  rainy

**macabro**  ugly, hideous
**macareno**  bragging, boasting; gaudily dressed in Andalusian garb
**macilento**  wan
**macizo**  solid; massive
**mácula**  blemish
**machacar**  to pound
**macho**  male
**madero**  log
**madrigalizar**  to compose madrigals
**madrina**  godmother
**madrugada**  dawn
**madrugador**  early riser
**madrugar**  to get up early
**magnificar**  to extol
**mago**  wizard, magician
**maizal**  cornfield
**maja**  pretty and gay common woman gaudily attired in flashy clothes

majada   flock

maldecir   to curse

maledicencia   slander, calumny

maleza   weeds; undergrowth

malograr   to spoil

malsín   evil gossip; troublemaker

malva   mallow, hollyhock

malla   network; meshwork, coat of mail

mallorquín   Majorcan

mamífero   mammalian

manantial   spring, source

mancebo   suitor; youth

mancilla   stain

mancillar   to blemish

manchar   to stain

mandíbula   jawbone, jaw

mandoble   two-handed blow with a sword

mandrágora   mandrake

manga   sleeve; —ancha unscrupulous

manicomio   insane asylum

maniobrar   to work with the hands; to maneuver

manjar   exquisite food

manojo   handful, bunch (of flowers)

manola   Madrilenian girl of low class, loud in dress and manners

manso   meek

manta   large shawl

manto   cloak

mantón   shawl

manzanilla   white sherry, wine from Andalusia, Spain

maraña   jungle; tangle, entanglement

marasmo   dullness

marbete   label

marco   frame

marchitar   to wither

marchito   withered, languid

marfil   ivory

marfileño   ivory-like

margarita   daisy

margen   border, edge

marinero   ready to sail; seaworthy, seagoing, staunch sailor

mariposa   butterfly

marisco   shellfish

mármol   marble

marmóreo   marble, marbled

marquesina   marquee, awning

marta cibellina   Siberian sable

martillar   to hammer

martillo   hammer

martirio   martyrdom, torture, grief

mascar   to chew

máscara   mask

mascarón   figurehead

mástil   mast

mastín   mastiff

matadura   sore, gall

mate   dull, lusterless

matinal   pertaining to the morning

matiz   hue

matorral   thicket, underbrush

matutino   pertaining to the morning

mayúscula   capital letter

maza   war club, mace

mecer   to stir, agitate; to swing

mecha   wick, fuse (of explosive); lock of hair

mechón   shock of hair

media   stocking

medio: ir a—a   to go halves

mediodía   midday; south

meditabundo   pensive, musing

medrar   to thrive

medroso   fearful, timid; dreadful, terrible

me fecit deus   Lat. God created me

mejilla   cheek

mejorana   sweet marjoram or mint

melena   long hair in men; strength

melenudo   shockheaded

melificar   to make honey (of bees)

melopea   recitation of a poem with music in the background

mellar   to nick, dent

membrudo   husky, burly

**mendigar**  to beg (*alms*)
**mendigo**  beggar
**mendrugo**  crumb
**menear**  to shake
**meneo**  wiggling
**menesteroso**  needy, indigent (*person*)
**menguante**  waning (*moon*)
**menoscabar**  to reduce, lessen, impair
**menospreciar**  to despise
**mensaje**  message
**mensajero**  messenger
**menta**  mint
**mentiroso**  lying; liar
**menudo**  tiny
**mercadante**  merchant
**merienda**  lunch, luncheon; light meal
**merodear**  to maraud
**meta**  goal, aim
**metralla**  grapeshot
**mezquinidad**  stinginess, meanness
**mezquino**  mean, stingy
**miedoso**  afraid, fearful
**miel**  honey
**mies**  grain
**miliunanochesco**  pertaining to *The Thousand and One Nights*
**millar**  thousand; a great many
**mimar**  to pet, fondle, indulge
**mimbre**  willow; twig, wicker
**mimbreral**  osiery (*kind of willow*)
**mimo**  fussiness
**minar**  to mine; to sap; to consume; to destroy
**mínimo**  minute, smallest
**ministril**  minstrel
**minúscula**  small letter
**mira**  object, target
**mirador**  bay window
**mirífico**  marvelous, wonderful
**mirlo**  blackbird
**mirra**  myrrh
**mirto**  myrtle
**miserere**  *Lat.* have mercy

**misericordia**  mercy, compassion
**mochila**  knapsack
**mocho**  shorn
**módico**  reasonable, economic
**modista**  dressmaker
**mohín**  face
**mohoso**  rusty
**mojar**  to wet
**moldura**  molding
**mole**  mass, bulk
**molicie**  softness
**molino**  mill
**mollera**  crown (*of head*)
**momia**  mummy
**mondar**  to clean
**monja**  nun
**monje**  monk
**montera**  huntress
**montículo**  hillock
**montón**  revolutionary band
**mora**  Moorish woman
**morada**  dwelling
**morado**  purple
**morbidez**  softness, mellowness
**mordedura**  bite
**mordida**  bite
**mordisco**  bite; biting
**moribundo**  dying
**morocha**  girl of dark complexion
**moroso**  slow, tardy
**morro**  knoll
**mortecino**  (*of an animal*) dying a natural death, (*also applied to the flesh of such an animal*); dying away or extinguishing; pale, subdued
**mortuorio**  funeral
**moruno**  Moorish (*apparel, riding gear, clothes, etc.*)
**mosco**  mosquito
**mosto**  must (*unfermented juice*)
**mozo**  youth
**muceta**  doctoral hood
**muchedumbre**  crowd
**mueca**  grimace, wry face
**muelle**  dock, pier, wharf; soft

mugriento   dirty
mullir   to fluff, make soft
muriente   dying
murmullo   murmur
murmurio   murmur
muro   wall
murrino   murrhine
mus   card game
musageta   lover of the Muses
muselina   muslin
musgo   moss
muslo   thigh
mustiarse   to become sad, gloomy or withered
mustio   withered
mutilo   mutilated, armless

nácar   mother-of-pearl
nacarado   like or made of mother-of-pearl
naciente   incipient; growing
nao   ship, vessel
nardo   spikenard
natal   native
naufragar   to be shipwrecked
naufragio   shipwreck
náufrago   shipwrecked person
nauta   seafaring man
nave   boat; church nave
navío   boat
nazareno   Nazarene; penitent in processions during Passion Week
neblina   mist, fog
necio   fool
nefasto   sad, ominous
nefelibata   dreamer; person who is near or lost in the clouds
negrura   darkness, blackness
negruzco   blackish
nelumbio   a species of lotus with large white or yellow flower
nelumbo   *See:* nelumbio
nepente   nepenthe, a potion or drug used by the ancients to drown pain and sorrow, hence anything causing oblivion

neto   pure
nevado   snowy
nictálope   nytalopic (*one who sees better at night than in the day*); powerful, penetrating
nido   nest
nihil   *Lat.* nothing
nimbar   to encircle with a halo
nimbo   halo
ninfea   white water lily
nítido   clear
níveo   snowy; white
nivoso   snowy
nopal   prickly pear
norma   standard, pattern, model
novicio   new, inexperienced, novice
núbil   marriageable
nublado   storm cloud; cloudy
nublar   to becloud; to obscure
nuca   nape
nudo   knot
nudoso   knotted, knotty
nuera   daughter-in-law
numen   inspiration; deity
nutrir   to nourish

ñusta   title of marriageable princesses, kind of vestal virgins in the court of Quechuan sovereigns

oarystis   Greek word meaning a conversation of lovers
óbice   obstacle, impediment
oblicuar   to slant
obrar   to act
obseder   to obsess
obsidiana   obsidian (*volcanic glass of black or dark green color*)
ocaso   sunset
ocio   leisure, idleness
ocre   ocher, brown or yellow earth
ocultar   to hide, conceal
odalisca   odalisque, female slave in a harem
ofenderse   to take offense

**ofrenda** religious offering, oblation, gift

**ofrendar** to make offerings to

**ofuscarse** to dazzle

**ojera** circle under the eye

**oleaje** rush of waves

**óleo** holy oil

**olfato** sense of smell

**olivar** olive grove

**oloroso** fragrant

**ondear** to wave, undulate

**ondina** undine

**opacarse** to become opaque

**opimo** abundant

**opio** opium

**opioso** opium-filled

**opreso** squeezed, pressed

**oprimir** to press

**oprobio** infamy

**óptimo** very good, best

**ora: ora ... ora** now . . . then

**orar** to pray

**órdago** harangue; war cry of ancient Catalans

**ordeñar** to milk

**orear** to dry by airing

**orfebre** goldsmith, silversmith

**orfeón** choral group or society; marching band

**oriflama** banner

**orilla** border; edge; bank

**orín** rust

**orinecida** rusted, rusty

**oriundo** native

**orla** edge

**orlar** to trim with or without a fringe

**ornado** ornate, decorated

**ornamentador** decorator

**ornar** to adorn

**oropéndola** golden oriole

**ortiga** nettle

**orto** rise of sun or star

**oruga** caterpillar

**osado** bold, daring

**osamenta** skeleton, bones

**osar** to dare

**ósculo** kiss

**oscurecer** dusk

**osezno** whelp or cub of a bear

**ostentar** to show, display; to show off, boast

**ostro** scarlet

**otear** to watch

**otero** hillock

**ovillo** ball of yarn

**pabellón** banner, flag

**pábilo (pabilo)** wick

**pacer** to graze

**padecer** to suffer

**paila** large pan

**paisaje** landscape

**paja** straw

**paje** page

**pajizo** straw-colored

**pajonal** coarse straw

**pala** blade (*of an oar*)

**paladino** public

**palanquín** covered litter

**palidecer** to become pale

**palidez** paleness, pallor

**palio** canopy

**palmar** palm grove

**palmera** palm tree

**paloma** dove

**palotear** to strike sticks against one another; to wrangle

**palpar** to fell, touch

**palurda** peasant girl

**pámpano** young vine branch or tendril

**panal** honeycomb

**pandero** tambourine

**panida** pertaining to Pan

**pantano** swamp

**pantera** panther

**pañolón** large shawl

**par** peer; **al—** at the same time; equally; **de—en—** wide open; **sin—** unequaled

**parabien** congratulation

**páramo** high barren plain

parco   scanty, sparing; moderate
parche   drumhead
parejo   equal, smooth
parir   to give birth to
parlanchín   chattering, jabbering
parpadear   to blink
parpadeo   winking, blinking
párpado   eyelid
parroquia   parish; village church; clientele
partir   to break
parva   piles of unthreshed grain
parvada   flock; abundance
pasamanería   lace
pasear   to show off
pasmar   to astound; to cause a spasm; to benumb
paso   softly; al— in passing; de— on passing; migratory
pastar   to pasture, graze
pastorela   shepherd's song
patán   peasant
patíbulo   scaffold
patraña   fake, humbug, hoax
patrio   native, native land
paulatino   slow, gradual
pauta   guide, standard, model; rulled staff
pavana   pavan or old Spanish dance, performed very slowly and stately
pavesa   embers
pávido   timid, fearful
pavo: —real   peacock
pavón   peacock
pavor   terror
payita   peasant girl
pax animae   Lat. peace to the soul
pebetero   perfume censer
peca   freckle
pecado   sin
pecador   sinner
pedernal   flint
pedrada   throw of a stone
pedregal   stony ground
pedrería   precious stones

pedrisco   hailstorm; shower of thrown stones
peinado   hairdo
peinador   dressing gown; dressing table
peine   comb
peineta   ornamental comb
pelaje   hide
peldaño   step (of stairs)
peluche   plush
penacho   crest, plume
pender   to hang
pendiente   hanging
péndola   pendulum
pendón   standard, banner
penoso   arduous
pentagrama   musical staff
penumbra   twilight
peña   rock, boulder, cliff
peñasco   large rock; crag
peñón   rock spire
percal   percale
percance   misfortune
percha   clothes tree
perdurable   enduring
perdurar   to last
peregrinar   to wander
peregrino   pilgrim; foreign; roaming, migratory; strange
perenne   perennial, perpetual
perfil   profile
perfilar   to outline
perforar   to perforate; to drill, bore
pergamino   parchment
perlado   pearly
perlar   to perform as perfectly as the perfect shape of a pearl; to sound like scattered pearls
persignarse   to cross oneself
perso   Persian
perteneciente   pertaining to, belonging to
pertinaz   persistent
pesadilla   nightmare
pesadumbre   sorrow, grief

**pesar** to weigh; to be heavy
**pesaroso** sorrowful, regretful; sorry, sad
**pescador** fisherman
**pescuezo** neck
**pestaña** eyelash
**petardo** firecracker
**petimetre** fop, coxcomb
**peto** breastplate
**petulante** insolent
**piadoso** pious
**piafar** to stamp (*horses*)
**piar** ˙to chirp
**pica** pike; goad
**picacho** sharp peak
**picante** piquant; racy
**picar** to sting
**pico** beak; a— steep
**picotazo** blow with the beak
**picotear** to strike with the beak
**pie: —de andaluz** graceful foot; **estar en—** to be pending or standing
**piel** skin
**piélago** high sea, sea
**pífano** fife
**pileta** fountain
**pimiento** pepper, black pepper
**pinar** pine grove
**piña** pineapple
**pincho** thorn, prickle
**pío: —pío** chirping
**piqueta** pick
**piratería** piracy
**pisada** footstep
**pisar** to step on, tread on, trample
**pitonisa** witch, sorceress
**placer** to please; *n.* pleasure
**plafondo** soffit
**plana** page
**plancha** sheet (*of metal*); slab
**plano: de—a—** from one end to the other
**plañidero** mournful
**plañido** lamentation, wailing, weeping

**plasmar** to mould, shape
**plata** silver
**platanar** plantation of plantains
**plateado** silverplated
**plática** conversation
**playa** beach
**plebe** mob
**plectro** plectrum; inspiration
**plegar** to plait, double
**plegaria** prayer
**plenilunio** full moon
**plenitud** abundance
**pliego** sheet (*of paper*)
**pliegue** fold
**plinto** plinth of a pillar
**plomizo** lead-colored
**plomo** lead
**plumero** feather duster
**plumón** down; pillow, cushion
**poblana** small town girl
**poblar** to fill
**poderío** power, might, dominion; riches
**podredumbre** corruption
**podrida** rotten
**policromia** many colors
**polilla** moth
**politono** having many tones
**polvareda** cloud of dust
**polvo** dust, powder
**pólvora** powder, gunpowder
**pollera** poultry yard; chicken coop
**pollino** donkey
**poma** apple
**pomo** hilt of a sword or dagger
**poniente** west; west wind
**ponte** sea
**popa** stern
**pordiosero** begging; beggar
**porfía** persistence
**porte** air; elegant bearing
**portento** prodigy, wonder
**portentoso** extraordinary
**porvenir** future
**pos: en—** behind, after
**posada** dwelling, lodging

**posar** to rest; to alight
**poseedor** possessor, owner
**postillón** postilion, postboy
**postizo** false
**postrarse** to prostrate, humble
**postrer** last
**potranca** young mare
**potrero** cattle ranch; field
**potro** colt
**pozo** well
**pradera** meadowland; large meadow
**prado** meadow
**precipitarse** to rush; to throw one-self headlong
**preclaro** famous
**pregonar** to proclaim
**preludiar** to play a prelude; to initiate
**premura** pressure, haste, urgency
**prendarse** to fall in love
**prendedor** brooch; bandeau
**prender** to unite; to take root
**prenderse** to catch hold of
**preñar** to make pregnant; to fill
**presagiar** to forebode
**presagio** omen
**presea** jewel, gem
**presenciar** to witness
**presentir** to have a presentiment of
**presidio** imprisonment
**preso** prisoner
**presteza** quickness, haste
**prestigiar** to accredit, sanction, glorify
**presuntuoso** presumptuous, con-ceited
**pretil** stone railing
**prevenir** to prepare; to avoid
**previsor** far-seeing
**prez** honor, glory, fame
**prima** treble (*string*), first string
**primicias** first fruits, beginnings
**primogénita** first-born
**primor** elegance

**primoroso** elegant, fine, exquisite
**priora** prioress
**prisma** prism
**proa** prow
**probar** to try, test; to prove; to taste
**procaz** impudent, bold, insolent
**proceder** to originate
**proceloso** stormy, tempestuous
**prócer** tall, lofty, elevated
**prodigar** to lavish; to squander, waste
**pródigo** abundant
**proeza** feat
**profanador** profaning, defiling
**profeso: ex—** on purpose
**prófugo** fugitive
**profundizar** to fathom
**promediar** to be half over
**promiscuar** to mix
**propíleo** vestibule
**prora** prow of a ship
**prorrumpir** to break forth, burst out
**prosapia** ancestry
**proscripto** person in exile
**proscrito** *see:* **proscripto**
**proseguir** to continue, proceed
**protervo** wanton, perverse
**proveniente** resulting, coming, originating
**provenir** to come, originate, rise
**provisión** food
**pschutt** attractive
**púber** pubescent
**pudoroso** pure, sinless, modest
**pudrir** to rot
**puerta: —falsa** backdoor, side door
**púgil** prize fighter, boxer
**pugnar** to struggle
**pujante** powerful, vigorous
**pujanza** might, vigor
**pulgada** inch
**pulir** to polish; to finish
**pulmón** lung
**pulsar** to touch lightly (*as a lyre*)

**pulular**   to multiply with great rapidity
**puntiagudo**   sharp-pointed
**punto**   moment
**puntuar**   to punctuate
**punzador**   prickly
**punzante**   sharp, barbed
**punzar**   to prick; to grieve
**punzó**   poppy-red, flaming red
**puñada**   punch, strike with the fist
**puñado**   handful
**puñal**   dagger
**puño**   hilt
**pupila**   pupil (*of eyes*)
**pureza**   pureness
**púrpura**   blood; deep red
**purpurar**   to purple
**purpúreo**   deep red
**purpurino**   red

**quebrantar**   to break
**quebranto**   deep sorrow
**quedo**   quietly
**quejumbre**   moan
**querella**   complaint
**querube**   cherub
**querubín**   cherub
**quicio**   front steps
**quietud**   stillness, calm
**quilla**   keel
**quimera**   dream, fancy; chimera
**quinta**   country seat, villa; manor-house
**quiosco**   kiosk, summerhouse
**quitasol**   parasol

**rabia**   wrath
**rabino**   rabbi
**rabioso**   enraged
**rabo**   tail (*of animal, especially quadruped*)
**racha**   gust of wind
**rada**   harbor
**radioso**   radiant
**raer**   to scrape
**ráfaga**   gust of wind

**raíz**   root
**rajar**   to rip
**ramaje**   foliage, branches
**ramillete**   bouquet
**ramo**   bouquet
**rapaz**   lad
**rapaza**   lass
**rapazuelo**   little boy
**rapiña**   robbery, plundering; **de—** of prey (*birds*)
**rapto**   rapture; abduction; faint, swoon
**raquítico**   rickety, feeble
**ras: a—de**   even with
**rasar**   to strike or level with a strickle, smooth off
**rasgar**   to tear, rip
**rasgo**   trait, feature
**rasguñar**   to scratch
**raso**   satin
**rastro**   trace
**rastrojo**   stubble
**raudal**   torrent; abundance
**raudo**   swift
**raya**   ray (*fine line*); stroke
**rayar**   to scratch
**realizar**   to fulfill
**realzar**   to raise, elevate; to heighten, enhance
**rebajar**   to reduce
**rebaño**   flock
**rebosar**   to overflow
**rebotar**   to rebound
**rebuscar**   to seek
**rebuznar**   to bray
**recamar**   to embroider in relief
**recatar**   to conceal
**recelo**   misgiving, fear, suspicion
**recinto**   abode
**recio**   strong; harsh; hard; heavy
**reclamo**   insistence
**recluir**   to seclude
**recodo**   spot (*bend, turn, twist*), nook
**recogerse**   to take shelter; to withdraw

**recogido**  modest; cloistered; moderate

**recogimiento**  concentration, abstraction

**recompensa**  reward

**recorrer**  to go over

**recorte: —s**  cuttings, trimmings, parings, clippings

**recostarse**  to recline, lean

**rechazar**  to repel, repulse, drive back

**rechinar**  to creak, grate; to gnash the teeth

**red**  net

**redil**  sheepfold

**redivivir**  to revive

**redondez**  roundness

**redondo**  round

**redor: en—**  roundabout

**reembolsar**  to reimburse

**refulgencia**  radiance

**refulgente**  radiant

**regalado**  gifted

**regalar**  to present, give as a present

**regalo**  present, gift

**regañón**  growler (-ing), grumbler (-ing); scolder (-ing)

**regar**  to sprinkle, water

**regazo**  lap

**regir**  to rule

**regocijar**  to gladden

**regocijo**  joy, gladness

**reguero**  trickle, drip; irrigating furrow

**rehusar**  to refuse, decline, reject

**reja**  grating; gate

**relamer**  to lick again

**relámpago**  flash of lightning

**relampagueante**  flashing

**relampaguear**  to flash, sparkle

**relente**  light drizzle

**relevar**  to point out; to emphasize

**relinchar**  to neigh

**relincho**  neigh; cry of joy

**relucir**  to shine

**relumbrante**  dazzling

**rellenar**  to refill, replenish; to cram, fill up

**remachar**  to clinch (*a driven nail*)

**rematar**  to be the end of

**remedar**  to imitate

**rememorar**  to remember

**remero**  rower

**remiendo**  patch; mending piece; darning

**remo**  oar

**remontarse**  to rise up

**remoque**  gibe, cut

**remordimiento**  remorse

**remover**  to disturb

**renacuajo**  tadpole

**rendir**  to subdue; to render; to bear witness

**renegar**  to deny, disown; detest

**renovarse**  to renew

**repecho**  short steep incline

**repentino**  sudden, unexpected

**repercutir**  to rebound, reverberate

**repicar**  to tap; to shake; to ring (*bells*)

**reposar**  to rest

**requebrar**  to flirt

**requerir**  to hold gently; to request; to examine

**resabio**  bad aftertaste

**resaltar**  to stand out

**resbalar**  to slide, slip, glide; to misstep

**rescaldar**  to heat, scorch

**rescoldo: al—**  in the embers

**reseda**  mignonette

**resguardar**  to shelter, shield

**resollar**  to breathe noisily (*as an animal*)

**resonar**  to resound

**resoplar**  to breathe audibly; to snort

**resorte**  motive

**responso**  responsory for the dead

**restañar**  to stop the flow of (*blood*)

**restar**  to return; to deduct

**restituir**  to restore

**restregar** to rub
**restringir** to restrict
**resuello** breath, breathing
**retablo** series of historical paintings or carvings
**retar** to challenge
**retardo** delay
**retemblar** to tremble
**retintín** ding-dong; jingle
**retoño** sprout, shoot
**retorcerse** to twist
**retostar** to toast again, toast brown
**retozar** to frisk and skip about, romp
**retratarse** to be reflected
**retumbar** to resound, rumble
**retumbo** resonance, loud noise, echo
**revenir** to come back
**reventar** to smash; to burst, explode
**reverdecer** to turn green again; to come to life again
**revés** reverse; setback; backhand stroke
**revestir** to dress
**revolar** to flutter
**revolverse** to turn against
**revuelo** flying around and around
**revuelto** restless
**rezagar** to leave behind; to fall behind, lag
**rezar** to pray
**rezo** prayer
**rezongar** to grumble, mutter, growl
**rezongo** grumbling, growling, muttering
**riachuelo** rivulet
**ribazo** mound, hillock
**ribera** bank (of a river)
**riel** rail
**rielar** to twinkle; to move
**rienda** rein of bridle
**riflero** rifleman
**rimador** rhymester
**ripio** padding

**risco** crag
**ristre** rest or socket (for a lance)
**risueño** smiling
**rizar** to curl; to ripple (water)
**rizo** curl; curly
**roble** oak
**roce** friction; contact
**rociar** to sprinkle; to drench; to cover with dew
**rocín** nag
**rocío** dew
**rocoso** rocky
**rodar** to roll
**roer** to gnaw
**rojizo** reddish
**rollizo** round
**romero** pilgrim, palmer; rosemary
**roncar** to snore
**ronco** hoarse
**ronda** round; night patrol or round
**ropero** closet, wardrobe
**rosal** rose bush
**rosicler** rose pink
**rostro** face
**rozar** to pass lightly over; to touch
**rubor** blush, flush
**rueca** distaff for spinning; twist
**rueda** wheel; **en—** in a circle
**ruego** prayer
**rugiente** bellowing, roaring
**rugir** to roar
**ruin** mean, vile, despicable
**ruiseñor** nightingale
**rulo** roller
**rumbo** bearing, course, direction
**rumiar** to ruminate, muse, meditate
**rumoroso** noisy, loud, rumbling
**ruta** road, route
**rutilante** sparkling
**rutilar** to sparkle, shine


**sabiduría** wisdom
**sacerdote** priest
**sacudir** to shake

saeta   arrow
sagitario   bowman
sagrario   ciborium; shrine
sahumar   to perfume
sal   wit; grace
salitre   saltpeter
salmodia   monotonous song
salmodiar   to sing psalms
salpicar   to sprinkle
salterio   psalm book; rosary; *mus.*
  psaltery
salubre   healthful
salve   hail to Thee
sándalo   sandalwood
sangrar   to bleed
sanguinario   bloodthirsty
saña   hatred
sapiencia   wisdom
sapiente   wise, learned
sarnoso   mangy
sauce   willow
savia   sap
sayal   garb of penitence, sackcloth
sayo   smock frock; large coat; any
  loose garment
sazón   time; maturity; **en—**   on
  time, in its season
sazonar   to   season;   to   mature,
  bring to maturity, ripen
secuaz   partisan
sedeño   silky, silken
segar   to reap
seglar   layman
seguidilla   Spanish dance
selva   forest, jungle, woods
selvoso   woody
semblante   mien,   countenance,
  look
sembrador   sower
sembradura   seeded field
sembrar   to sow
semejar   to resemble
sementera   sowing, seeding; seed
  bed; cultivated field
semilla   seed
senda   path

sendero   path
seno   bosom, breast; lap
sensorio   sensorium (*the brain or a
  part of it regarded as the center
  for all sensations*)
sentido   sentimental
señalar   to indicate, point out
señorial   lordly, noble
septentrional   northern
septicorde   seven strings or chords
  of a musical instrument
sepulto   buried
séquito   retinue
serpear   to wind (*like a snake or
  serpent*)
serpentina   coiled  confetti,  hence
  strips of pale colors
serrucho   handsaw
servidumbre   servitude;   servants
sesgar   to slope, slant; to take an
  oblique direction
sesgo: al—   obliquely
seto   fence
siembra   sown field
siempreviva   stonecrop  or  house-
  leek (*flower*)
sien   temple
sierpe   snake
sierra   jagged mountain range
sigiloso   silent, reserved
signun: hoc—   *Lat.* this sign
silbar   to hiss
silenciario   silent
silenter   silently, quietly
silva   a form of poem
silvestre   wild
sillón   armchair
sima   chasm, abyss
simiente   germ; seed
simulacro   preparation
sino   fate
sirena   siren; mermaid
siringa   name  of  various  species
  of rubber tree
sirte   rocky shoal; sand bank
siseo   hissing

**sistro** sistrum, (*a light frame with transverse metal rods, jingled in the ancient Egyptian ceremonies associated with the worship of Iris*)

**sitial** throne

**soberbio** proud, haughty, arrogant; magnificence

**sobrecoger** to scare, terrify

**sobremesa: charla de—** afterdinner chat

**sobrepelliz** surplice

**socavón** cavern

**sofrenar** to check (*a horse*) suddenly; to control a passion

**sol: dar el—** to shine

**solar** manor house, ancestral mansion

**solas: a—** alone

**solaz** pleasure

**soldar** to weld

**solio** throne with a canopy

**soltar** to let loose

**solterón** bachelor

**sollozante** sighing; sobbing

**sollozar** to sob

**somatén** war cry of the ancient Catalans

**sombrear** to shade

**sombrilla** parasol

**sombrillazo** blow with a parasol

**sombrío** shady

**son** sound; **sin ton ni—** nonsense

**sonámbulo** sleepwalker, somnambulist

**sondar** to fathom

**sondear** *See:* **sondar**

**sonrojo** blush, blushing; word or remark that causes blushing

**sonrosado** rose color

**soñoliento** drowsy

**soplar** to blow

**sopor** drowsiness

**soportar** to bear

**sorber** to sip; swallow; to imbibe, absorb

**sorbo** sip; gulp; breath

**sordina: a la—** secretly, quietly, on the quiet, in a muffled way

**sordo** deaf

**sortija** ring

**sosegadamente** quietly, calmly

**sosiego** calm, peace

**soslayado** oblique, slanting

**soslayar** to move obliquely

**soslayo: al—** askance, with disdain

**sotana** cassock

**soto** grove, thicket

**stela** column

**sudar** to sweat

**sudario** shroud

**sudor** sweat

**sudoroso** sweaty, perspiring

**sum** *Lat.* I am

**sumir** to sink; to depress, overwhelm

**superar** to exceed

**súplica** entreaty

**suplicante** entreating

**suplicio** torture; execution (*death penalty*); grief, suffering, anguish

**sura** sura (*one of the sections of the Koran*); chapters or psalms

**surah** silk from India

**surcar** to furrow; to cut through

**surco** furrow, channel

**surgir** to spring up, come forth

**surtidor** fountain, spout

**suscitar** to stir up; to originate

**suspirar** to sigh

**sustanciar** to abstract

**sustentar** to support

**susto** fright

**susurrar** to whisper; to murmur; to rustle (*as leaves*)

**susurro** murmur

**sutil** fine

**tabla** board; log

**tablado** stage, platform

**tabletear** to rattle

tacón  heel

taconear  to beat noisily with the heels

taconeo  walking noisily on the heels

tacto  touch

tacha  fault

tachonar  to adorn with trimming; to garnish with gimp nails

tachuela  large-headed tack, hobnail

taimado  sly, crafty

taitiano  Tahitian, of Tahiti

tajo  trench, ditch; cut; incision; steep cliff

taladrar  to drill

tálamo  bridal bed

talud  slope

talla  statue; carving

tallar  to carve; to cut; to engrave

talle  waist; figure; hips

taller  shop

tallo  stem, stalk

tamboril  small Spanish drum

tamiz  sieve

tamizar  to sift, screen

tanda  group

tañido  sound

tapa  top, lid

taparse  to stop up

tapete  covering of a gambling table; carpet runner

tapia  mud wall

tapicería  tapestry, upholstery

tapiz  tapestry

tapizado  hung with tapestry

tarambana  giddy

tardío  delayed

tarjeta  postcard

tartamudo  stuttering

tascar  to bite

taumaturgo  wonder-worker

tea  torch, firebrand

teclado  keyboard

techumbre  ceiling

tejado  roof

tejer  to weave; to knit

tela  canvas; cloth

telaraña  cobweb

tembladal  quagmire

tembladero  quagmire

temblor  trembling

tembloroso  trembling, quivering

témpano  iceberg

temperie  state of the weather

templar  to temper, soften

temple  strength

tenaza: —s  pincers

tender  to stretch (out); —el vuelo  to take flight, fly away

tenebroso  dark, gloomy

tentar  to touch; to tempt

tenue  soft

tenuemente  slightly

teñir  to dye, stain, darken

teoría  religious procession among the ancient Greeks

terciar  to place diagonally

terciopelo  velvet

terma  hot springs

terneza  tenderness, endearment

terquedad  stubbornness, obstinacy

terremoto  earthquake

terrenal  earthly, mundane

terreno  mundane, earthly

terruño  piece of ground

terso  smooth, glossy

testa  head

testero  hatrack

testuz  nape (of some animals)

teta  breast (vulgarism)

tétrico  gloomy, sullen

tez  skin, complexion

tibieza  lukewarmness

tibio  lukewarm

tibor  large china jar

tienda  tent

tienta: a—s  in a groping manner

tifón  whirlwind; typhoon

tilo  linden tree; flower of linden tree

timbal  kettledrum

timbalero  kettledrummer

timbre  deed of glory; bell; seal, stamp

timidez  timidity, bashfulness

timonel  helmsman, steersman

tiniebla  darkness

tinta  hue

tinte  hue

tintero  inkstand

tira  strip

tiritar  to shiver

tisis  consumption

titilar  to quiver; to twinkle

titubeo  staggering; wavering, hesitation

tizón  burning coal; brand, firebrand

tizona  sword

toca  headdress; veil

toison  fleece; —de oro  Golden Fleece

toldo  awning

ton: sin—ni son  nonsense

tonada  air, melody

tontería  foolishness, nonsense

tontuna  nonsense

tope  summit

toque  toll, ringing

torbellino  whirlwind

torcedor  anything that causes displeasure or grief; a twitch of conscience

torcido  twisted, crooked

tordo  thrush

tornasol  iridescence; sunflower

tornasolarse  to become iridescent

torno  lathe, spindle

torpe  awkward; dull, stupid

torpeza  stupidity

torreón  fortified tower

tórtola  turtledove (color)

tortuga  tortoise, turtle

torvo  fierce, stern

tosco  coarse

tósigo  poison

tostar  to roast; to tan

tragar  to swallow

traicionar  to betray

traidor  treacherous

traílla  leash

trajín  going and coming, moving about

trama  weft or woof of cloth

tramonto  sunset

trampa  trap, trick

tranco: a—s  hurriedly, carelessly

transeúnte  passer-by

transfundir  to transfuse; to attract

transido  overcome

transitar  to travel, journey

translucidez  translucence

transcender  to smell like, be fragrant; to extend; to penetrate

trasluz: al—  against the light

trasnochador  night watcher; night hawk

traspasar  to pass over (by)

trasponer  to go over

trasudar  to sweat moderately

travieso  mischievous

traza  appearance

trazo  track of land; trace

trébol  clover

trecho: a—s  at intervals

tregua  respite

tremente  trembling, shaking

tremolar  to wave (as a flag, etc.)

trémulo  trembling

trenza  braid

trenzar  to braid, plait

trepador  climbing

trepar  to climb

triclinio  triclinium (couches placed on three sides of the table, used by the Romans for reclining at meals)

trigal  wheat field

trigo  wheat

trilla  threshing

trino  trill

**tríptico**  triptych (*set of three panels*); book or treatise in three parts

**tripulación**  crew

**triscar**  to romp

**tristura**  sadness, grief

**triturar**  to abuse; to tear to pieces; to crush; to masticate

**triza**  fragment

**trocar**  to exchange, to alter

**tronar**  to thunder

**tronchar**  to rend, cut off

**tropel**  bustle, confusion

**tropel: en —**  in a mad rush

**troquel**  die (*for stamping coins and metals*)

**troquelar**  to coin, mint

**trovador**  composer

**trovar**  to write verse; to sing

**trucha**  trout

**trueno**  thunder

**trunco**  truncated, incomplete

**tuero**  brushwood

**tullido**  crippled, paralyzed

**tumbar**  to knock down

**tumbo**  rise and fall of sea

**túmido**  swollen

**tuno**  rascal

**tupido**  dense, thick

**tupir**  to pack

**turba**  crowd, swarm, mob

**turbarse**  to become disturbed

**turbio**  turbid, cloudy

**turgente**  thick

**turíbulo**  thurible, censer

**ubérrimo**  very or most abundant or fertile

**ubicarse**  to be located

**ubre**  udder

**ufanía**  pride, conceit

**ufano**  proud

**ultrajar**  to outrage, offend

**ultraje**  outrage

**ultratumba**  beyond the grave

**umbral**  threshold

**umbrático**  shady

**umbría**  shady place

**umbrío**  shady

**uncir**  to yoke

**ungir**  to anoint

**urdir**  to plot, scheme, conspire; to warp

**urente**  burning

**urgencia**  urgency, emergency

**urraca**  magpie

**usina**  plant, factory

**vaciar**  to cast

**vacilante**  hesitating, irresolute

**vacío**  empty; *n.* emptiness

**vacuno**  pertaining to cattle, bovine; cattle

**vagabundear**  to wander

**vagar**  to wander, roam

**vahido**  dizziness

**vaho**  halo

**vaina**  sheath

**vaivén**  fluctuation; inconstancy; movement

**valsar**  to waltz

**vapor**  steamboat

**vara**  staff; tie (*of railroad*)

**varar**  to run aground

**varilla**  rod; spindle; twig

**varillaje**  ribs of a fan or umbrella

**vástago**  offspring

**vastedad**  vastness

**vate**  poet

**vedar**  to forbid

**vega**  fertile plain

**vejez**  old age

**vela**  sail; candle

**velado**  hidden

**velador**  night table

**velar**  to veil

**velero**  sailboat

**veloz**  swift

**vello**  down, fuzz

**vellón**  fleece, wool of one sheep

velloso   downy, fuzzy
velludo   hairy
venablo   javelin, dart
vendimia   vintage
vengador   avenging
vengarse   to take revenge
ventalle   fan
ventura   happiness; luck
venturoso   lucky
venusina   pertaining to or looking like Venus
vera: a la—   at the side
verdeoscuro   deep green
verdinegro   dark green
verdor   verdure; youth
verdugo   executioner
verdura   greenness
vereda   path
verga   steel bow
vergüenza   shame
verleniano   pertaining to Verlaine
versallesco   pertaining to Versailles
versátil   fickle
versículo   verse
verter   to pour
vertiginosa   dizzy, giddy; fast
vértigo   dizziness
vespertino   evening
veste   dress, clothing
vestidura   clothing, vestment
vetusto   ancient
vía: —láctea   Milky Way
viador   traveler, in a mystic sense
viandante   traveler
víbora   viper
vicuña   vicuña, a South American ruminant
vid   vine, grapevine
vidriera   glass window
vientre   belly; womb
vigilar   to watch (over)
vileza   vileness
vilipendio   contempt
villano   boorish; villainous, base; n. contemptible person; peasant, rustic

villorio   small village or hamlet
viña   vineyard
viñedo   vineyard
viñeta   vignette
violar   to seduce
viruta   shaving (of wood or metal)
vislumbrar   to glimpse
vislumbre   glimpse
viso   colored garment under transparent outer garment
vitela   vellum
viudez   widowhood
vivaz   vigorous
viviente   living
v'lan   surprising
vocear   to shout, cry out
vocería   shouting, uproar
vocinglera   prattling, chattering; loud babbler
voladero   precipice
volador   flying; swift
volcado   overthrown
volcar   to upset
voltear   to leaf through
voluble   creeping vine
vuelo   flight; tender el—   to take flight, to fly away
vuelta: estar de—   to be back
vulgo   common people

wagneriar   to sound like Wagner's music

yacente   stretched out
yacer   to lie down
yambo   iambic meter
yedra   ivy
yelmo   helmet
yema   thumb; yolk (of egg); bud; cream
yerba   herb
yermo   uncultivated; wilderness; wasteland
yerto   stiff
yeso   plaster
yodo   iodine
yugo   yoke

yunque   anvil
yunta   pair, yoke of draft animals

zafio   uncouth
zafir   sapphire
zafiro   sapphire
zagala   shepherdess
zaguero   laggard, loitering
zahareño   wild; unsociable
zahorí   vulgar impostor pretending
   to see hidden things
zalamero   flattering, obsequious
zampoña   rustic flute
zanco   stilt; en−s   in a high posi-
   tion

zaraza   chintz, printed cotton
zarco   light blue
zarpa   paw
zarpado   ferocious
zarpar   to weigh anchor, sail
zarza   bramble
zarzal   brambles
zíngaro   Hungarian or gypsy
zócalo   socle
zopilote   buzzard
zozobra   anxiety
zueco   wooden shoe, clog
zumbar   to buzz
zumbido   buzzing
zurcir   to darn; to strand